VEINTE NOVELISTAS ESPAÑOLES
CONTEMPORANEOS

VEINTE NOVELISTAS ESPAÑOLES CONTEMPORANEOS

ESTUDIOS DE CRITICA LITERARIA

POR

TEOFILO APARICIO LOPEZ

PROLOGO DEL

P. FELIX GARCIA

ESTUDIO AGUSTINIANO
VALLADOLID
1979

Con las debidas licencias: P. Julián García Centeno, O.S.A.
Prior Provincial

216734

ISBN: 84-85022-11-4
Depósito Legal: VA. 351-1979
Distribución: Editorial «Estudio Agustiniano»
P.º Filipinos, 7. Teléf. 22 76 78. Valladolid

Casa Editora: Sever-Cuesta. Prado, 10. Valladolid, 1979

Sumario

Carta abierta y aclaratoria del autor

Amigo lector:

Un escritor, con seguridad poco conocido en España, pero famoso en algunas naciones de Europa y, sobre todo, en Estados Unidos, Martín Gray, ha dejado dicho que, a veces, se producen encuentros que modifican el color de las cosas; que hacen estallar lo que hasta entonces era subterráneo.

Del mismo es, también, el siguiente pensamiento sabio: «Saber no es nada; además es necesario que lo que sepamos se convierta en sangre nuestra».

Algo de esto me pasa a mí —o me ha pasado— con el libro que ofrezco ahora. Los hombres —tú lo sabes bien— vivimos presos en el cinturón de hierro que constituyen nuestros hábitos, necesidades, placeres; nuestra profesión u oficio, las circunstancias que mandan en nuestra vida. Y, justamente, de esto hablamos, escribimos y vivimos.

El profesor Pinillos dirá que «las necesidades humanas son inclasificables, porque el hombre es capaz de necesitarlo todo, incluso lo que no existe más que en su imaginación». Yo, a la verdad, no necesito de muchas cosas. Me conformo, a lo Fray Luis de León, con «mi pobre mesa y casa», dichoso en humilde estado, viviendo con Dios, con mi soledad interior, y pasando por el mundo haciendo un poquito de bien, «ni envidioso ni envidiado».

Pero también, como el maestro salmantino, en mi juventud planté un huerto, que floreció en la primavera, y ahora quiere ser fruto para los demás. Hacía tiempo que deseaba realizar esta pequeña empresa mía: reunir en dos o tres volúmenes los artículos, trabajos y ensayos de crítica literaria que, a lo largo de mi vida, he ido publicando en revistas; de modo especial, en «Religión y Cultura» y en la desaparecida «Apostolado».

Era éste uno de mis grandes deseos, al que me animaban amigos y compañeros. Hoy le veo —y le ves tú, lector amigo— en parte cumplido, abrigando la esperanza de que, en fechas no lejanas, se cumpla el propósito en plenitud, cuando aparezca el próximo volumen dedicado a los hombres de letras hispanoamericanos y, acaso, un tercer libro referido a los más destacados novelistas europeos de la actualidad.

Al tiempo de hacer el ordenamiento y como estructuración de este primer volumen, no he tenido en cuenta tanto la aparición, o mejor, la fecha de aparición del trabajo, cuanto un ordenamiento cronológico y de calidad artístico-literaria.

Por eso, así los autores estudiados, como los juicios emitidos sobre los mismos y aun la extensión del artículo serán variados y acaso irregulares. Obedecen a distintos momentos de mi vida, a circunstancias de tiempo y lugar, premios literarios alcanzados por el novelista en cuestión, momento histórico, temática del libro, amistad personal con el enjuiciado.

En este primer volumen de autores españoles, estudio figuras indiscutibles de nuestra narrativa contemporánea, como Ramón J. Sender, Max Aub, Juan Antonio Zunzunegui, Manuel Halcón...

De la mano del Premio «Planeta», entra en nuestro estudio también Torcuato Luca de Tena, Mercedes Salisachs, Carlos Rojas, Jorge Semprún, Xavier Berguerel, José M.ª Gironella...

No podía faltar nuestro Miguel Delibes, Ana María Matute, José Luis Martín Descalzo y otros que han merecido los honores del Premio «Nadal» y han seguido una marcha ascendente en su labor narrativa.

Otros quedan —hasta veinte— por citar. Y otros muchos que no están y que pudieran figurar junto a sus colegas. Es posible que, con el tiempo, vean la luz en un nuevo volumen de autores novelistas españoles. Mi propósito está ahí.

Como pudieran aparecer algún día un grupo aparte, el de la «intimidad»; poetas y escritores, amigos y compañeros, a los que he dedicado en distintos lugares páginas de devoción y de estima.

Amigo lector, que lo veas tú realizado algún día; pues sería la realización del que esto escribe. Y dicho esto, ya sólo me resta decir que el libro, como tal, te lo dedico a tí, quienquiera que seas, gustador de las buenas letras; que deseas entretener tu *ocio* en la lectura de estas «cosillas» literarias, y enterarte, ya de paso, del caminar de nuestra novelística actual, con sus virtudes y fallos, vistos siempre desde una perspectiva amable, optimista y de libertad, sin compromiso ninguno con autores enjuiciados y editoriales comprometidas. Será el juicio que merecen, para mí, algunos de nuestros más renombrados escritores. Si he acertado en la tarea, bendito sea Dios. Si he errado el tino, que Dios y los encausados me perdonen.

TEOFILO APARICIO

Prólogo

I

El oficio o, diríamos mejor, misión, del crítico literario es un cometido, si se entiende en todo su alcance, harto arduo, que requiere una serie de condiciones nativas, de estudio y de capacitación para llevar a cabo ese difícil intento de penetración inteligente y lúcida a través de la obra de creación de un autor que espera ser comprendido, completado e interpretado por el crítico, que a él se acerca con el ánimo abierto a la iluminación de la mirada y a la valorativa apreciación del entendimiento que completa, en cierto modo, la obra literaria que se le ofrece a su contemplación y estudio.

De ahí puede colegirse la categoría del crítico literario que se acerca con respeto y responsabilidad a la obra de creación, no en plan de censor o escoliasta simplemente, sino en la actitud de comprender la obra literaria y de apreciar y potenciar la riqueza, tanto expresiva como ideológica y artística, que en ella se contiene, por lo que merece la atención y valoración del crítico que aventura su juicio meditado y responsable. Se comprende que sea empresa difícil y arriesgada penetrar en la contextura íntima de un libro o de un alma, y apoderarse de su intimidad psicológica, literaria y artística, y fijar luego su proceso de creación, sus contornos, sus logros y el valor específico de la obra contemplada y sometida a examen y dilucidación amplia y serena.

La crítica, en ese caso, resulta una positiva colaboración

recreadora. Nada apasiona tanto como ese anhelo de conocer, que ha de poseer el crítico verdadero, de penetración en la intimidad de lo que nos circunda, sean libros, almas, paisajes, piedras, historias, realidades contempladas. Al fin, la vida es radicalmente conocimiento, al que sigue, como a la voz el eco, un anhelante e inquieto afán de saber y de posesión, que es la más viva y cabal de todas las compensaciones.

Pero para conocer, para percibir, se requiere previamente la limpia penetración de la mirada, la visión simpática e integradora. Sólo así es como los libros y las almas, y las cosas también, franquean su intimidad a los requirimientos de nuestra llamada inquisitiva. Y es también cuando se hace posible el diálogo, la dilucidación, el análisis y el intercambio espiritual y estético. A las almas y a los libros no se les escala ni violenta como a una fortaleza esquiva, a golpe de pica o de artillería, sino por la aproximación y el conocimiento penetrante y abierto. Quien se acerca a ellos con propósito contenido de reserva, de malquerencia o negación, no conocerá nunca de ellos más que su porción más deleznable y perentoria; pero lo que hay de esencial, de creación y de belleza, se le escapará a su percepción como un rayo fugitivo. La mirada turbia cubre de tenebrosidad las cosas contempladas.

II

Ahora bien; esa serenidad simpática, esa claridad de mirada, ese compromiso con la verdad, con que el crítico ha de situarse ante la obra objeto de su enfoque crítico, desapasionadamente, ¿será sólo posible, como suele decirse, cuando se ejercita en la lejanía de lo pasado, cuando ya no cabe la estridencia de la pasión que ciega y puede ejercitarse la crítica con desapasionada serenidad? ¿Es que no cabe la serenidad y el descompromiso más que a través de la distancia y de la historia?

En primer lugar, yo creo que la serenidad, el equilibrio crítico son el resultado de una superación, de una decantación que ha logrado su momento de depuración y de equilibrio. Hay un apasionado saber y entender que no desequilibra ni la visión ni el juicio; antes bien les enriquece y estimula. La serenidad gélida mataría la percepción del arte y de conocimiento afectivo, que permite una nueva dimensión valorativa ante la obra de arte o de creación. En la más pura serenidad enjuiciadora se puede no pocas veces percibir el eco lejano de la pasión admirativa, del entusiasmo, que produce la contemplación del ideal, de la obra realizada, del libro conseguido por la virtud de la gracia operativa del arte. El arte romántico es un arte en agitación pasional, y requiere su crítica en cierto modo a su medida y a su tono: el arte clásico —y valga el tópico— es un arte de serenidad. Pero a través de la tersura de las formas serenas y reposadas se trasparenta el ardor de la apasionada llama que, como un ascua, en su interior más recatado se esconde.

En segundo lugar, todo conocimiento es, en cierto modo, apasionado, en el sentido noble de la palabra, ya que sólo se llega al conocimiento más aproximado y completo, cuando uno se acerca a lo que le interesa y atrae, con serenidad, es cierto, pero a la vez con el apasionado interés y la atracción que despiertan las realidades que motivan nuestra admiración y nuestros juicios y estimaciones. La gelidez contemplativa, la asepsia químicamente pura, que a veces se postula, como condición imprescindible y logro deseable en la función y ejercicio de la crítica, no es concebible ni predicable, por incongruente e impracticable. Tanto en la contemplación y enjuiciamiento de lo histórico, de lo lejano como de lo que nos es presente y circundante, ponemos el ardor, el interés por conocerlo y desentrañarlo como quien aspira a una posesión, a una conquista inmediata. El conocimiento y la penetración simpática, es cierto, pueden estar amenazados por las intromisiones de la pasión o de la parcialidad deformante, y ese es el riesgo de los juicios y estimaciones de los hombres. Pero, de hecho, podemos comprobar que la gran mayoría de quienes se deciden a entrar, con vocación y capacitación, por ese ancho y no fácil campo de la crítica actual, viva y polémica, acierta a mantenerse en un nivel elevado de ponderación, de justipreciación y de objetividad entusiasta o contenida, pero siempre, en general, por encima de reacciones sectarias y descalificables. Es cierto, en principio, que conocimiento la pasión no quita, y más si se refiere a la pasión de conocer y de entender, pues entonces se convierten en estímulo y recompensa.

III

Por eso creo que se equivocan quienes juzgan ligeramente que, para conseguir la máxima objetividad en el juicio y estimación de un libro, de un autor, sea consagrado, sea novicio, hay que operar sobre ellos en frío, con rigor analítico, como si se tratara de una reacción química, sin tener en cuenta que la crítica es, debe ser un arte, y como todo arte legítimo requiere, para ser ejercitado, entusiasmo y ardor, serenidad y visión creativa que culmina en el conocimiento. Por eso creo que se desvían, a mi entender, quienes juzgan que la amistad o la simpatía hacen imposible o, al menos, muy condicionada, la función de la crítica y muy arduo el ejercicio de ver y de juzgar con amplitud e independencia. La proximidad en simpatía abre y enriquece más el conocimiento, que la frialdad y la distancia. Lo importante es que la función de la crítica esté regida por el equilibrio y la comprensión y, a la vez, por un noble y cálido deseo de entender la obra de un autor en su personal y redonda estructura, con sus logros y sus posibles deficiencias.

Claro es que en toda interpretación o visión personal de una obra de creación literaria y artística, se infiltra con frecuencia, más o menos cautelosa e inevitablemente, una cierta cantidad de dosis impresionista, del signo que sea. Lo matemáticamente objetivo sólo se da en las ciencias exactas y científicas. Esto quiere decir que, en gran parte, vivimos de impresionismos y somos víctimas o beneficiarios de los mismos. Sobre todo en el estadio de la crítica literaria, biográfica y artística. Ya hace años decía el excelente crítico Gómez Baquero que «la nueva crítica propende a un impresionismo ameno y, a veces, pintoresco, más atento, con frecuencia, a su propia prosa que a la obra criticada, por donde no es raro que la crítica, sin detenerse mucho en el examen de un libro, lo tome como punto de partida de disertaciones y divagaciones estéticas y literarias».

Sí es, pues, ineludible, concretándonos a la crítica literaria, esa intromisión del impresionismo; lo que urge es buscarle una base de sustentación objetiva, es conferirle el mayor grado posible de ecuanimidad y someterle a la austera disciplina de las normas de valoración. De lo contrario, tendríamos el triunfo de la anéctota sobre la categoría, de la sensación sobre los principios realistas, del mero impresionismo sobre el juicio y el análisis valorativos.

Se ha dicho que «la crítica de un libro es la imagen del mismo a través de un temperamento». Con eso se pretende soslayar, erróneamente a mi juicio, la eterna discusión sobre si el comentario admirativo o censorio ha de ser el resultado de una mera impresión con preterición de otros enjuiciamientos y análisis. Nadie puede jactarse indudablemente de poseer un criterio blanco y diáfano como el cristal de roca para fiarse con excesiva credulidad de su temperamento.

La función crítica reclama otros asideros menos deleznables para poder proclamar los resultados de un criterio, de un juicio, que implique algo más que una mera impresión, o una pasajera reacción nerviosa o temperamental ante una obra que ha de ser enjuiciada. Cierto es que en toda actitud crítica hay siempre, y ello es lógico, una cierta dosis de subjetivismo, variable y sutil, con que se colorea y personaliza el estilo; pero hay que precaverse y buscar un refugio defensivo inmediatamente en la tierra firme de lo objeto, de la realidad dada para no ir a la deriva de la arbitrariedad, del diletantismo crítico o del impresionismo literario.

La crítica tiene su objeto, su motivación, su estilo peculiares; éste, el estilo, puede adquirir todas las matizaciones que le dé el escritor, hasta adquirir el rango de creación artística y justificar la frase célebre del *Discours sur le Style*, de que «el estilo es el hombre», que a tantas interpretaciones desviadas se ha prestado; pero el objeto, la motivación, es decir, la obra artística, le es dada al crítico, es una realidad que él ha de potenciar, si se quiere, a través de su propio temperamento, pero sin desvirtuarla ni convertirla en pasto goloso de un subjetivismo dominante y muchas veces arbitrario.

IV

Traigo estas consideraciones sobre la crítica literaria a propósito de este volumen cumplido de estudios y ensayos críticos, que el P. Teófilo Aparicio, bien aconsejado por quienes siguen de cerca su actividad y su acierto en temas de la actualidad literaria, tanto española como extranjera, se decide a sacar a la luz, aunque por ahora recoja sólo la parte referente, muy considerable, de autores españoles, que el autor califica justamente como grandes figuras del ayer inmediato y grandes figuras del hoy conseguido por decirlo así; dejando para otros apartados o grupos, bien definidos, a algunos de los autores del «Planeta», más polémicos, de los del «Nadal», más polemizados, de los de la «actualidad» más apasionante y compleja.

El P. Teófilo Aparicio, hombre de diversas dotaciones, incansable en el estudio y en la investigación histórica y biográfica, además de periodista fecundo, de expositor de temas religiosos y morales y profesor universitario, es, ante todo, una vocación literaria penetrante y lúcida, que se ha ejercitado de un modo preferente en el campo de la crítica y de la exégesis e interpretación de temas literarios, para lo que está singularmente capacitado, porque es un estudioso contumaz.

Para ello cuenta con una gran independencia de espíritu y amplitud de criterio; con una visión certera de temas y problemas, y una fina penetración de mirada para acercarse a la obra literaria y medir su alcance, dentro del panorama en que se desarrolla. El P. Teófilo Aparicio, en su faceta de crítico literario, que tiene bien justificada y comprobada con una larga e interesante serie de ensayos, unos de gran estilo analítico, y otros de estilo menor, que vienen a ser como semblanzas rápidas, apuntes vivaces que indican suficientemente la habilidad del autor y su capacidad de observador para fijar y sorprender las características y perfiles de un escritor, de una obra, o sus posibles zonas de sombra, con buen pulso y certera mirada, y en cualquier caso señalando con precisión desaciertos y frustraciones.

Quiero con esto decir que el P. Teófilo Aparicio es un crítico descomprometido, sin más compromisos que con la verdad y el respeto que el escritor merece, incluso cuando es preciso expresar discrepancias o señalar errores. Pero eso no significa hacer profesión de frialdad y de rigor habituales, que sería contraproducente para el entendimiento y valoración de libros y de autores, como por desgracia acontece con frecuencia. El P. Teófilo, al contrario, es propenso al entusiasmo, al acogimiento cordial de lo que es válido, de lo que lleva el signo de la creación y de la belleza. El se sitúa, de antemano, en una posición de simpatía ante el autor y su obra, pero de simpatía que no le condiciona ni el juicio ni la valoración de la obra, a la hora de la verdad. Es, por temperamento, más propicio a señalar aciertos y posibilidades, que desaciertos y frustraciones, sin que por ello se menoscabe su sentido de la equidad y de la clara denuncia de falsos valores acreditados y de famas insostenibles, pero sostenidas artificiosamente por el compromiso y la rutina.

En el panorama literario de hoy la presencia del P. Teófilo como crítico y espectador de obras y de autores contemporáneos se nos presenta como orientadora y clarificadora, con amplitud de criterio y, a la vez, con estricto rigor y justa apreciación para valorar obras y autores, a veces contra la corriente rutinaria o la convenida, pero inmerecida, exaltación de nombres sin consistencia. Basta recorrer la serie de nombres y figuras de ayer y de hoy, y, también del momento fugaz de la actualidad literaria, para percatarse de que el excelente y puntual crítico que es el agustino P. Aparicio, se sitúa siempre en una indeclinable posición abierta, dispuesto siempre a comprender, a comprobar, a discernir, a decir su palabra de afirmación entusiasta o su denuncia de lo que no tiene validez y es literariamente recusable, por más que la fama convenida lo haya ensalzado con rutinaria insistencia.

Creo que este volumen de estudios y notas críticas viene a poner claridad y rigor en el ámbito actual de la crítica literaria, falta, no pocas veces, de objetividad, de reflexión y de análisis. Y, sobre todo, de independencia, o, si se quiere, de libertad. Que es lo que al crítico agustino le confiere una amplitud de movimientos, de entusiasmo, de admiración o de censura que sólo pueden poseer los que no tienen más compromisos que el gran compromiso con la verdad y la rectitud de la justicia. Todo eso es claro que supone una tensión para libertarse de la rutina y de lo convenido; pero también es cierto que es lo que, en realidad, compensa al que se esfuerza por mantener la altura y el vuelo. Que es lo que, al fin, logra cumplidamente el autor de estos ensayos críticos, tan orientadores y con tan segura mano trabajados, y que, para mí, al menos, me sirven para confirmarme en la idea de que entre las múltiples capacitaciones del P. Aparicio, de investigador, de expositor de temas diversos, de universitario, de periodista, etc., es ésta, la de crítico literario, su más definida vocación, profesada con ese estilo y buen aire de la mejor tradición crítico-literaria de la gran escuela agustiniana, que viene desde San Agustín pasando por Fray Luis de León hasta llegar a esta serie larga y significativa de escritores agustinianos actuales que van dejando la huella ilustre de su influencia en el campo extenso del pensamiento y de las letras.

P. FELIX GARCIA

2

RAMON J. SENDER

Novelista del exilio, creador original y de raza

I. ANTEPORTADA

A Ramón J. Sender comenzamos a conocerlo en España —al menos muchos de los que compartimos las tareas literarias a partir de los años cincuenta— desde el momento en que le concedieron el importante premio literario «Planeta 1969», por su novela *La vida de Ignacio Morel,* y que hacía el número dieciocho de este codiciado galardón.

Es cierto que conocíamos su nombre y que sabíamos algunas cosas del escritor exiliado; pero apenas si sus obras eran conocidas en España. Luego nos fuimos enterando de que era, quizá, uno de los grandes novelistas que hay en lengua hispana y que nadie puede regatearle uno de los primeros puestos, sino el primero, entre los novelistas españoles actuales.

Por aquellos días, Sender, emocionado por la consecución del premio, hacía unas declaraciones a la prensa en Estados Unidos, en las que manifestaba que volver a respirar el aire de España era para él infinitamente más importante que el dinero del «Premio Planeta». «Tengo que agradecer a mis colegas —decía entonces—, los jurados que han decidido el premio, la amabilidad que han tenido al acordarse de mí. Ha sido esta emoción que ha compensado muchos años de esfuerzo».

Y más adelante añadía: «Si de mí dependiera, yo iría con el mayor gusto a España a recoger el premio. No por el premio en sí, sino por la inmensa alegría que representaría para mí la vuelta a la patria». Desde que abandonó España, ha vivido en Méjico y en Estados Unidos enseñando en las Universidades más importantes de aquellas naciones. Al llegar a la jubilación —los 65 años—, estaba enseñando en la Universidad de Nuevo Méjico, en Alburquerque. Y siguió en su tarea docente, porque un escritor del calibre de Sender seguía recibiendo una lluvia de ofertas constantes. Cuando recibió la noticia de que le habían concedido sus paisanos el referido premio literario, se llenó de inmensa alegría y pensó ya en unas vacaciones a Europa y, tal vez, en una estancia definitiva en su patria. Se las tenía merecidas, en esta hora de retorno de nuestros grandes intelectuales exiliados, y seguramente que ningún sitio mejor para descansar una temporada que el pueblo aragonés de Chalamera.

II. ARAGONES, ESPAÑOL Y EXILIADO

Cuando en 1969 nuestro escritor y novelista consiguió el premio citado, los periodistas se dieron prisa por contarnos su vida y, como de costumbre, cometieron muchas irregularidades. Digamos que el autor de *Requien por un campesino español* nació en Chalamera, provincia de Huesca, el 1902, a pesar de que algunos sigan afirmando que su lugar de nacimiento fue Alcolea de Cinca, quizá porque aquí, efectivamente, residió desde que hubo cumplido apenas un año de edad. Terminados sus estudios de bachillerato en el Instituto de Zaragoza, marchó a Madrid. La familia estaba empeñada en que estudiara Leyes. Su padre era secretario de Ayuntamiento y su madre maestra nacional. Gozaban de una posición que permitió a su hijo disfrutar de las facilidades necesarias para su formación intelectual. Pero el conflicto provocado por la severidad paterna y la extrema sensibilidad e independencia de Ramón J. Sender determinó la huída a la capital de España. «Querían hacerme abogado —cuenta el propio escritor— y al Ateneo debo que no se salieran con la suya. Aquí recibí la primera impresión directa y honda de una realidad española completamente distinta de lo que me habían presentado. Leí desordenadamente, voracísimamente y, naturalmente, también escribí. A esa edad es inevitable; pero como yo carecía de vanidad intelectualista, aquellos escritos tuvieron un aire sencillo y sentimental bastante tolerable».

Los primeros meses en Madrid, sin techo incluso donde cobijarse, estarán marcados por toda suerte de privaciones, remediadas en parte cuando logró una colocación como dependiente de farmacia. Pero como era menor de edad —diecisiete años—, tuvo que volver a la provincia y hacer en ella periodismo. «Periodista en Huesca, chofer en Santaolarieta», que le diría graciosamente un amigo y escritor de la región.

Sería curioso seguir sus pasos por los periódicos de provincia: «La Tierra», el diario de Huesca, en el que hace de todo e informa de lo que salga; el «Heraldo de Aragón», en el que colabora ganando el primer premio de un concurso literario, organizado por el mismo periódico de Zaragoza; «La Crónica de Aragón», diario desaparecido, del que fue corresponsal e informador especial del Congreso de la Historia de la Corona de Aragón. Antes y durante su primera estancia en Madrid, los periódicos del momento, como «El Imparcial», «España Nueva», «El País», y «La Tribuna», acogen sus poemas, sus artículos y sus cuentos, escritos en el Ateneo y firmados con seudónimo. Ensaya a ser universitario matriculándose en la Facultad de Filosofía y Letras, pero decepcionado por aquel ambiente académico y atraído por las actividades revolucionarias del anarquismo, así como por sus inquietudes literarias, no termina la carrera.

Cuando a los 21 años sea movilizado, España está empeñada en la guerra de Marruecos, en la que intervendrá directamente, adquiriendo el grado de alférez de complemento. Fruto de esta experiencia, será su primera novela, *Imán,* publicada en 1930 y traducida en seguida a varios idiomas, como más adelante veremos. Sender se nos va a hacer, así, un escritor que pudiéramos definir como político-social, enrolado y todo en el «Regimiento de Ceriñola 42». Por este tiempo, ingresa en la redacción de «El Sol», que abandona en 1930 para colaborar en «La Libertad» y en «Solidaridad Obrera», más afines con su ideología revolucionaria. Para entonces, sus crónicas periodísticas, sus ensayos, sus libros llevan ya el sello común del escritor inquieto y preocupado por la problemática del momento. Y es que, como el propio Sender escribirá más tarde, «un escritor no puede evitar la circunstancia social. Para mantenerse insensible a los problemas sociales en nuestro tiempo, hay que ser un pillo o un imbécil». Y Sender no era ninguna de las dos cosas.

Vinculado desde su juventud al movimiento anarquista, vivió en el centro de las intrigas políticas. Conspiró contra la monarquía y en 1927 sufrió prisión por esta causa. Partiendo de la República, pronto se sintió decepcionado por el carácter conservador de los componentes del gobierno de don Niceto Alcalá Zamora. Atraído inicialmente por el comunismo, colaboró estrechamente con el partido. Pero en seguida reaccionó contra sus métodos, se opuso a sus designios y denunció su crueldad para con el pueblo español.

Sin adscribirse a ningún partido, Sender se acercó a todas las organizaciones que podían apoyar sus propios anhelos e ideales revolucionarios y sus exigencias de justicia y transformación social. Acabó rebelándose contra todas las sugestiones y bloques; aceptando como único código su propia visión de la vida, su indeclinable ambición renovadora, su particular concepto del ser y del existir español. El propio Sender nos dirá que es capaz «de formar en la fila de los perros de circo ladrando a compás y llevando en la boca el bastón del amo», mientras que tampoco tenía mucho interés «por actuar de jefe de pista». Su voz queda así radicalmente aislada, comprometida con el hombre por cuya igualdad clama, fiel a sí misma, aunque la madurez haya dado mesura a la anárquica violencia de sus conceptos juveniles.

La guerra civil española le sorprendió veraneando con su familia en San Rafael, localidad que fue pronto ocupada por las llamadas tropas nacionales. Sender pasó durante la noche la línea del frente y se incorporó a una formación republicana. En el mes de octubre de aquel trágico 1936 le llegó la noticia de que habían matado a su esposa en Zamora, por lo que se dio prisa para llevar a sus hijos a Francia. Intervino en varias operaciones bélicas y consiguió el grado de Jefe de Estado Mayor. Más tarde, ya en 1938, el gobierno republicano le encomendó la delicada tarea de presentar la causa de la República en Estados Unidos, dictando una serie de conferencias que, la verdad, debieron convencer muy poco a los yankis; como tampoco tuvo gran éxito la revista de propaganda que fundará en estos mismos días en París. En marzo de 1939, próximo el fin de la contienda, deshecho el ejército republicano, embarcó con sus hijos hacia Méjico, lugar de su residencia hasta el 1942. A partir de esta fecha vivió en Estados Unidos, donde contrajo nuevamente matrimonio y, aparte su dedicación a escribir novelas, ha enseñado literatura española en varias universidades. Un exilio, pues, aceptado con toda responsabilidad y ausente de todo rencor. Un exilio que, lejos de resultar parásito, como el de tantos españoles de aquella hora, será en gran modo creador y fecundo, ya que en el exilio crea sus más grandes obras literarias que, por fin, conocemos ya todos los españoles.

A propósito del exilio de Sender, Juan Luis Alborg nos dirá que el hombre en el exilio es por necesidad —y de forma más o menos accidental— un vencido, y es natural que su voz acuse en sus cuerdas el temblor y el dolor de la derrota: malos consejeros de la serenidad tan quebradiza. Por otra parte, el país que uno ha tenido que abandonar cambia y se transforma, no sólo por la natural evolución de los hechos, sino porque las nuevas circunstancias sociales o políticas modifican las condiciones de vida; a veces, hasta en los aspectos más insospechados de las costumbres cotidianas. Sender no conocerá exactamente lo que estaba ocurriendo en España. Sólo cuando se le abran las puertas y pueda regresar, caerá en la cuenta de que viejos perjuicios y falsas deformaciones engañan con frecuencia los hombres de buena voluntad.

A su regreso, los círculos literarios, la prensa, muchos españoles nos alegramos del mismo, aunque no todos compartieran los ditirambos y elogios exagerados que le dedicaron algunos reporteros. Los españoles somos así. Hasta entonces, apenas nos preocupábamos del novelista español en el exilio. Ahora nos podíamos permitir el lujo del siguiente párrafo: «La familia literaria española, sobre todo, pero nuestro pueblo en general, está y estamos contentos con el regreso de Ramón J. Sender. El autor de obras tan valiosas para nuestra heredad literaria no era justo que persistiera en la nostalgia sempiterna, ya demasiado prolongada. Su devoción al tema de España está sobradamente demostrada... Sender ha hecho mucho por España en los años del destierro; se puede decir que ha levantado, página a página, un monumento de prestigio a nuestras letras, ha prodigado un culto ostensible y público a las virtudes —quizá también a los defectos— de su pueblo, del cual proceden y al cual regresan siempre sus criaturas de fábula o ensueño, a la vez tan próximas siempre a la realidad».

En lo que José Luis Castillo Puche lleva mucha más razón es en todo lo que significaba el deseo del reencuentro de nuestro gran autor, «nuestro fabuloso personaje-autor, con su tierra, con su pueblo»... No debió ser cosa fácil. Y sin embargo, para el reportero citado, el regreso de Sender era un sueño acariciado desde hacía años. Sender nos hacía falta a los españoles y su puesto estaba aquí, entre nosotros. Pero era absolutamente necesario que la vuelta del escritor español no viniera por signo político alguno, para que, de este modo, el autor de la mágica irrealidad y de la realidad sangrante nos pudiera brindar a todos, no ya sólo un mensaje de palabra y signo, sino el mensaje de su presencia y su persona. Contundente y honrada presencia.

III. SENDER, PERIODISTA DE GARRA Y CULTIVADOR DE LA FABULA

Apuntado queda ya que Ramón J. Sender comenzó su carrera literaria en los periódicos aragoneses y madrileños, dándose a conocer muy pronto y presentándose a concursos en que premiaron más de una vez sus trabajos. La experiencia en la guerra de Africa, aparte su primer libro, el citado *Imán*, le suministró material abundante para otros relatos y reportajes. De hacer alguna excepción, lo haríamos con el importante rotativo «Heraldo de Aragón», el que más contribuyó por los años 1924 y 1925 a dar a conocer a Sender, premiando sus poesías y sus leyendas, como la titulada *El alma de la Colegiata,* donde aparecen ya las más constantes características del escritor aragonés, de claras influencias becquerianas. Sería curioso y hasta interesante seguir al joven Sender, escritor, abriéndose camino en las letras a través de la difícil y penosa tarea del reportero, que tiene que hacer de todo, hasta que suene su nombre con mayor éxito y sonoridad. Para entonces, ya podrá enviar sus crónicas periodísticas a «El Sol», «El Socialista» y «La Libertad».

Vuelto a España en olor de multitud, sin que le abatieran los vientos del éxodo, ni mitigara el amor hacia su patria, gozosamente amarrado por él en sus libros, el viejo soñador, el anarquista romántico, el francotirador literario, ha decantado su enorme energía, su dinámica actividad y ha vuelto a colaborar en los periódicos españoles. Hemos leído algunos de estos últimos artículos suyos. Como aquel, tan bello, titulado «Dialéctica de los españoles», tema en el que, como en la mayor parte de su obra, está siempre al fondo España, su esencia y su destino.

Sender demuestra su vigorosa actividad y personalidad de escritor en cualquier género literario que cultive. Aunque su medida y talla de autor universal nos la dé su obra novelística, en las narraciones cortas que escribió se nos revela, asimismo, con categoría excepcional.

La llave, por ejemplo, es una narración de este género —el título comprende otras cuatro más— que nos transporta a los tiempos de nuestros mejores narradores, de más solera y más penetración. Una inacostumbrada maestría crea esas páginas preciosas, de prosa exquisita, fluída, elegante y castiza. Nos movemos por el cielo de los auténticos escritores, con andadura de clasicismo, es decir, de perfección literaria y humana. *La llave* es como un cuento negro, como un aguafuerte de miserias. Todo su argumento reside en que una mujer, astuta y ladina, ansía la llave donde un hombre avaro guarda su dinero. Una muchacha, de dudosa conducta, ayuda a su madre para conseguirla, propinando un botellazo a su padrastro, mientras que el joven, semi-idiota, mata a su padre, sin saber que lo era, y solamente porque unas mujeres mentirosas le han dicho que aquel hombre avaro se había tragado la llave y él quiere sacársela. Contenido agrio, fuerte y negro; salvado por la perfección literaria y el fino humor con que está escrita la narración.

Igual podríamos decir del cuento titulado *La fotografía de aniversario,* y no así de *Mary-Lou,* que es una deliciosa leyenda para mayores, y en la que Sender ha logrado la creación estupenda, palpitante, de una criatura de solos ocho años —Mary-Lou—, niñera y rígida educadora de su hermanita de tres, y las dos enviadas a la calle por una mujer, su madre, pero sin entrañas maternales.

Conocemos otras tres narraciones cortas y legendarias de nuestro autor que llevan el título común *Tres novelas teresianas,* en las que la Madre Teresa está presente, con su aroma inconfundible, con su lenguaje y andadura del estilo, tal vez lo más gradable del volumen. Sender, con unos recursos enormes de fabulación legendaria, inventa unos pasajes de la vida y de la historia de Teresa de Avila, y soñando una fabulosa confluencia histórica, hace intervenir en la misma liza a un manojo de personajes de la historia española que no estuvieron así en contacto, pero que se aproximan en su esencia hispánica. Maravillosa fábula en la que vemos cómo nuestra inmortal «monja andariega» se encuentra, en su incansable caminar, y por las rutas castellanas, con don Quijote, la Princesa de Eboli,

Lope de Vega, Fray Hernando del Castillo y hasta con el rey absoluto y misántropo Felipe II.

IV. SENDER Y SU PREOCUPACION POLITICO-SOCIAL ANTES DEL EXILIO

Desde el principio de su actividad novelística, aparece claro el realismo crítico social de un mundo y de una España que no le convencían. He aquí *Imán,* un relato de mucho antes que *Siete domingos rojos* y que *Viaje a la aldea del crimen,* con temática sobre la guerra de Marruecos y en que tomó parte durante los trágicos días de «Annual». No es una crónica descriptiva de los hechos, sino más bien la narración impresionista de una realidad histórica, escrita con la técnica que parece consustancial a los relatos bélicos y que se escribieran durante la Guerra Mundial. El libro es una mezcla de reportaje y de novela de costumbres, que refleja la vida del soldado anónimo y sufrido y las pésimas condiciones en que tenían que luchar contra un enemigo astuto y de guerrillas.

Sender, aquí, tiene una intención crítica indiscutible; pero apenas la deja ver de forma directa y personal, pues prefiere que sean los hechos los que hablen de modo más elocuente que sus propias palabras. Es un soldado, decimos, anónimo; un muchacho sencillo y elemental, sobre el que parecen amontonarse desgracias como un «imán» que atrae las limaduras. Este soldadito valiente, soldadito español, nos va a contar los hechos de aquella desastrosa campaña, que terminaría en una retirada, mitad heroica y mitad vergonzosa, de la que salvará milagrosamente.

Sender, testigo puntual, reportero fiel, pinta cuadros de vigorosa plasticidad, de recia fuerza descriptiva, de excepcional animación, volcando en ellos una gran carga emocional, acumulada en una experiencia de vida que jamás podrá olvidar. La campaña de Marruecos dejará profunda huella en el joven escritor aragonés. Y buena prueba de ello serán los reportajes y artículos que escriba después refiriéndose a estos críticos momentos de la historia contemporánea española en el Protectorado y antes de «Alhucemas».

Obra importante de la primera época senderiana, con claras influencias de Gracián y de Quevedo, es *La noche de las cien cabezas.* Como toda alegoría de intención satírica, esta obra se desenvuelve en el terreno de la abstracción simbólica, enteramente alejada de cualquier especie de concreción en personajes humanos individualizados y concretos. Las «cien cabezas» son otras tantas ideas vivientes o caricaturas cerebrales, movidas por la mano del novelista a su entero albedrío.

Para Juan Luis Alborg no existe en este libro creación novelesca propiamente dicha, sino una sátira viviente que se disfraza con ropaje de novela. En la ficción de la obra se produce un cataclismo, a medias geológico y político, que arrastra todo el tinglado social y vuelca cabezas y más cabezas sobre el cementerio de la gran ciudad, que con toda seguridad es Madrid. Estas cabezas dialogan al borde de sus sepulturas, mientras el autor va dibujando a su vez tremendos aguafuertes quevedescos que definen la vida y milagros de cada personaje. La sátira, amarga siempre, violenta incluso en ocasiones, fluye en un tono de retorcida y conceptuosa intensidad, de contorsionada caricatura, que se remansa aquí y allá en parlamentos ideológicos.

Indudablemente, Sender se desahoga en estas páginas, vaciando en ellas toda la carga de su radicalismo intelectual y vital: de aquel radicalismo que en 1929 le había impelido a dejar la redacción de «El Sol» para ocupar un puesto en las columnas extremistas de «Solidaridad Obrera», tribuna del anarquismo sindicalista. En esta misma línea escribirá más adelante, en 1934, un documental impresionante sobre la sangrienta represión, ejecutada por el gobierno de la República, contra los campesinos de Casas Viejas, una aldea de Andalucía que intentó hacer la revolución por su cuenta. Aquella República que había consentido o favorecido la demagogia de aquellos miserables campesinos, los ametrallaba después, cuando la cosa llegaba a mayores. Sender aprovecha este triste suceso, que rebasó las fronteras nacionales, para ofrecernos un reportaje periodístico vivo y palpitante, como del hombre que ha acudido al lugar de los hechos pocas horas después de la tragedia y cuando humeaban todavía las chozas de las pobres víctimas. Sender se rebela y tiembla de ira contra aquella represión injusta, hacia unas gentes llenas de hambre y de miseria secular y sin distinguir matices de culpabilidad.

Preocupado por el problema social, en fiebre revolucionaria y en favor de la rebelión popular contra estas injusticias sangrantes que comete la burguesía, Sender simpatiza con aquellos españoles que, días antes de la «Restauración» y como epígono de «La Gloriosa», se levanta en los cantones. Fruto de esta ideología cantonialista será la novela *Mr. Witt en el Cantón,* novela histórica que le encumbró definitivamente a la fama y le valió el Premio Nacional de Literatura 1935. En este libro presta su atención al lado político nacional; a los acontecimientos históricos; a los personajes dirigentes de la revuelta de aquellos días y su significación ideológica. Como si intuyera los hechos que iban a producirse en España poco tiempo después, y que habrían de comprobar hasta dónde los había imaginado y reconstruido aquella vigorosa y certera fantasía. El clima callejero, las relaciones humanas, las pasiones de las gentes, los hechos de armas..., hasta los detalles pintorescos que dan su peculiar sabor a la escena y que podían suponerse imaginados más o menos libremente por el autor, recibían su confirmación esencial en una realidad que parece haberle servido de modelo.

Pasarán los años, y de entre las cenizas de aquella revolución, Sender nos sacará *El verdugo afable,* que compendia perfectamente los dos aspectos o vertientes de toda su obra: el realismo crudo, y su gusto por la alegórica conceptista. En esta obra vemos con toda claridad una intención ideológica, empapada de misticismo y metafísica, con unos personajes de ambiciosas dimensiones, junto a una compleja diversidad de planos, de situaciones, de episodios, de experiencias y calas sicológicas en las que el hombre es sometido a análisis bajo los ángulos más diversos y con una espectacular riqueza de matices verdaderamente sorprendente. El pobre protagonista, hijo natural de una mujer aldeana y futuro verdugo, va a encarnar el escepticismo, la inadaptación, el radicalismo y espíritu de protesta social, que era justamente lo que encarnaba la juventud de aquellos días, los ideales que vivía en aquel entonces el propio Sender.

V. TESTIGO DE UNA GUERRA FRATRICIDA

Nuestro autor no podía por menos de escribir novelas y libros sobre la guerra civil española. La vivió muy de cerca y llevaba muy dentro del alma unos ideales por los que combatió en ella. Pero hasta en esto es original Sender. ¿Qué novelista de la actualidad no ha tocado, de un modo o de otro, el tema de la guerra del 36? Pero, al contrario de lo que ocurre con Gironella, que pretende contarlo todo, Sender da a sus libros un aspecto novelesco parecido modo a como lo hiciera Galdós en sus *Episodios nacionales,* y sus relatos bélicos encierran al mismo tiempo una abundante carga poética, gran libertad de composición y notable mezcla de elementos reales y de imaginaciones novelescas, junto con la ya conocida superposición sobre el plano objetivo de la peculiar deformación poético-mágica que acredita la presencia creadora del novelista muy por encima del reportero.

En este aspecto, tal vez el libro más ambicioso de nuestro autor sea *Los cinco libros de Ariadna,* en el que la guerra está vista, sentida y contada a través de la experiencia de un hombre y una mujer. Esto hace posible, según explica el citado Alborg, el buceo en hondos sustratos de la vida y sensibilidad del hombre español durante largos años vitales. El relato está montado sobre una gigantesca alegoría, muy original, con un enfoque también muy peculiar sobre la guerra española, algo radicalmente distinto a todo lo demás; de interés político insospechado, hasta que uno se adentra en la lectura y comprueba que el protagonista puede ser el mismo Sender, fiel a su ideología republicana, y blanco por tanto de todos los rencores de los agentes de Moscú, cuyos manejos para agarrar en sus manos las riendas de la contienda y de la política quedan descritos con deslumbrante claridad.

Casi otro tanto podríamos escribir sobre *El rey y la reina,* otro de los libros del gran novelista aragonés y sobre el mismo tema bélico, si bien éste es de corta extensión. Un libro perfecto en su género y modelo por lo ajustado de su ritmo y la sobriedad ejemplar de sus elementos. Como en la obra anterior, no se trata aquí de un relato bélico, y menos aún de una intención política a favor o en contra de una bandería. Es una fábula poética, de profundo significado y alcance insospechado que sobrepasa el Madrid rojo de aquellos días y una guerra entre hermanos. El argumento es muy sencillo, pero la alegoría se complica y bien pudiera ser ésta la que con agudeza supone el citado crítico: que cuando la excepción quiebra en pedazos la superficie cotidiana de toda convención social y el ser humano se queda desnudo de toda fantasmagoría adventicia, no existe sobre la tierra más que *el hombre* y *la mujer* frente a frente: la duquesa, que ni siquiera había concedido al jardinero Rómulo la ofrenda de su pudor mientras se hallaba en lo más alto de su estrato social, acaba por reconocer la presencia de ese hombre, que es en esencia igual a otro, hasta en la capacidad de idealizarla y romper, si fuera preciso, todas las otras exigencias de su vida.

Es, justamente, lo que encontramos en su inmortal *Requiem por un campesino español,* novela escrita en 1953 y que apenas rebasa las páginas de una narración corta. El título actual puede prestarse a engaño, por cuanto apareció con otro: *Mosén Millán,* que es como viene citado en algunos textos de literatura. Sender toma de nuevo sus armas de escritor combativo y ardoroso y nos cuenta el dramático episodio de la guerra civil en un pueblecito aragonés, donde vive Paco, el del Molino, calificado de izquierdas y al que un grupo de falangistas va a sacar de su hura y darlo muerte.

Mosén Millán es el cura del pueblo que bautizó, dio la comunión y casó a este joven al que considera y estima como a un hijo. Mientras se dispone a celebrar una misa en sufragio de su alma, revestido en la sacristía y en espera de los asistentes que no acaban de llegar y que duda asistan, él va reconstruyendo los hechos, el fracaso de su mediación, con la que creyó salvar al joven, revelando su escondite, y que sólo sirvió para entregarlo a sus ejecutores. Con los codos en los brazos del sillón y las manos cruzadas sobre la casulla negra bordada de oro, Mosén Millán reza y recuerda. ¡Qué cosas, cielo santo! «Hasta que nació ese crío —se dice— yo era sólo el hijo de mi padre. Ahora soy, además, el padre de mi hijo»... El mundo es redondo y rueda... Recordaba la confesión sincera del mozo momentos antes de ser fusilado: «¿Por qué me matan?... ¿Qué he hecho yo?... Diga usted que yo no he hecho nada. Usted sabe que soy inocente...». «Sí, hijo, sí; eres inocente. Pero ¿qué puedo hacer yo?... También a mí me han engañado». Tremenda acusación.

Tremenda acusación que volverá a repetir en *El lugar de un hombre*, obra escrita en México en 1939, y que guarda cierta semejanza con la anterior en cuanto a escenario y personajes se refiere. Esta es una obra capital entre la numerosa producción literaria de Sender, con cantidad de ediciones y con éxito arrollador en Inglaterra y Estados Unidos, en donde ha sido considerada como obra mayor, de especial significación dentro del repertorio de la cultura moderna.

Un hombre insignificante, casi «el tonto del pueblo», desaparece un buen día misteriosamente y se le da por muerto. Las gentes del pueblo, mitad maliciosas, mitad supersticiosas, y más que nada los tejemanejes políticos de los caciques señalan a dos honrados campesinos como presuntos criminales, tras de lo cual les hacen sufrir el habitual calvario, hasta que fuerzan su confesión y someten a largos años de cárcel. Pero resulta que Sabino ni se había ido a América, ni había sido asesinado; sino que se había escondido en un «saso», y cuando aparece, todo el tinglado se desploma y todo es hacerse cruces y proferir exclamaciones.

Sender tampoco olvida aquí el significado alegórico. Igual que en otros libros suyos, levanta el sutil velo del misterio sobre algunos aspectos de la significación del hombre y de lo humano. Si un día aprendemos el respeto que merece un hombre entre los demás, cualesquiera que sean sus circunstancias, ese día habremos aprendido algo importante.

VI. CREADOR FECUNDO EN EL EXILIO

Los autores consultados y que nos guían coinciden en que ningún otro novelista español ha creado en el exilio una obra tan importante y vasta como este aragonés contundente, recio y mordaz, siempre consecuente consigo mismo, inconmoviblemente aferrado a su oposición y a sus principios. Sender escritor en el exilio. Decimos esto, porque indudablemente esta circunstancia ha de condicionar una vida y una obra. Lo que debe ser tenido en cuenta al tiempo de ser juzgada. Como queda escrito arriba, un hombre en el exilio es un hombre, en cierto modo, vencido; y es natural que su voz acuse en sus cuerdas el temblor y el dolor de la derrota. Por otra parte, el país que uno ha tenido que abandonar cambia y se transforma, no sólo por la natural evolución de los hechos, sino porque las nuevas circunstancias sociales o políticas modifican las condiciones de vida, a veces, hasta en los aspectos más insospechados de las costumbres cotidianas.

Pero el caso de Sender es distinto en lo que a su obra literaria se refiere, por cuanto nuestro autor camina al destierro con un Premio Nacional de Literatura en el bolsillo y con una reputación general ganada a pulso desde las filas del periodismo. Quiere decirse que la personalidad del novelista aragonés estaba hecha ya, al menos en sus líneas fundamentales, y que su trayectoria humana se ha mantenido fiel a sí misma, sin que la voz se le haya agriado siquiera con nuevos y circunstanciales registros. Su voz sigue siendo apasionada; pero es la misma voz que ya conocíamos antes del exilio, tal vez más atemperada, más contenida y pulida por la inevitable fricción de los años y de la madurez. En el extremismo de Sender de sus mejores días republicanos advertimos siempre un fondo de ese anarquismo ibérico, irreductiblemente individualista, rebelde a toda sistematización y disciplina de grupo o de partido, que en su misma utopía social, ferozmente empapada de misticismo, encierra un cogollo de admirable entereza. El propio novelista va a dejar escrito lo siguiente: «en ningún caso he sentido la menor tentación de entrar en un corro deslindado y definido, aunque en todos ellos conservo amigos... Uno sólo se entiende con los hombres de fe. Deseo con toda mi alma volver un día al lado de los ilergetes, aunque sé que cualquiera que sea el rumbo de mi vida cuando regrese, me mirarán con cierta familiaridad zumbona. Seremos los indianos, los que huímos de España y no supimos ayudarles decisivamente desde fuera. Estos deseos y cosas, pues, en que al menos uno ha salvado algunos de los valores de tribu. Cierta violencia y aun brutalidad es inevitable... Me encanta lo primero de espaldas a lo social convenido, sea ornamento vano o provecho brillante».

Esto lo escribía en el prólogo a su novela citada *Los cinco libros de Ariadna,* publicada el año 1957, y en la que volvemos a encontrarnos con este otro párrafo que le define como hombre de profundo españolismo y de encrucijada histórica; de hombre sincero, que no puede encasillarse en ninguna fórmula absoluta, con lo que recibe las bofetadas en ambos carrillos: «Soy hombre ordinario —dirá— en la acepción discreta de la palabra. Mi vida ha sido siempre y sigue siendo la de un pequeño burgués con una tendencia mixta a la pereza y a la aventura. Al ensueño y al más crudo realismo. He tratado de ser un burgués sin conseguirlo. Más a menudo he tratado de identificarme con los llamados proletarios, sin lograrlo tampoco...».

En algunos periódicos se han escrito artículos sobre Sender en los que le incluyen entre los «hombres de fe». Por supuesto que el articulista no se refiere a la fe religiosa, sino a esta otra que acaba de confesar: la de un novelista cuyas obras están al servicio de una preocupación social, generosa y humana, libre de toda bandería exclusivista. «Lo que hay que hacer —dirá— es actuar enteramente y no fraccionariamente, no como hombres de una clase social, sino como un ser humano elemental y genérico. No aceptamos el truco de la conciencia de clase. Hasta ahora ha dado sólo victoria a los enemigos del hombre. Cada vez que se actúa en nombre de la clase de los explotados, se les hace perder la batalla a los explotadores... Por encima de los intereses de clase están los de la especie. Cuando se actúa en nombre de ella, los trabajadores obtienen libertades, provechos y formas de bienestar que los pobres rusos ignoran. Pero además la especie tiene sus leyes secretas con las cuales cuida y cela su hoy y su mañana».

Hasta en su porte físico, Sender aparece un hombre lleno de orgullo racial; pero es un orgullo sano, regionalista, de aragonés entero, como esos caracteres que nos va adejar plasmados en sus novelas. Este orgullo de la propia raíz, de donde sabe extraer su savia de hombre, su ser y su razón de ser, alienta frecuentemente en las páginas de casi todos sus libros. Sender lo sabe y lo declara sin tapujos: «Me ha ayudado hasta hoy el repertorio de los valores más simples y primarios de la gente de mi tierra. No del español de la urbe, sino tal vez del campesino de las tribus del norte del Ebro, en la parte alta de Aragón».

Tal vez Sender no fuera muy consecuente con estos ideales, con este iberismo insobornable cuando se aproximó al comunismo e hizo un viaje a Moscú a finales de 1933 y comienzos de 1934. Pero aquello le duró muy poco tiempo. Rompió pronto con sus nuevos amigos, para retornar a la vieja trinchera.

Sender, en este sentido, será siempre un escritor ibérico, alertado contra la injusticia, mas nunca resentido; que escribe sobre temas de España y describe cosas vividas por él mismo, sin aceptar historias de oídas. Así crea y publica *La esfera,* libro que inicialmente llevó el título

3

de «Proverbio de la muerte». Es una novela densa, no apta para lectores superficiales, con una marcada intención metafísica, con muchas alusiones filosófico-religiosas y profundas meditaciones sobre la vida y la muerte. La trama del libro es tan rica y poética, como compleja y oscura, con elementos autobiográficos y personales; con reflejos platónicos, hegelianos y pequeñas dosis de cristianismo. Como si Sender quisiera ofrecernos en él un obsequio de toda una vida de observación y meditación sobre los valores humanos y divinos. El protagonista, Federico Saila, es un emigrado español que sale de España poco antes del fin de la guerra del 36 y embarca, rumbo a Estados Unidos, en un buque —el «Viscount Gall»—, donde sucede la fantasmagoría de la acción y donde, por encima de todo, se siente alienado de todos y de sí mismo.

Un Sender extraño, distinto, misterioso, el de *La esfera*. Es posible que tenga razón cuando nos dice en la introducción de la edición española que la idea principal del libro es «sugerir planos místicos en los que el lector pueda edificar sus propias estructuras», y que este libro sea una prueba más de su originalidad y potencia creadora. Con todo, tenemos que confesar que a nosotros nos gusta mucho más el Sender del *Requiem por un campesino español*.

En la misma línea ambiciosa, filosófica y conceptista de *La esfera* está también *Los laureles de Anselmo,* novela dialogada, en la que se intercalan pequeñas narraciones y que sirven solamente para aclarar y completar la acción. Sender, único novelista hoy en su tendencia al conceptismo alegórico, resucita aquí el mito calderoniano de «La vida es sueño», si bien el Segismundo de nuestro autor es un trabajador de las alcantarillas neoyorquinas, hijo natural de un financiero poderoso, que lo ha tenido durante años alejado de sí y al que, por influencia de la madre, termina por trasladar a su casa, después de haberle dado un narcótico. Cuando Anselmo despierta y busca las razones de aquel cambio, imagina estar soñando. La alegoría transcurre luego por cauces normales y conocidos. Con ello, nuestro novelista construye un alegato social en que ensambla admirablemente el doble plano del mito y la realidad.

VII. NOVELISTA HISPANICO

El de Chalamera, antes de situarse definitivamente en Estados Unidos, vivió algún tiempo en Guatemala. Aquí, en las calientes tierras de Miguel Angel Asturias e influenciado, sin duda, por la lectura y literatura valle-inclanesca, escribió una novela muy sugestiva: *Epitalamio del prieto*

Trinidad, que hasta en el título guarda parecido con *Tirano Banderas.* Nuestro personaje es el director de un penal instalado en una isla frente a la costa mejicana. En el continente vive Niña Lucha, su novia, con la que se casa y se la lleva a su residencia. Los penados salen a su encuentro con bailes y jolgorios propios de su condición. El «prieto» intenta detenerlos a tiros, tumba a dos de ellos. Niña Lucha se esconde, asustada, en su habitación y cuando el prieto Trinidad sale a dar unas órdenes, le llenan el cuerpo de balas.

Así, la atmósfera del libro es alucinante en extremo, si bien le sobran muchas páginas, una vez que ha muerto el protagonista y su viuda ha ido recibiendo el pésame de toda aquella taifa de reclusos y con ella aquel mundo trepidante humano y violento, tremendo de tinieblas y color, chorreante de realismo y lleno de quimeras. Sender revela en esta obra, una vez más, su poderosa capacidad para apropiarse de una realidad inhabitual dentro de su experiencia y que supone en él unas dotes excepcionales de observación. Sender aparece aquí distinto. Aparece en América y distante de los problemas de su país, pero con la misma pluma poderosa y restallante y con idéntica inconfundible personalidad.

Pero el Sender que de verdad nos entusiasma, hasta el punto de haber dejado escrito Carmen Laforet que es posiblemente el más grande, original, sincero y potente creador de nuestra literatura española, es el de *La aventura equinoccial de Lope de Aguirre,* novela extraordinaria y en la que sobresalen, como en ninguna otra, las cualidades y defectos de nuestra raza. Es una gran novela. Una gran epopeya, o mejor, una antiepopeya sobre la gesta, nunca del todo historiada, de la conquista de la América hispánica por los españoles. Lo de antiepopeya tiene su razón de ser, y lo explica muy bien Micó Buchón. Sabemos que una de las leyes necesarias para la creación de la epopeya es que los ideales que alentaban a los hombres protagonistas de la gesta sigan teniendo valor para los hombres que la escriben. Pero es más evidente que estamos muy lejos de aquellos ideales. Por eso la mirada hacia los hechos de la exploración y conquista de América —hoy que valoramos las cosas exactamente al revés— no podría conducir más que a una antiepopeya, que narre los hechos de un anti-héroe, es decir, de un casi-bandido, de un bandido-épico, y los enjuicie como anti-hechos, o sea, como hechos heroicamente brutales, inmensamente crueles y violentos, pero realizados con el mismo tesón, la misma hombría, idéntica agudeza a la de los héroes de Homero o de Virgilio.

Así es cómo la expedición equinoccial irá viendo suplantarse los jefes, o mejor, irá demostrando que el único verdadero jefe, la personalidad que domina aquel mundo indescriptible, es el lisiado Lope de Aguirre, soldado resentido y ambicioso, profundamente conocedor de los hombres, el único que verdaderamente quiere algo hondo, algo más que ganar oro, o disfrutar de la vida, que quiere ser, afirmar plenamente su persona, con una actitud decidida, segura, rocosa, de viejo soldado. En resumen, una novela escrita como comentario a una crónica auténtica sobre unos hechos fundamentalmente históricos. Un gran monumento literario épico, una gran antiepopeya escrita inesperadamente en el siglo xx, con un estilo segurísimo y un lenguaje de lo más castizo; con un pulso que nunca falla.

A completar este párrafo vendría *El fugitivo,* narración deliciosa, de entretenimiento y también de tema americano. Se trata de la vida de un bandido del Oeste, *Billy the Kid,* de profunda penetración psicológica. Billy vive fuera de la ley, en un mundo donde la justicia no tiene el apoyo de la misma, pero en donde cuenta con el apoyo de la amistad. Su amo, al que sirve fielmente, muere asesinado y Billy se enfrenta entonces a aquella sociedad injusta.

VIII. EL NOVELISTA DE RAZA

Sender ha dejado escritas algunas novelas que nos hablan de su niñez, de su tierra, de la vida que quedó atrás, pero que perdura imborrable en el recuerdo. Es el mismo Sender que vimos en *El lugar de un hombre,* o en *Requiem por un campesino español.* Es verdad que nuestro novelista no quiere que estos nuevos libros lleven la traza de memorias; y así nos hace creer que fueron escritos por un soldado español del Alto Aragón, José Garcés, mientras estuvo en un campo de concentración francés, al que fue llevado al tiempo de salir de España y en los últimos días de la contienda civil. En este campo escribe la historia de su niñez y primera juventud.

Estas obras revelan al gran amor que Sender tuvo siempre por su tierra natal. En ellas vuelve su mirada y su recuerdo nostálgico hacia la España de su niñez; hacia una España sin preocupaciones sociales, sin miras políticas, sin resentimientos ni banderías. El propio autor va a hacer la crítica de la obra cuando dice de José Garcés que ha conseguido en su prosa una objetividad curiosa y renuncia a los argumentos, acusaciones y quejas políticas, que no harían sino complicar su dolor de vencido con consideraciones a un tiempo amargas y triviales.

Lo mismo acontece con su otro libro *Crónica del alba,* relato delicioso, poético cual ninguno, en donde se recogen, contadas con sencilla ternura, las primeras inquietudes, la alborada del amor, las quimeras, los sueños de juventud, el misterioso florecer de la vida de un muchacho. Alborg dirá que el señor hosco de tantas páginas talladas como en piedra, se dulcifica aquí en un primor de delicadezas, de observaciones menudas, de pequeñas anécdotas que calan certeramente en las entrañas del mundo infantil. Diríase que asistimos al prodigio de esos orfebres de recias manos, que perfilan, sin embargo, la maravilla de sus miniaturas. Las cosas y las gentes están vistas con la penetrante ingenuidad del niño que las vive, sin que el novelista que le presta su pluma mixtifique el recuerdo de la intromisión de su experiencia posterior. Condición esencial pero difícil de cumplir, y que tantas veces olvidan los escritores al reconstruir su lejana infancia.

En un segundo volumen, que titula *Hipogrifo violento,* encontramos a nuestro protagonista internado en un colegio de Reus, animando de nuevo sus recuerdos de la infancia, en los que se refugia creyéndolos una fortaleza inexpugnable. Otros hombres, los de la esperanza, escapan cuando se ven perdidos, por los problemáticos espacios del futuro y de la ilusión. Esta ilusión es también posible en la reconstrucción y reviviscencia del pasado, a pesar de todas las decepciones. En resumen, son los años de Garcés los que se describen en este libro, con la presencia de Valentina y la vida escolar con el tejido de sus diabluras, trabajos, inquietudes, rivalidades o afinidades entre camaradas, afectos o inquinas contra los maestros, y, sobre todo, con la inquietante iniciación a la vida, que se entreabre con sus asperezas y misterios.

En *La quinta Julieta,* la atmósfera de Garcés cambia. Ya no será la vida fácil de la aldea, ni el internado de Reus, seguro y ligero de responsabilidades, sino la ciudad moderna con sus prisas, sus problemas y su tendencia a desestimar al individuo en favor del grupo. Garcés, ya en Zaragoza, seguirá sus estudios en el Instituto. Y es aquí donde Sender, valiéndose de su pequeño héroe, vuelve en busca de lo que debió constituir el comienzo de sus propias aventuras ciudadanas.

Con *El mancebo y los héroes* asistimos a la iniciación de su autor en la rebeldía ideológica y su repudio de la sociedad en que se ve envuelto sin quererlo. Desaparece el joven lírico y hace su entrada de nuevo el viejo luchador. El muchacho que tiene que abandonar los estudios del Instituto entra a trabajar como «mancebo» de farmacia. Los que él llama «héroes» son otros tantos personajes de Zaragoza que participan en las luchas sociales durante los años de la primera guerra mundial y siguientes, y con los que entra en contacto el protagonista, pese a la gran diferencia de edad. Los admira; se apasiona por sus andanzas; milita, de algún modo, con ellos. *La onza de oro* rematará la azarosa existencia de este aragonés y español, a través de la cual asistimos a un valioso testimonio de la España de nuestro tiempo.

IX. UN PREMIO «PLANETA» DESAFORTUNADO

Uno no acaba de explicarse cómo un escritor de la talla de Sender ha podido permanecer desconocido para la mayor parte de los españoles. Porque tenemos que reconocer que su obra es realmente asombrosa. Con Sender asistimos a la extraña paradoja de que va a ser conocido en España gracias a una de sus peores novelas. Nos referimos a *En la vida de Ignacio Morel* que le valió, no obstante, el «Premio Platena 1969». Lo cual no deja de ser significativo. Si este premio sirvió para dar entrada —creemos que ya la tenía— en España a uno de los más importantes y originales novelistas españoles de la actualidad, bendito sea el «Planeta 1969» y agradecidos a los que se le concedieron. Porque es posible que, a falta de mejores competidores, el jurado tratara de incorporar plenamente a este genial narrador. Sender presentó su novela bajo el seudónimo de José Los-ángeles. El juicio previo emitido por la Editorial Planeta no fue muy elogioso que digamos. La novela tenía un comienzo prolijo y divagatorio, dando la sensación de algo sin desbastar, con largas paradas de cierto lucimiento gratuito. Hacia la mitad la acción se anima, pero el autor parece no saber muy bien qué hacer con el tema y la obra termina sin que haya dado un desarrollo muy coherente. Por su parte, el propio Sender ha dicho de su libro que está muy cerca de su intimidad. «En ella (en la novela) defiendo —dice— la tesis de que el esteticismo, la belleza por la belleza, no puede ser el único justificativo de una vida». Es posible que sea así. Porque, como escribió por aquellos días J. Domínguez Lasierra, a Sender lo afirma su individualismo, su voluntad de independencia. El rechazo de todo partidismo colorista y un compromiso consciente —y por eso sin extremismos— con las realidades de su circunstancia.

Lo cierto es que *En la vida de Ignacio Morel* no ha logrado nuestro ilustre escritor una de sus mejores novelas. Creemos que ni siquiera una buena novela. Uno esperaba mucho más de ella y de su autor. Basada en un hecho real, resulta gris en general, pero especialmente en la primera mitad, antes de que ocurra la tragedia, cuando la narración se centra toda ella en existencias vulgares o mezquinas, sin lograr interesarnos. Quizá se salve el retrato sicológico de Morel, bien logrado dentro de la línea apagada de su existencia: su aislamiento, sus sueños literarios de autor de valía, su mundo interior de reflexiones sobre la creación artística, sobre el valor de la civilización en que vivimos. Como se salva también, quizá, la mezcla de planos que a lo largo del libro van haciendo acto de presencia: el plano real, el simbólico y el misterioso. Si a esto añadimos la fluidez de estilo y el dominio de lenguaje de que hace gala, habremos hecho el mejor elogio de este Premio «Planeta», que se hubiera ganado con mucho más mérito cualquiera de las novelas anteriores de Sender.

X. PUNTO FINAL

Por todo lo dicho, Sender es uno de los grandes novelistas españoles actuales. De tiempo atrás ocupaba un puesto de privilegio en la literatura española contemporánea. Es más, para algunos críticos, puede ser considerado, sin discusión alguna, como el más importante de los novelistas españoles que residieran en el exilio y aun tal vez como la figura cumbre de nuestra novela actual si se atiende a los valores estrictamente narrativos de su producción. Pocos como él han conseguido en los últimos años crear un mundo novelesco en el que la originalidad del tema vaya unida a una tan viva evocación de tipos y ambientes variadísimos. No hay en sus libros la preocupación estilística o el afán de análisis intelectual propios de la novela minoritaria de la generación anterior —Sender pertenece a la generación de 1935—, pero la extraña fusión de realidad cruda y fantasía poética de sobrio lirismo y humor desconcertante, de notas agrias y espeluznantes y honda emoción humana que los caracteriza, les confieren una alta calidad artística. Es cierto que —como escribe el profesor García López— el carácter extremoso de la imaginación de Sender, siempre atenta a la peripecia inesperada, le lleva a veces a olvidar el sentido de la mesura para caer en notas de excesiva truculencia; pero la rica gama de matices que ofrece su obra y su misma técnica, en la que dentro de una reiterada sabiduría narrativa se observa una progresiva condensación y eficacia de elementos descriptivos, explican el amplio interés que ha suscitado su producción y las numerosas traducciones de que ha sido objeto.

MAX AUB

Español transterrado y escritor universal

I. EL HOMBRE

Ignacio Soldevilla ha dejado escrita una página maravillosa sobre nuestro insigne Max Aub en un artículo publicado en «La Torre», revista general de la Universidad de Puerto Rico, y que tituló «Es español Max Aub». En este bello ensayo literario dice, entre otras cosas, que «entre los escritores españoles que viven (el artículo lo publicaba el año 1961) y escriben en América, «españoles del éxodo y del llanto», existe un hombre que trabaja y publica en un español de una precisión y una riqueza expresiva extraordinarias. Para quienes empezaron a oír su nombre, a verlo impreso tras las vitrinas de los libreros a partir de 1925, Max Aub les sonaba a seudónimo. Pero él se llamaba Aub, como su padre, que era alemán, y nació en París».

Así era en verdad. Y por lo que a la madre se refiere, ella era francesa. Y le dio a luz un 3 de junio de 1903. Casi con el siglo. Su infancia transcurre feliz, rodeada de todas las comodidades que una familia de acomodados comerciantes podía ofrecerle. En el colegio Rollin comenzó a aficionarse a las buenas letras con la educación clásica que en él le dieran y a la manera francesa. Pero la primera Guerra Mundial lanzó su zarpa contra su familia, de cuyos bienes se apoderaron, para venderlos en pública subasta, obligando a su padre, que conservaba la nacionalidad alemana, a quedarse en España.

La familia de Max se instaló definitivamente en Valencia. Y mientras el padre sigue su profesión de corredor de comercio, él asiste a las clases de la Alianza Francesa y hace el Bachillerato en el Instituto de la capital del Turia.

Le hubiera gustado seguir estudios superiores en la Univesidad, pero prefirió acompañar a su padre, recorriendo la zona Este de España, entre Figueras y Almería, como simple viajante de comercio.

Su profesión le permite cultivar sus aficiones literarias que ya había iniciado durante los años del Bachillerato, al lado de José Gaos y de José Medina. Los ratos de ocio los dedica a la lectura de la revista «Nouvelle Revue Francaise», y también la titulada «España», base de su formación y de su información, como él mismo manifestó en varias ocasiones, y en la que llegó a publicar sus primeros versos. En esta revista colaboraba Díez-Canedo, al que va a conocer en su primer viaje a Madrid y cuyo apoyo y amistad durarán hasta la muerte del escritor en México. Fernández Ardavín lo presentó en el Ateneo de la capital de España y ante lo más escogido del mismo leyó unos poemas. La «Revista de Occidente» sucede a la citada «España» en punto a la orientación de nuestro escritor. Ortega será ahora su mentor e influirá poderosamente en su ideología.

Por el año 1924 hizo un viaje a Alemania, y a la vuelta se recorre varias veces la geografía española trabajando por su cuenta; hace un viaje a París —viaje de negocios—; y más tarde a Rusia, esta vez para ver teatro, que es su verdadera pasión. El comienzo de la guerra civil le sorprendió en Madrid. Puede volver a Valencia y en esta ciudad se hace cargo del periódico «Verdad», de tendencia socialista. Nombrado agregado cultural de la Embajada española en París, vuelve a Valencia en 1937 como secretario del Consejo Nacional de Teatro. Su salida definitiva de España ocurrió por el mes de enero de 1939, una vez que el frente de Cataluña se derrumbó y la causa republicana estaba perdida.

Comienza, como en tantos escritores de talla y de fama, un exilio triste, inseguro y trabajado. Acusado de comunista, sufre las cárceles y los campos de concentración, teniendo por única compañía los versos de Quevedo y un diccionario de la lengua castellana.

Max Aub, utilizando toda suerte de papeles, escribe y toma notas. Tantas, que «necesitaría cien años para resolverlas en libros», como él mismo nos dice. Finalmente, y también como tantos otros, decide pasar a México y allí rehace por tercera vez su hogar.

Aunque rigurosamente contemporáneo de Sender y de Zunzunegui, Max Aub comenzó antes que éstos su actividad literaria dentro de los cauces propios del vanguardismo de los años veinte. Y como Sender y Zunzunegui escribe en español y se siente español hasta la médula de sus huesos. Siempre tuvo sus resquemores de que alguien le tachara de extranjero. Por eso, para justificar sus derechos al título de español, dirá textualmente: «Los derechos de Max Aub son muchos más de los necesarios. Dejemos de lado la discusión de quién es más ciudadano de un país: si aquél que nació allá, o el que voluntariamente lo tomó como suyo. El hecho es que Max Aub a los veintiún años tuvo la oportunidad triple de convertirse en alemán, francés o español. Nunca se me ocurrió dudar». Aparte de que los padres se habían naturalizado los dos españoles. Deseó cumplir el servicio militar, pero su acentuada miopía le apartó del servicio como soldado de la patria. En sus viajes por todo lo ancho y largo de la Península aprendió a amar a la madre España, y en sus tratos con toda clase de gentes aprendió a conocer la idiosincrasia y manera especial de ser de los españoles, sus compatriotas. Es más, Max Aub conocía perfectamente el francés y el alemán, y sin embargo, jamás ha escrito una sola línea en estos idiomas.

Es cierto que su aprendizaje del idioma de Cervantes se fue haciendo gradualmente; y que sus primeras obras teatrales como *Narciso, Espejo de avaricia* y *El desconfiado prodigioso* adolecen de ciertos defectos —galicismos de léxico y sintaxis—, pero no lo es menos que con producciones posteriores, ya en el exilio, al tiempo que aumentó en densidad, al hacerse partícipe de los problemas humanos de nuestros tiempos, alcanzó un estilo netamente barroco y del mejor castellano.

Para demostrarnos que será un verdadero español y artífice del más puro estilo castellano, en los últimos años de su vida cultivó el ensayo, como *La prosa española del siglo XX; Josep Torres Campalans,* del que nos ocuparemos más adelante, y una serie de obras menores en las que se purifica más su estilo y se define más, en la línea del clasicismo y de la frase sonora y ajustada.

Pero digamos, de una vez, que Max Aub se convirtió en historia de la cultura el año 1972, en que pasó a pertenecer a esta extraña cofradía que llamamos de los «muertos ilustres». Desapareció físicamente, pero su obra permanecerá con fresca operancia en el comercio de los vivos. Como diría Baltasar Porcel, no es que yo piense que se trabaje para la flotante intemporalidad, tras las famas póstumas. Hay demasiada pasión, y pasión cerebral difícilmente agotable y nutrida por orgullo y dolor, en el hacer la propia obra para entretenerse calibrando en abstracto su peso futuro. Pero si uno ha luchado por unas ideas, una estética, unas posiciones, probablemente querrá su perduración, del mismo modo que se siente más sólido cuando halla confirmación y vitalidad de las mismas en el pasado. En un momento dado puede importarnos más la conciencia colectiva que la individual, porque sabemos que la supervivencia de ésta depende de la de aquélla.

En Max Aub convergen tantos cruces raciales, lingüísticos y ambientales —Francia, Alemania, España, Hispanoamérica, con sus respectivos idiomas—, que resulta forzosamente de una liberal polivalencia. Nuestro escritor tuvo siempre conciencia del valor relativo de su obra —teatro, novela, ensayo y poesía—. Pensaba sin ocultarlo que Galdós y Baroja, por ejemplo, habían llegado mucho más lejos que él. Y si se juzgaba como uno de los principales autores españoles de hoy, en concreto novelista, no se engañaba en cuanto a la difusión y aprecio de su obra, pues sabía de sobra que era poco conocido y que apenas despertaba curiosidad entre la juventud.

Es posible que a la obra de Max le falte este punto de sensibilidad adhesiva y de arbitraria contundencia, nacida de la originalidad lírica visceral que, de un modo u otro, anida en cuanta literatura le turba.

Pues bien, este Max Aub, español transterrado, escritor hasta hace poco casi inédito en España, autor de obras de teatro que no han pisado las tablas consagradas de la escena hasta ayer mismo, testigo lúcido de una generación que estrenó nuestro siglo, hablando un día sobre ese gran director de cine que es Luis Buñuel nos dejó un poco su retrato interior, al tiempo que dijo cosas tremendas del modo de ser de los españoles. «La gente en general —dijo— olvida muy pronto; y no solamente olvida lo personal, sino lo general, los sucesos, la historia. El pueblo español, en general, ignora su pasado inmediato. Los profesores de las escuelas, Institutos y Universidades no llegan nunca a esas lecciones por falta de tiempo. La falsificación histórica es menos importante que la ignorancia total en que viven los españoles de menos de cincuenta años. He hablado de ello en muchos de mis escritos, sobre todo en *La gallina ciega,* a raíz de mi último viaje a España.

Esta ignorancia, falseamiento de la historia, este perseverante ocultamiento del pasado más inmediato, suele ser habitual en los países que han perdido las guerras. Entonces, ¿me tengo que considedar aquí como parte de los vencedores? Es una idea bastante agradable que me haría ciertas cosquillas, pero, desgraciadamente, no es así. Todos los españoles, a la vez, formamos un conglomerado de vencedores-perdedores o de perdedores-vencedores, y un conglomerado un tanto amorfo, por no decir cosas peores, porque parece que hay un regodeo en esa ignorancia y una preocupación únicamente marcada por lo material».

Esto lo escribía Max Aub el año 1972, poco antes de morir. Lo que hace que esta España le parezca muy distinta a la de 1940. Pero si se ha hablado alguna vez de dos Españas —añade— creo que ahora sí se puede hacer en sentido histórico e historicista: una España de 1930 y otra de 1970. Esto no podría decirse de otros países donde ha habido una continuidad, como Francia e Inglaterra, pero también puede apreciarse en Italia y en Alemania. Por esta razón —concluye— «pienso que aquí todos perdimos la guerra».

Max Aub ha dejado escrito, en esta misma línea, en una obra teatral, *El último piso,* que con el tiempo y después de ser un refugiado, no se viene a ser nada hasta morir. Entonces, sí; entonces «se convierte uno en abono de la tierra donde acaba». Nuestro escritor acabó en México un día del mes de agosto de 1972. Hoy es ya fermento de la tierra mexicana, savia de un pueblo que supo acogerle en su peregrinar errante, familia de unas gentes a quien él se entregó y quiso de verdad, página de una cultura que supo enriquecerse con su obra ancha y profunda.

En Max Aub está la talla y la medida de un testigo de lucidez extraordinaria en la Europa de este siglo que lleva a sus espaldas cicatrices de dos guerras. En él —escribe Moisés Pérez Coterillo— está la sombra perseguida y maltratada de quienes dejaron sin tierra los totalitarismos hitlerianos. En él está la esperanza rota de quienes creyeron que la revolución era posible hasta que aparecieron un día los dogmatismos estalinianos. En él está el exiliado capaz de echar raíces más allá de los lamentos y abrazar la tierra que le da cobijo. En él está el español «transterrado» que sabe que no hay vueltas ni regresos —visitas, visitas de paso tan sólo— cuando no se quiere sacar el billete de la claudicación.

Pero seguramente que un día, cuando tengamos que desandar el camino, historia hacia atrás, hasta encontrar el nudo, necesitaremos a Max Aub, maestro sin cátedra, para aprender una lección silenciada y terrible. Encontraremos su obra desmedida —novela, poesía, ensayo, teatro, relatos—, testimonio insobornable, página obligada de nuestra cultura por el derecho a permanecer y a testificar que otorgan la lucidez, la coherencia y la justicia.

II. EL ESCRITOR

Max Aub tiene una trayectoria larga de escritor. Ya antes de que comenzara el conflicto nacional, como hemos visto arriba, dio a luz algunos pequeños volúmenes en prosa, ensayando también sus primeros pasos en el género dramático. Con todo, la guerra le envió al exilio sin que su nombre fuera apenas conocido y sin que sus obras fueran de gran valía.

Después, tiempo, distancia y política de por medio alejaron al escritor de la minoría que podía conocerle. Por lo que quien haya leído algunos de sus libros escritos en el destierro y los compara con los primeros escarceos notará que en aquellos años todavía no se había descubierto la potente voz del novelista y escritor que al otro lado del Atlántico fue tan representativo para las letras españolas.

Max Aub es un escritor marcado fuertemente por la guerra. Son los hechos, los hombres y los problemas de la guerra civil española. La mejor y mayor parte de sus obras tienen como centro dicha contienda, o por lo menos sus consecuencias y resultados. Hasta tal punto es esto verdad, que para Juan Luis Alborg, Max sería «nuestro primer novelista de la guerra: por intensidad, por densidad y hasta por cantidad incluso». La prosa con que construye estos libros y estas novelas es uno de los instrumentos más ricos, jugosos y sorprendentes de nuestras letras contemporáneas. Su estilo es eminentemente literario. Un estilo que lo mismo corre en nerviosas escapadas, que se recrea —graso y turgente— en el período sonoro. Un estilo acerado, viril, tajante y agresivo en ocasiones, pero que sabe demorarse en otras en sutilezas especiosas, o complacerse en el logro de muy elaborados cuadros.

En Max Aub se alternan y combinan, se completan u oponen la sencillez más magra y el mayor robustecimiento. Con tan encontrados ingredientes, su prosa ofrece un conjunto peculiarísimo, inconfundible, del más peregrino sabor. Aparte de que, la personalidad del escritor va mucho más lejos de los puros rasgos formales; por encima de todo, está su tremenda chispa, su gracejo, su mordacidad implacable, su humorismo agudísimo, su bagaje inagotable de vida vivida y leída, su saber de todo, su humanidad y picardía en revoltijo. Tiene más viva la vena de su agresividad que la de su ternura; si bien ésta no falta. La ternura le brota más al escritor que al hombre; mientras que la agresividad es más auténtica y natural.

En un gran acierto, Alborg ha escrito que a Max Aub la mujer le interesa solamente como «vaso sexual», no en cuanto a ser humano. Sin embargo, tiene páginas de gran lirismo y de amor intenso. «Matilde se siente tierra penetrada por la inmemorial vertedera. ¿De quién las manceras? ¡Oh, mío! Tú, dentro de mí, fecundo. Semillero. Labra, ábreme. Ni tú, ni yo, sino lo que nos une. Eres, para darme; soy, para darte. Somos para dar y recibir. Abstraída de lo que no sea el sentido, embriagada de tanto bien que de ella nace: fuente, venero, madre y criadora, capullo que rompe a flor, Matilde ve el cielo abierto. No soy yo quien te tomo, eres tú la que te das a mí. Posesión perfecta de lo que se sabe que es suyo, pero que por su voluntad sería mío. Me envuelves: no hay centímetro de mi epidermis que no esté cubierto de ti, escama que refluye hacia mi centro. ¡Cómo exulto de infundirte la alegría de sentirte una con la tierra que nos mantiene, partida por el penetrante consuelo de lo uno y lo múltiple. Te remueves contra mí arrastrada por rápida corriente, camino de las cataratas del enajenamiento, blanca espuma, caída vertiginosa, abismo». Así escribía Max Aub en sus años jóvenes, y así nos lo dejó esculpido en su obra titulada *Yo vivo*.

III. «CAMPO CERRADO»

Poco antes dejábamos entrever que Max Aub ha escrito sus novelas sobre la guerra civil española con pasión; con una pasión partidista y unilateral, que hasta cae con frecuencia en el sectarismo, pero que es en todo momento el testimonio irrecusable de un hombre que da razón de sí con todas las consecuencias. En dichas novelas desciende a la profunda raíz de lo esencial, concentrándose en un grupo de personas, corto por su número, pero inabarcable por el sentido y alcance de su valor humano.

En este sentido, *Campo cerrado* constituye el primer volumen de la serie que dedicó a narrar, desde dentro, los sucesos de la referida contienda, tan compleja en sí, y de la que se ha escrito con mayor o menor acierto. Es, por lo tanto, el gran pórtico de la trilogía hoy existente y que lleva el título general *El laberinto mágico:* intento ambicioso y cumplido que Max se planteó al término de la guerra. La palabra «laberinto», que tal fortuna ha corrido para referirse a lo español, fue quizá utilizada la primera vez en este sentido por Max Aub. Un laberinto, el suyo, en el que se mezclan la realidad y la ficción; un laberinto en el que lo más importante no es encontrar la salida, sino recorrerlo, morosa y sobresaltadamente, seguir sus recovecos, deteniéndose en ellos, para escudriñar cada revuelta y cada personaje que en él mora.

Hemos escrito gran pórtico de la trilogía, pero posiblemente *Campo cerrado* no fuera concebido así, ya que desde su primera página Max Aub nos coloca de lleno en el ambiente, en el amplio horizonte que deseó alcanzar y que, a lo largo de muchos años, llegó a cumplir. Como Sender, como Barea, sin prisa aparente, pero con premura interior, consiguió no traicionar ni precipitar su fresco novelístico, tan importante como el de los autores citados.

Esta novela viene a ser como un agitado retablo de los hombres, las ideas, las inquietudes, la vida toda en fermentación de aquella España que se asomaba a su gran crisis. Son diez años de la vida de España —los inmediatamente anteriores al estallido de la guerra— los que circulan por las páginas de *Campo cerrado.* Una vibrante década que está todavía ahí mismo, a la vuelta de la esquina de unos pocos años, y que parece ya remota porque los hombres que la vivieron en plenitud comienzan a ser viejos, o lo son ya de verdad, sin contar los que han sido tragados por el escotillón de la muerte.

Entre sus personajes, destaca Rafael López Serrador, un muchacho, luego un hombre, que procede de una aldea levantina, Viver; reside algún tiempo en Castellón de la Plana y marcha, más tarde, a Barcelona, meca de un deseo, escenario de una vida agitada, presagio de grandes acontecimientos funestos y tormentosos.

Rafael López Serrador, al igual que otros muchos personajes del libro, es un arquetipo y un documento de época; pero de un personaje real y vivo, tal como el autor debió conocer y tratar, resultando, así, la novela como un jirón de historia, ya que cada hombre de aquellos estaba dando vida a su propio papel histórico.

Rafael es ese muchacho a quien la gente le mira y dice que se parece a su padre. Pero su padre es negro y corto y él tiene más parecido a la madre, que es alta y esbelta. Cuando, echando una vista atrás, recuerda su infancia, percibe el vaho y el tufo a muladar de su casa. Recuerda que cada año, por el tiempo de la vendimia nace en su casa un crío, el cual, cuando no se muere, crece sucio, con costras, granos, ulcerillas y legañas, sin conocer lo que es el frío y el hambre, porque son su aire y su alimento.

Decidido a salir del pueblo, marcha a Castellón, un pueblo chato, ancho, sin más carácter que la falta de él, donde entra de recadero en una tienda, de ama gorda y miope, de amo borracho y de michino blanco, de pelo largo y fino, ojillos de almendra verde, zaíno para los desconocidos, muy sabedor de sus prerrogativas y celoso de sus dominios.

El ama no le tolera amigos, y los domingos se los pasa en el «maset», ayudando a los albañiles que lo levantan sin prisas. Hasta que, maltratado y cansado de aquella experiencia primera, tomó el tren de Barcelona. Un tren con vagón de madera corrido y con unos viajeros que se ignoraban unos a otros. Ya en la ciudad condal, comienza a trabajar en la tienda de un viejo carlista que lee «El Correo Catalán».

El muchacho va probando de todo. Comienza a tratar gentes del hampa y barriobajeras. Toma parte en las algaradas, animado de la mejor voluntad, pero sin acabar de ver las cosas claras. Veía la lucha, la comprendía y estaba dispuesto a participar en ella. Arroja al mar y la ahoga a una mujer que ha vendido a la policía a un amigo suyo. Se ha hecho un hombre duro. Le han hecho las circunstancias y los hombres con quienes trata y convive.

Uno de estos amigos, ya entrado en años, le hará ver que España es un pueblo de contras, recontras, de encuentros y de hacer o llevarle a uno la contraria. De tal manera, que si los obreros detentasen el poder, entre ellos se desatarían y con fuerza las mismas contras que entre los ricos. España es así: ¡un país de contrabandistas!

Cuando pasadas las primeras horas y los primeros días del 18 de julio de 1936, Rafael López Serrador vaga por las calles tropezando con las gentes y sintiendo los lazos que le unen con los hombres, y como cogido én una red de la cual él fuese una de las mallas, una de las hebras de la noche. Por todas partes se respira una ciudad y un mundo salido de madre. Apoyado en un canalón, piensa en el agua, un agua bárbara, ímpetu bronco, raudo, tenaz, incontenible: como el de un toro de fuego, un arco iris de fuego, por encima de la ciudad vencedora. Pocos días más tarde, Rafael moría en el Hospital Clínico de Barcelona, de tifus.

La lección aprendida quedaba muy atrás. Desde el recuerdo de aquella «rabisalsera» y amiga de gaiterías, hasta los últimos momentos de su trato con aquella gente de Cataluña: gente atada, replantada en su mismo mantillo, abonado por su mismo humor, irrigada por su propia lengua, más dada a los dineros que a su honra, pero también muy pagada de esta última.

Y atrás quedaba todo aquel mundo de promesas incumplidas; aquella experiencia triste de que los políticos de los obreros son unos farsantes y unos vividores. Las frases hechas: «El hombre viene andando. Y el mundo está lleno de cerdos. Cuando queden menos, ya hablaremos». «Al pueblo no le salvará más que el pueblo, y nadie más que el pueblo». «La muerte y la sangre es lo que da calidad a la vida. La vida cobra sentido por la manera de perderla, o de jugársela»...

Pocas horas antes de morir recordaba la frase de uno de tantos líderes engañados y engañadores: «La política es cosa de señoritos; lo único serio es romperles la cara»...

IV. «CAMPO ABIERTO»

La temática de *Campo abierto* ha sido tan traído y llevado —a veces tan manipulado— por los escritores contemporáneos, que ya no sabe uno qué matiz o faceta seleccionar del mismo. Es la temática de la guerra civil española de 1936.

Seguramente que lo mejor en Max Aub, en esta clase de libros, es que la guerra como tal, el estruendo armado, la vida de los frentes falta por entero. Unicamente, al igual que hizo con *Campo cerrado,* en el que describía las dramáticas jornadas del Alzamiento Nacional en Barcelona y su rápida derrota, aquí también, al final del libro, nos lleva al campo de batalla, pero importándole mucho menos que la retaguardia, en donde sus gentes caminan, asimismo, marcadas por el azote de la guerra, que condicionaba sin excepción el pulso de todos los habitantes del país. De este modo, los diversos cuadros del libro componen el paisaje espiritual y moral, de entraña y de corteza, excepcional y cotidiano a un tiempo, de lo que fue nuestra nación en guerra, más profundo, veraz, humano y vigoroso que pueda imaginarse. Alborg, muy observador, llama la atención en cita para decirnos que, del mismo modo que excluye el frente, elimina la zona nacional, aunque una de las partes de su libro la titule «Del otro lado». Del otro lado venía el protagonista, un soldado que cogieron prisionero en el frente del Guadarrama. La obra en sí no merece más extensión en este comentario y breve estudio de Max Aub.

V. «CAMPO DE SANGRE»

Esta obra, en argot musical, vendría a ser como el tercer movimiento de la sinfonía. Prosigue los mismos motivos temáticos, sólo que desarrollados con diferente ritmo. Para Alborg, es más novela que las dos anteriores y encierra una mayor proporción de elementos novelescos puros.

Los protagonistas, sin dejar de lado las inquietudes políticas del momento que viven, conceden mayor margen a lo que son palpitaciones del hombre eterno. Así, por ejemplo, Paulino Cuartero, un hombre que termina por la pendiente del desencanto y hastío al desenlace fatal de su matrimonio y que vive intensas horas de amor con la nueva mujer —un pedazo de espléndida naturaleza— con la que se consuela de las incompresiones de su hogar.

Otro de los personajes inconfundibles —por su trazo magistral— es el archivero de Teruel, un herido de guerra que habla por los codos y por medio del cual el autor se ha soltado el pelo y nos enjareta un turbión de cosas, materia más que sobrada para varios ensayos: los toros, la raza, los árabes-españoles, el individualismo español, la miseria de España...

Campo de sangre está localizada nuevamente en Barcelona, a excepción de la parte central, que recoge el episodio de Teruel con algún fragmento de la guerra. Barcelona para entonces, aparte los heridos y prisioneros, cuenta con sus horas de ocio que Max aprovecha para recordarnos lo que se estrenaba y guisaba en los teatros. Con todo, en el libro palpita la idea-madre: el cataclismo de la guerra, una historia de almas, unas ideas en litigio, encontradas concepciones del hombre y de la vida.

Una vez más, Max Aub se convierte no en un cronista de sucesos, sino de la intrahistoria de los sucesos, vistos a través del alma de unos hombres vulgares, peones de escaso bulto, pero que permiten llegar más adentro, a lo esencial, a lo importante.

VI. «VIDA Y OBRA DE LUIS ALVAREZ PETREÑA»

Dentro de la novela contemporánea, *Vida y obra de Luis Alvarez Petreña* debe ocupar un lugar destacado tanto por la explicitación textual de componentes —características del fenómeno narrativo—, como por el rechazo del concepto de la literatura al tiempo de valorarla y producirla como actividad lúdica.

De hecho, el propio Max no sabe a ciencia cierta de qué modo clasificarla, ya que lo mismo podría tratarse de unas memorias, que de una miscelánea, o de una novela. En la obra en sí, juegan capital importancia el «yo» y el «tú» en los personajes centrales, Luis y Laura.

Luis, al mismo tiempo que personaje, es escritor. Lo que le permite tener dentro del mismo texto un narrador consciente de su escritura, autocriticándose, reflexionando constantemente y corrigiéndose a menudo. Pero el hecho de que Luis sea escritor tiene sobre todo —como dice María Fernanda de Abreu— una importancia fundamental dentro del proceso de producción textual: el conflicto de este «yo» troceado, que se «explota» y se busca una línea homogénea, es construído a partir de las relaciones que se establecen entre Luis y lo «literario».

Precisamente el cambio sucesivo de la postura de Luis frente a lo «literario», su sentimiento de la literatura, es lo que produce el movimiento característico del texto. Y es que los libros entristecen, y quisiera vivir muchas veces sin ellos. Pero no puede porque «está podrido de literatura».

La literatura —piensa— hace más daño que la propia Laura. «Me inclino, razonando hasta donde puedo ahora razonar, a creer que no te quiero; pero todas mis deducciones se basan en postulados novelescos; novelesco de novela, fíjate, novela, no-vela, y mi imaginación se llena de trapos a todo viento, de lienzos al aire, de velas, de horas en vela, de las novelas que he bebido como fuente misma de vida. De las novelas que me han servido de matriz, de las que he ido sin darme cuenta procurando realizar en mi vida, de las que he realizado creando vida verdadera».

Luis vive literariamente. Y en este credo de vida, a partir de tal afirmación y postura, el conflicto creado no es más que la inquietud de ese «yo» que se mide a través de la palabra escrita, que al aceptar «lo literario», se acepta a sí mismo, y que al rechazarlo, se pierde.

En otro fragmento importante de la obra, en «el último cuaderno», Max acepta el juego literario. Sirviéndose de otras escrituras, su personaje juega con el «tú», a quien se dirige negándole informaciones seguras. Y esto mismo hace nuestro autor con sus lectores: recrearse en este juego;

— 53

divirtiéndose e ironizando y aun provocando. Y lo mismo que Luis quiere huir de «la verdad» como de carnaza apestosa, así Max Aub rehuye entrar en el meollo de la cuestión, para dejar paso a que el crítico siga preocupado por la verdad de la referencia extraliteraria del texto; a que el historiador tradicional de la literatura siga imbuido de biografismo, preocupado por la «Vida y Obra» de sus autores preferidos.

VII.   «LA CALLE DE VALVERDE»

Es otro de los grandes logros en la narrativa de nuestro autor. En esta novela retrocede en la historia de España, con relación a sus libros de la guerra, y se sitúa cronológicamente en la década del 20 al 30, teniendo por escenario el Madrid de la Dictadura de Primo de Rivera, con la calle de Valverde de fondo, y con una ciudad compleja, con tipos y figuras, con aventuras y hechos de todas las especies.

Por ella desfilan gentes altas y bajas, vulgares y famosas. Personajes conocidos de la vida política, social, literaria y artística, bajo nombres supuestos o con sus propios nombres y apellidos.

En su género supera a todos, porque es novela grande y una novela de una vez. Sus personajes respiran humanidad y autenticidad. Y no sólo los famosos del mundo de las letras, arte, periodismo y política, sino también —como dirá Alborg— los más vulgares y los más llanos. Hombres, por otra parte, tachonados con inagotables rasgos de humor, con pinceladas de ese punzante, malicioso, mordaz gracejo, que constituye la nota más personal de Max Aub.

Por todo ello, *La calle de Valverde* representa una culminación desde el lado literario y desde el humano en la novelística de nuestro autor.

VIII.   «EL ZOPILOTE Y OTROS CUENTOS MEXICANOS»

Cultivador de la poesía, del teatro, el ensayo y la novela, Max Aub es uno de los más excelentes cuentistas de habla española. Su condición de poeta y su mismo modo de novelar por acciones parciales formando cierta unidad, a la vez que su esquematismo descriptivo, le dotan de singular aptitud para este difícil género del cuento.

El cuento —como escribe Baquero Goyanes— es una sola vibración emocional. Un cuento nos impresiona con la fuerza de una descarga eléctrica si es que, en el marco limitadísimo de sus páginas, nos transmite la sensación de un trozo de vida palpitante, captado en toda su integridad.

Max Aub, que escribe novelas sobre la guerra civil española en México, con escenario y personajes españoles, aquí, en estos cuentos, pone toda su alma en el color y en la geografía y en las gentes mexicanas. El mismo vocabulario es típicamente mexicano; si bien, de vez en cuando, nos encontramos con algún «gachupín» que recuerda mucho la madre patria.

Un libro de poco más de 200 páginas, con cuentos de tema vario y con formidables tipos mexicanos: militares, bragados, quisquillosos, ejecutivos, adeptos de Pancho Villa, o enemigos de Porfirio Díaz; terratenientes enriquecidos, hombres sin escrúpulos con la «desamortización» del presidente Calles; y también hombres pobres, como el hosco y exento Juan Luis Cisniega, o los miserables apegados hasta la muerte a sus sedientas tierras.

Junto a estos cuentos, típicamente mexicanos, los que se refieren a los exilados españoles. Así, el titulado *De cómo Julián Calvo se arruinó por segunda vez;* o *Entierro de un gran editor.*

En algunos de estos breves relatos domina la ironía fresca y agresiva, el humor amargo que hemos detectado arriba en algunas de sus novelas. Por ejemplo, en el cuento titulado *La Censura,* donde hace una sátira endemoniada de los procedimientos dictatoriales de López Somoza, durante tantos años presidente de Nicaragua.

Ignoramos lo que nuestro autor pudiera pensar allá en su fuero interno sobre la religión católica y las creencias —no exentas de superstición— del pueblo mexicano. Con todo, y a juzgar por estas narraciones cortas, observamos como un vago escepticismo religioso que le lleva a tratar con cierta benevolencia a los sacerdotes y psicología de aquellas gentes, mezcla de tradiciones indias, junto con ideas derivadas del cristianismo llevado por los españoles y las más recientes ideologías marxistas.

Max Aub no parece estar conforme con ese supuesto consorcio práctico católico-marxista; lo mismo que parece estar en desacuerdo con algunas viejas tradiciones y supersticiones piadosas. Un ejemplo claro lo tenemos en la bella narración *El caballito,* donde un sacerdote —por cierto, español— trata de explicar al obispo de Guadalajara que el culto a Santiago y San Martín en muchos pueblos que llevan su nombre, más que al santo, se profesa a sus respectivos caballos; animales a los que adoran desde que le vieron por primera vez montados por los conquistadores.

El Zopilote —ave de rapiña diurna, que se ceba con preferencia en la carne de animales muertos—, aquí es un pobre ciego y mudo, que tiene la cara horriblemente comida, hijo de españoles muertos en la guerra de España, el cual llegó a México junto con otros niños y que, al tiempo de descubrir las aves dichas, corrió tras ellas, cayó inconsciente en la carrera y quedó con la cara estropeada para toda la vida por los picotazos de sus homónimas.

Aparte estos cuentos reseñados, Max Aub escribió una serie de narraciones cortas de temática española. Entre ellas destacamos *No son cuentos,* donde se recogen aspectos de la guerra española, iguales en espíritu y con frecuencia en calidad a los relatos que componen *Campo abierto.*

Más importantes son los *Cuentos ciertos.* Constituyen estampas de la vida de los españoles fugitivos en los campos de concentración franceses, ya del sur del país, ya del norte de Africa. Todos ellos están escritos en un estilo desgarrado y cruel, con reconcentrada pasión, que hace el humorismo más hiriente, como corresponde a la triste situación de aquellos hombres que, después de vencidos, perdidos sus hogares y sus esperanzas, fugitivos y perseguidos como alimañas, hallan en la nación que imaginaban acogedora un suplemento de dolor y, frecuentemente, la muerte.

IX. «JUSEP TORRES CAMPALANS»

Incompleto quedaría este esbozo si no me ocupara, siquiera sea en breves trazos y líneas, de esta magnífica obra, a la que aludimos arriba.

Jusep Torres Campalans es uno de los libros más originales de nuestro autor. Fue publicado en 1958, cuatro años después de *Las buenas intenciones,* como una monografía dedicada a la reconstrucción de la vida y al rescate de la obra de un pintor injustamente olvidado. La notable contribución a la formación del cubismo de este artista catalán, amigo de Picasso y encarnizado adversario de Juan Gris, habría sido ignorada por la posteridad tanto por su repugnancia a aceptar las exigencias y vanidades del mercado pictórico, como por su definitiva marcha a París en 1914 y su instalación hasta el final de sus días en un poblado de chamulas del Estado mexicano de Chiapas.

El libro es un regalo de excepción para los gustadores de las buenas letras. Jusep Torres Campalans es un catalán creador con Picasso de los grandes movimientos renovadores de la pintura actual. Pero a diferencia de Picasso, Campalans, bohemio impenitente, anarquista católico, sensibilidad sin par y menospreciador de toda pintura, comenzando por la suya, no se cuidó de conservar sus cuadros. Ni de venderlos, cuando no los destruía. Por lo que su obra, al igual que su persona, se olvidó sin remedio, sobre todo desde que emigró a México y se dejó perder en una extraña vida entre los indios del país, apartado de toda relación con el mundo civilizado.

Campalans es un tipo original. Muy curioso. Un tipo fantástico. Del pasado no quiere saber nada. Pero si es verdad que «detrás de cada cosa, de cada hecho, hay el creador de la cosa, el autor del hecho», como dijo Ortega, para conocerlo hubiese sido suficiente la edición de un álbum con sus reproducciones, pies y fechas. Pero un artista de nuestro tiempo es algo más; y por eso el autor quiere saber algo más de este extraño personaje.

Y va preguntando a los que le conocieron en París. El recuerdo es vago. Juan Gris habla mal de él. Juan Gris es contemporáneo suyo. Un año más joven. Hermano de quince hermanos, estudió en el seminario de Vich. A los doce años, exactamente el 1898, se fugó, no se sabe por qué, a Gerona. Y en esta ciudad, el Ter y el Oñar serán las corrientes que lleven su sentir. Nos dicen que era buen mozo, y que lo hubiera sido más si no le hubiera entrado la ventolera de afeitarse la cabeza por amor a la higiene, que le inculcó un sacerdote en el seminario. Y nos le han descrito así: «Alto, fuerte, de grandes ojos oscuros, enormes manos, pies en consonancia, había en él la potencia que sólo da la tierra a quien vive o ha vivido en relación directa con ella». Catalanista hasta las cachas y católico a machamartillo.

Su encuentro en París con Pablo Picasso cambiaría el rumbo de su vida. Ya le conocía de Barcelona, pero es ahora cuando aprenderá de él muchas cosas: el idioma de Víctor Hugo, sin llegarlo a dominar nunca, la esencia del cubismo, las mujeres en el arte y en la vida. Torres Campalans sentirá siempre una gran admiración por su amigo, que le llevaba a ver la maravilla de «Chelito», preciosa criatura, pícara, traviesa en su deshonestidad, desenvuelta en el descaro, ágil en la obscenidad sólo rozada, coqueta en el retozo jamás malsonante, flor de lo sicalíptico, nunca chocarrera, sí libertina, retozona y galante, famosa por el número de «La pulga», su mayor éxito coreado en todo España.

Y aquel hombre de la cabeza rapada se enamoró un día de la hija de un registrador de la propiedad de Gerona. Y sin saber cómo, se hizo también anarquista. Jamás tuvo problemas con los vinos ni con el tabaco. Pero era violento, y esto le costó muchas enemistades. Ana María, que sabe que es así, se lo reprocha muchas veces en tono amoroso, pero sin conseguir nada. Ana María simpatizaba con el budismo y no acababa de comprender el catolicismo de su compañero. Ana María, que no es Pepita Romeú, sino la amante parisina, le será fiel y buena.

En contra de lo que pudiera suponerse, Torres Campalans no protestó por el fusilamiento de Francisco Ferrer el día 13 de octubre de 1909, pero su cuadro dejó constancia y fue reproducido en París, Bruselas y Milán.

Nunca hizo una exposición particular de sus obras, ni sobresalió públicamente. Su amistad, tranquila, con Mondrian le había llevado a una nueva manera que sólo discutía con el holandés y los pocos que le frecuentaban; obra reflexiva de la que no hablaba.

La guerra del 1936 terminó con muchas cosas. Incluso con muchos amores. En la estación y de despedida, Torres Campalans y Ana María enterraron largos años de sí.

Alfonso Reyes escribirá desde Burdeos a Julio Torri recomendando al anarquista fracasado que no quería saber nada de la guerra ni de la pintura y que deseaba olvidarse de todo viviendo con los indios mexicanos de Chiapas.

El libro de Max Aub causó auténtica sensación. En lo anecdótico, se habló mucho de la vida de este pintor catalán. En lo literario, constituía, junto con la novela *La calle de Valverde,* el punto más alto del autor en lo que a intención, seguridad, belleza, precisión, riqueza y armonía se refiere. Y en lo artístico, quedaba una inteligente valoración de los elementos sustanciales y accidentales en la plástica contemporánea, una magistral reconstrucción del ambiente intelectual y artístico de Barcelona y París a principios del siglo, y una imaginativa fábula en la que participan personajes reales junto con otros que pudieron o debieron serlo.

JUAN ANTONIO DE ZUNZUNEGUI

Pintor, psicólogo y analista de la sociedad actual

De Juan Antonio de Zunzunegui ha escrito el P. Félix García lo siguiente: «Zunzunegui es radicalmente novelista, por inclinación de su estrella, por vocación irrenunciable de su ingenio, vigoroso y creador, y por fidelidad a su arte. El sintió la llamada tentadora de la novela, y quemó todas sus naves para convertir su vida en una plena dedicación, sin tibieza alguna, a este arte, difícil y glorioso, de animar criaturas novelescas, de conferirles vida propia y de hacerles hablar con su estilo y su aire personal, en un mundo penetrante de humanidad, con sus luchas y pasiones, con sus apariencias y sus mentiras conjugadas. Zunzunegui liquidó a tiempo todas las posibilidades, acaso más proficuas, de vivir holgadamente, como un cuentacorrentista despreocupado; pero con ello salvó su vocación de novelista y la fertilidad de su inventiva, realmente admirable, que nos ha dado ya una serie de creaciones de gran envergadura, que le sitúan por derecho propio entre los novelistas más conseguidos, que van desde Cervantes hasta Galdós, Clarín o Pío Baroja.

Zunzunegui cala y ahonda en la vida, con aguda observación, y llega a implacables precisiones. A su sensibilidad alerta no se le escapa un detalle del ambiente y de los personajes disecados. Pero no es sólo un pintor realista que capta y fotografía la realidad sorprendida, sino que es también, y de un modo eminente, el psicólogo y el analista que conoce y descubre los resortes y la contextura de sus personajes, y las motivaciones, complejidades y miserias de esta gran comedia humana que es la vida, cuando se le cierra el horizonte de la esperanza.

Lo que sorprende en Zunzunegui es su capacidad para crear personajes y para hacerles moverse y hablar en su mundo encontrado sin perder su fisonomía ni falsear su sentido, por duro que sea a veces, de la vida y de las cosas. En el censo numeroso de sus personajes novelescos encontramos tipos de trazo imborrable, gentes del agio y del negocio, más o menos turbio, del hampa, de la política, de los bajos fondos, del capital, de la dorada inmortalidad, que nos muestran los reductos de un ambiente difuso, en el que predominan la picaresca, el vicio y las malas artes de la vida.

Zunzunegui denuncia con valentía, a veces con aspereza, a veces con ironía, con sarcasmo, pero en el fondo con una gran piedad, ese mundo equívoco y explotado: todo ese estado social, reprensible, de ambiciones, de acumulación de riquezas y disfrutes, de truhanería y de engaño. No monta él sus novelas sobre una anéctoda liviana: cada novela suya es un vasto territorio donde la vida se dilata, se interfiere, ondula en mil peripecias y encuentros.

Zunzunegui es un fustigador implacable de una sociedad en quiebra. Con un estilo vigoroso, eficaz y de una riqueza sorprendente.

Cada novela de Zunzunegui produce inquietud. Está penetrada —y esto es lo que urge anotar— de intención social y ética, en el fondo. Su literatura duele porque alecciona y apunta a realidades vivas que, vistas en el espejo implacable de la novela, indignan a los fáciles al escándalo, que transigen, en cambio, con todas las deformaciones y quiebras de la vida. Pero la obra de Zunzunegui quedará ahí como un testimonio espléndido del arte de novelar, y como un documento vivo, doloroso si se quiere, pero esperanzador también, de la realidad de un momento social, que tiene su grandeza y su servidumbre, y que encontró en Zunzunegui su intérprete y su configurador, es decir, su novelista de gran alcance. Situado en la mejor cima de la novelística española actual».

Un poco larga nos ha parecido la cita; pero lo hemos hecho de intento, porque pocos juicios tan acertados y tan justos como el del ilustre escritor agustino para llegar a conocer algo de la ingente obra y de la problemática social del novelista de Portugalete.

Si al tiempo de escribir este breve ensayo dijéramos que hemos leído toda la obra de Zunzunegui, ni nosotros mismos ni el propio autor nos perdonaría tamaña bravuconada.

Es larga e intensa la obra de este novelista español. Tan es así, que, aunque nos parezca jactanciosa la frase que sigue, en él está del todo justificada: «Meterse con uno a hacer una crítica de la obra de uno —escribe en el prólogo de *Mis páginas preferidas*— es muy fácil: está dentro de las posibilidades de cualquier cretino. Ahora, escribir las ocho mil páginas, densas y extensas, de prosa novelesca que yo he publicado, eso ya es un poco más difícil».

A decir verdad, no le falta razón al novelista. De tal modo, que el crítico literario Juan Luis Alborg ha podido escribir, haciéndose eco de la enorme producción de Zunzunegui, lo siguiente: «Después de los grandes escritores del 98 que han mantenido durante años una producción regular y no interrumpida, Zunzunegui casi es el único entre nosotros que acredita con obras la profesión que ejerce. En estos últimos lustros bien numerosos son los escritores nuestros que, aun habiendo visto cómodamente allanado su camino por alguna recompensa fulgurante o cualesquiera otras circunstancias propicias, no han producido luego sino con muy parca actividad o han enmudecido totalmente (díganlo, por ejemplo, varios de esos «Nadal» de los que nunca ha vuelto a saberse)».

Y algo más adelante: «Después de Baroja, ningún novelista español ha puesto en fila, sacados de su numen, tal escuadrón de libros. Y debe añadirse todavía que no es sólo el número de títulos lo que importa aquí; pues si algún otro escritor, que por novelista se tenga, puede ser padre de mayor número de títulos, queda asombrosamente atrás en páginas escritas. Pues los libros de Zunzunegui, con muy contadas excepciones, son en extremo voluminosos, y en diferentes manos hubiera dado cada uno materia para media docena».

Y henos aquí metidos con la obra de este escritor que, no sólo está dotado, como pocos, de esa condición, inapreciable para el novelista, que él mismo llama «facilidad de fabulación», sino que también posee la facilidad «de escribir».

Parece ser —el propio autor lo ha confesado— que Zunzunegui es hasta perezoso para coger la pluma. Pero, puesto a la noble tarea narrativa, en pocos meses da cuenta de un nuevo libro, extenso, original, profundo y, a la vez, escrito con un estilo nunca «de cómoda y desaliñada soltura, sino exquisito con frecuencia, y sin dejar de ser fluido y familiar, limpiamente novelesco, por lo tanto, la riqueza y la calidad de su lenguaje le acreditan como maestro del idioma».

Si tratáramos ahora de decir cómo es Zunzunegui escribiendo, diríamos que todo lo contrario a lo que él confiesa de sí mismo. El novelista vizcaíno escribió un día en el libro citado arriba que su aspiración era «hacer circular la sangre por las venas del puro disparate». Y haciendo hablar a uno de sus personajes en *El hombre que iba para estatua,* dice: «Querido Andrés: me joroba la realidad. Hay que hacer una hoguera con todos los novelistas finiseculares; ninguno de ellos tenía imaginación. Pereda se perdía en logomaquias verbales y Galdós era un notario vulgar de su mundo circundante».

Y sin embargo, Zunzunegui es hoy «el más representativo de los epígonos de la novela realista clásica».

José García López en su *Historia de la Literatura Española* ha dicho de Zunzunegui, a este propósito, que «si Sender figura a la cabeza de los novelistas de su promoción, Zunzunegui ocupa el primer lugar entre los que permanecieron en España al terminar la guerra civil. Su producción, integrada por unas veinte novelas, algunas de extensión considerable, se halla en la línea de un realismo costumbrista cercano a veces al naturalismo».

Pero, si hasta aquí puede decir mucha verdad —aunque son muchas más de veinte las novelas que ha escrito el de Portugalete—, se equivoca de medio a medio en lo que sigue: «Ofrece sólo escasas conexiones iniciales con el preciosismo de la generación anterior y apenas participa del compromiso moral o social de las siguientes». Nunca ha debido escribirse en letras de molde tan tremenda garrafal. O, de lo contrario, y con mil perdones, García López —que, por otra parte ha escrito un buen manual de Literatura— no ha leído a Juan Antonio de Zunzunegui.

Porque en ningún modo reniega Zunzunegui de nuestros grandes clásicos del siglo XIX; y menos de Galdós, por quien siente verdadera devoción, públicamente confesada. Tal vez lo que quiera expresar con las palabras que hemos aducido es que él, siendo realista, de ninguna manera puede someterse al realismo hasta el punto de que éste le aprisione entre sus tentáculos materialistas, y le impida remontar el vuelo, una y otra vez, hacia zonas de pura fantasía, «con creaciones de irrealismo alegórico, con páginas de libérrima arbitrariedad, premeditadas, estilizaciones, juegos de saltarina inverosimilitud».

Tal vez lo que sucede es que Zunzunegui que, en general, siente un respeto clásico por las exigencias medulares de los géneros —la idea es de Juan Luis Alborg—, ha conservado el modo de hacer de la novela tradicional en sus obras extensas, y tanto más cuanto mayor ambición ha puesto en ellas; pero ha reservado para sus travesuras imaginativas el predio, menos extenso, de sus relatos breves. En medio quedan, con caracteres de hibridez, algunas novelas —las más breves entre las extensas— donde el ritmo de farsa caprichosa se goza en desarticular el orden de un realismo esencial.

Habría que distinguir —para conocerle mejor— algo así como dos escritores y dos novelistas, que en ningún modo se contradicen y sí se perfeccionan y completan: el Zunzunegui anterior al 1950, con sus relatos que hacen referencia a la vida de Bilbao y su región; el Zunzunegui de *Chiripi, El Chiplichandle, ¡Ay..., estos hijos!, El barco de la muerte, La quiebra, La úlcera...*; el Zunzunegui posterior a aquella fecha, escribiendo en Madrid y sobre Madrid; y el Zunzunegui de las novelas largas, tales como *La vida como es, Las ratas del barco, Esta oscura desbandada, El mundo sigue, El premio, Una mujer sobre la tierra, Los caminos de El Señor, El camino alegre, Don Isidoro y sus límites, La poetisa...*

Existe un Zunzunegui conocedor y minucioso narrador de las cosas. Y es curioso examinar, al tiempo de leer, lo que saben los personajes de este gran novelista, que es lo mismo que decir lo que sabe el propio Zunzunegui.

Los personajes del vizcaíno conocen a maravilla, cuando comen, los vinos, las salsas, las carnes, los pescados, las frutas, con sus propiedades, sus gustos, sus marcas... Cuando, por ventura, hacen un viaje, conocen el paisaje, con todos los hombres y las cosas que lo habitan... Lo cual quiere decir que Zunzunegui es viajero de media Europa y todo su país... Si se trata de alguna fábrica, de algún barco, de alguna mina, los personajes se mueven con facilidad, porque su creador —Zunzunegui— se encuentra en su ambiente como técnico... Los personajes de Zunzunegui entienden de joyas, de vestidos, de muebles, de economía...

Y existe el otro Zunzunegui: el de los *Cuentos y patrañas de mi ría;* distinto siendo el mismo: el mismo en el «estilo y garbo de la prosa», y distinto «en el tonelaje», en el tema, alma y colorido.

De este modo, Zunzunegui, clásico al estilo de los novelistas del xix, no es mero epígono del mencionado siglo. Y así muy bien ha podido escribir el citado Juan Luis Alborg: «Si Zunzunegui tiene un sabor distinto de los *nuevos,* no creo, sinceramente, que sea sólo por la deuda que conserva de los maestros del pretérito. Ni admito que sea cosa de la edad. Zunzunegui es mayor en años que todos ellos; pero con la excepción de tres o cuatro libros, todos los suyos han sido escritos en los días de la postguerra; y Zunzunegui, hombre moderno, tiene el espíritu más abierto, para muchas cosas, que muchos petimetres que alardean de audacias inofensivas.

El tema de sus libros puede que sea, en cambio, factor más decisivo para esta diferencia que subrayamos. Zunzunegui ha pintado con preferencia, hasta el momento, la vida —bilbaína o madrileña— de décadas pretéritas, de comienzos de siglo. Este mundo, que nos parece ya tan alejado, en sus gentes y en sus problemas, puede dar a un escritor un regusto de cosa de ayer. Nuestros novelistas jóvenes, con excepciones mínimas, tratan, por el contrario temas de hoy mismo; aunque la proximidad del asunto puede enmascarar a veces —y de hecho lo está haciendo para los miopes, que son legión— lo viejo y trivial del resultado.

Pero aun esto me parece poco. Sospecho que las razones que impiden que Zunzunegui —tan perfectamente dotado para el arte de la narración— sea ese novelista rigurosamente moderno que podría ser, a la cabeza de todos nuestros novelistas vivos, nacen de limitaciones —o de exhuberancias, si se quiere— estrictamente personales. Es posible que a Zunzunegui le perjudiquen sus propias cualidades, y en especial aquella aludida «facultad de fabulación». Para Zunzunegui urdir una trama, lanzar al mundo unos personajes, hacerlos dialogar, vivir, es empresa de no mayores dificultades. Y de esa fértil abundancia interior nace con frecuencia un despilfarro que multiplica sin necesidad las páginas de sus libros. Despilfarro que no degenera en prosa descuidada: ya dijimos —y veremos de ampliarlo luego— que Zunzunegui es un estupendo escritor; no, no es cuestión de forma, sino de contenido. Hay diálogos sobre todo —en proporción muy superior a las descripciones— que son un peso muerto en sus novelas, porque insisten y machacan sobre aspectos que han quedado definidos; que no mejoran el perfil de los personajes porque éstos ya nos dieron su medida con anterioridad; que se estiran y demoran con frecuencia en la cháchara vana por un prurito del autor de dar escrupulosamente nota de ambiente, por un afán puntualizador que repite, sin mejorarlos, los procedimientos del minucioso realismo de otros tiempos».

El primer libro que conocemos del novelista vizcaíno es *Vida y paisaje de Bilbao.* De él se ha podido decir que es un libro primerizo que no supondría mucho si no estuvieran ya en él los gérmenes de muchas directrices que han fructificado después en toda la producción de Zunzunegui. Son cuadros de costumbres o pequeños relatos de fondo sentimental, algunos inspirados en episodios autobiográficos. Se cuenta entre ellos, *El binomio de Newton,* que participa de las dos últimas modalidades, y que es un bello juguete bien construído y humano; y *El chulón,* poderoso aguafuerte de un majo raquero de la ría, trazado con gran fuerza y seguridad.

Tres en una o la dichosa honra es un libro original y lleno de imaginación. Es como una libérrima creación que se despega de la tierra pero sin perder con ella su contacto, según la fórmula de Goethe, que aconsejaba apoyarse en la realidad, pero sólo con un pie.

«Casi todos los cuentos del libro tienen un ritmo de fábula, de fingimiento alegórico, pero el primero —que da nombre al volumen— es una pura fantasía sin más finalidad aparente que dar rienda suelta al puro impulso creador. Son tres hermanas siempre juntas: una es fea, la otra es mediana y la tercera francamente guapa. Parecidas, sin embargo, entre sí, son como tres momentos de una estupenda escultura. Surge el novio que deshonra a la guapa; da a luz la mediana y se suicida la fea. Zunzunegui, tan dado, para su mal, a explicar la moraleja de sus libros, no lo hace aquí; pero quizá la tenga, y grave. Los afortunados —los «guapos» de la vida— gozan; los medianos paren... y los feos pagan los vidrios rotos. Si el cuento encierra esa lección, podría ser esta una bella y trascendente fábula de largo y sutil alcance».

Lo hemos dicho al principio: es larga e intensa la obra de Zunzunegui. *El hombre que iba para estatua* es otro libro interesante que sigue la línea de los anteriores: una amalgama de fantasía y realidad, o por mejor decir, de fantasía realista o realismo fantástico.

Dos hombres y dos mujeres en medio es un cuento de «andadura dramática y realista», buena pieza de equilibrada arquitectura.

Entre las novelas largas, contamos con *Chiripi,* publicada en 1931.

Chiripi —nos dirán los entendidos— es un libro frustrado, no sólo por la natural inexperiencia del autor, sino porque aborda un tema que no había llegado todavía al punto de saturación que habría de alcanzar más tarde. *Chiripi* es la novela del fútbol. Pero el relato ha quedado anticuado porque, aunque mucho del ambiente en que se mueve este deporte continúa siendo el mismo, las dimensiones de la pasión popular se han exacerbado y las circunstancias concomitantes han variado astronómicamente.

Lo más conseguido de la obra —el protagonista falla, no acaba de ser nada— es el ambiente de la ciudad; y los retratos que hace el autor de su tierra, con su zafiedad y timidez y su sed y apetito insaciables.

El Chiplichandle es otra de las novelas largas de la primera época de Zunzunegui y aparecida en 1940. De ella nos dice el propio autor que la estaba escribiendo cuando estalló la guerra y él se encontraba en Bilbao y sólo la diligencia de un cajista salvó el original de la destrucción. Confiesa que «tiene páginas divertidas, pero su arquitectura novelesca, que después tanto me ha de preocupar, es deleznable».

Sin embargo, nosotros la hemos leído recientemente y al mismo tiempo que *El barco de la muerte* y nos ha parecido sencillamente magistral. Luego hemos visto la crítica que le hace el citado ya varias veces Juan Luis Alborg y nos hemos alegrado en la coincidencia, pues, si *El Chiplichandle* no es la novela mejor de Zunzunegui, puede codearse con la que él más estime.

Chiplichandle nos recuerda mucho a Baroja. Tal vez por esto le guste menos a su autor. *Chiplichandle* es —nos dice la crítica— la corrupción popular con que se pronuncia en la ría la palabra inglesa «Ship-chandler» —proveedor de buques—, y Jocelín, el protagonista de la novela, se dedica a este oficio, aunque en la práctica también se aplica a lo que salga, que es mucho y variado.

Por lo que la novela responde al género picaresco por la índole y ocupación del protagonista y el mundo en que vive y el coro que le acompaña. Pero a la vez es una novela de ambiente, que recoge como en un calidoscopio la vida marinera y mercantil de toda la ría de Bilbao.

«La picaresca de *El Chiplichandle* tiene sobre muchos de los libros contemporáneos de su especie la ventaja de que el autor ha recogido por sí mismo de primera mano todo ese mundo pintoresco, vario y divertido que nos ofrece. No se trata de ningún pastiche o imitación de un género acreditado, amasado con recetas de cocina, fichas y papeletas de ratón roelibros y compuesto a torno en el secreto de un laboratorio. Nada de trucos librescos, sino vida captada y vertida luego con mano segura y fácil de novelista auténtico».

Para Alborg con la novela anterior termina la primera etapa, la etapa preparatoria de Zunzunegui. Preparatoria solamente en cuanto a la madurez de su personalidad y a su toma de posiciones frente al quehacer novelesco, puesto que produce durante ella algunas de sus obras más conseguidas.

Pero lo que sí es evidente es que la nueva etapa, que comienza una vez terminada la guerra, va a desenvolverse por nuevos derroteros. Es la etapa de ¡Ay..., estos hijos!; la novela del muchacho rico, hijo de una familia acomodada de Bilbao, educado en los jesuitas, con su vida escolar, familiar, de amigos y primeros amores. Una novela que servirá más adelante para que, sin llegar al plagio, copie y aproveche Martín Vigil al tiempo de reflejarnos sus personajes de semejante factura.

El barco de la muerte es la última obra que hemos vuelto a leer de Zunzunegui para recordarla mejor. Y es la historia de Martínez, el funerario —no enterrador—, vasco que se hace rico comerciando con la muerte de los demás. Su avaricia le llevará al desastre y a la tragedia final; pues por tal motivo le han tomado tal odio sus paisanos, que un día asaltarán su casa y la reducirán a pavesas.

La obsesión de la muerte —leemos en esta edición económica—, depurada por el humorismo y una comprensión «viviente», muy española, de la vida, guían el derrotero de esta magnífica novela cuyo andamiaje, perfectamente ceñido a la realidad, surge página tras página, cual un sombrío barco siluetándose en el contraluz de un crepúsculo bilbaíno, negro y plata. Martínez, el Alfredito que pasó una niñez de hambre y frío y que después de abandonar el pueblo regresa veintitrés años más tarde para convertirse en el tétrico dueño de la funeraria local, es un personaje plenamente logrado. Vive y justiprecia a los hombres según los beneficios que le reportarán sus exequias. Pero de tanto frecuentar a la muerte, de tanto explotar la vanidad y codicia de los vivos, no tardará en llenarse de un inevitable pavor. En vano crecerá su fortuna, comprará casas, beberá el mejor coñac, fumará los más caros cigarros, «jerarquizando copas y puros según los muertos del día»; también a él le alcanzará la gran tiniebla en un final espléndido de novela, resuelto con sobriedad vasca, trágica y sencilla.

A esta obra siguieron más tarde *La quiebra,* una de las novelas más significativas de Zunzunegui. Es la novela de los negocios, donde el autor se mueve con soltura y seguridad de banquero. Es la novela de aquel Bilbao de la juventud del novelista que florecía bajo el afán de las más ambiciosas empresas, empujadas por los alisios de la primera guerra mundial. Es la novela costumbrista y la novela de los hombres audaces y favorecidos por la suerte y la fortuna. *La quiebra* constituye, por sus dimensiones, un auténtico «novelón» —en una edición popular ha sido editada en dos volúmenes—, una verdadera «comedia humana» de toda una sociedad y de unos años muy significativos, no sólo para la región bilbaína, sino para todo el ruedo nacional.

Por encima de todo ese poblado mundo donde se afanan gentes de la más variada laya y se acumulan episodios y acciones incontables, viven los dos personajes que dan nombre a la edición dividida —*Ramón o la vida baldía* y *Beatriz o la vida apasionada*—; ambos tienen talla de protagonistas y son dos creaciones magistrales, mejor la segunda que el primero, pues constituye el tipo de mujer de condición humilde, más generosa y emprendedora, que acaba de convertirse en gran competidora de los hombres al tiempo de realizar juegos de Bolsa o financiar una empresa.

Citemos, de pasada, *La úlcera* y *Las ratas del barco,* no porque sean las mejores, sino porque la primera consiguió el Premio Nacional de Literatura de 1948 y la segunda ha sido juzgada por su propio autor como «uno de los libros mejor escritos y construídos y dialogados con más precisión».

Con *El supremo bien,* el autor comienza una serie de novelas madrileñas.

Novela ambiciosa ésta y que pretende darnos la gran lección de la vida: un hombre que la pasa consiguiendo sin descanso ni sueño dinero, para advertir al final que le falta lo principal: «el supremo bien».

Tiene mucho de parecido con el modo de hacer novela galdosiana. Y de hecho el autor, dándose cuenta de ello, se la dedica al mejor costumbrista y más grande novelista de la segunda mitad del XIX.

La vida como es ha sido considerada por el propio Zunzunegui como la más perfecta y la mejor de todas cuantas ha escrito. Pero a buen seguro que no hubiera afirmado tal cosa si hubiera aparecido, como luego apareció, *Una mujer sobre la tierra,* que representa, a juicio de Alborg, el blanco más certero del novelista vasco. Lo cual no resta mérito alguno a *La vida como es,* gran novela a todas luces.

Es novela escrita para Madrid y sobre el bajo Madrid de las décadas anteriores a nuestra guerra. Es novela picaresca, de humor, costumbrista, del más puro casticismo y chulería madrileñas. La novela «supone un alto logro, revelador de la capacidad de Zunzunegui para observar y plasmar después en un cuadro plenamente conseguido la vida que ha observado. La novela es, además, una lección soberbia de cómo puede hacerse novela picaresca dentro de la más pura línea tradicional sin trabajar a torno sobre frases y modismos de maestros pretéritos; sin fabricar «pastiches» con recetas de cocinilla literaria, horros de personal creación y chorreantes de retórica libresca.

Los caminos de El Señor es novela que responde a un nuevo momento en la vida del novelista. Es novela más corta que las anteriores y que otras que van a seguir después; y es también más magra y más enjuta; menos episódica y más concreta y sustanciosa; de estilo más sobrio y de lenguaje mucho más «funcional».

De esta novela escribió en su día el eminente M. Fernández Almagro: «Nacido frente al mar —¡y qué fuerte mar el Cantábrico!—, Juan Antonio de Zunzunegui gusta de dividir su producción en dos grupos: novelas de pequeño tonelaje y de gran tonelaje, así como en esa misma línea de lengua figurada, anuncia dos obras como de «próxima botadura», y una de ellas, de «gran eslora». Pues bien, la novela que acaba de hacerse a la mar, *Los caminos de El Señor* viene a ser un ligero balandro o yola, lanzado a la difícil carrera de viejos, medievales, persistentes, humanos «enxemplos». Gobierna esa embarcación, por contraste con su alegre traza y juvenil andar, un personaje de adusta y grave lección: «moralidad» o moraleja. Pero por lo mismo que *Los caminos de El Señor* es novela rápida y despreocupada, su enseñanza se desliza mejor hasta penetrar en el corazón de quien la leyere.

En esto de quitar hierro a las lecciones de la vida, para aliviarlas de peso, sin privar a la experiencia de su eficacia, es maestro Juan Antonio de Zunzunegui, manipulador afortunado de esos delicados resortes que no le fallan al que sabe ver y oír, componer e imaginar: el humor y la ternura, instrumentos de que se vale la inteligencia para comprender al mundo y al hombre. El humor y la ternura se armonizan muy bien en la ironía. Quizá tales ingredientes sean una cosa misma. Ello es que la ironía peculiar de Zunzunegui se agudiza aquí hasta el sarcasmo, más visible en el conjunto del relato que en el detalle de sus caracteres e incidencias...

Los caminos de El Señor es novela que obedece a una intención moralizadora, cuyo alcance tal vez el lector no advirtiera en toda su trascendencia sin el doble reflector de las citas clásicas que encabezan, respectivamente, cada una de sus dos partes... De esa suerte, Juan Antonio de

Zunzunegui se cura en salud. Dice mal de las cosas porque las cosas son así. No cabe desconocerlo, como la novela picaresca, de tan cruda lección moral, no lo desconoció en ninguno de sus textos. Sólo que el autor de *Los caminos de El Señor,* muy español en el abolengo de su literatura, capta la onda de nuestro tiempo, según la emite una sociedad corrompida, pero no tanto en la transgresión voluntaria, consciente, de una ley en casos determinados, como en una diluída subversión de conceptos morales».

Y más adelante nos dirá este eminente crítico que *Los caminos de El Señor* nos brinda sus primeros lances acumulando las rarezas de dos caracteres certeramente justificados, mediante rapidísimos toques psicológicos. Más bien al estilo de una farsa teatral que de una novela llamada, según pudiera aparecer, a lentas dilucidaciones. Pero precisamente por eso, el acierto es mayor. Novela desviada en farsa, por la pura gracia de la situación y del diálogo, o novela canónicamente concebida, lo cierto es que Juan Antonio de Zunzunegui ha escrito páginas que ponen a prueba el interés del expectante lector: las más rápidas, eficientes, densas y penetrantes, tal vez, en toda su producción....

Una mujer sobre la tierra es otra gran novela de Zunzunegui. Ya nos hemos referido a ella, y hemos quedado en que, sin duda, era, a juicio de Juan Luis Alborg, la mejor de todas. En ella torna Zunzunegui al módulo preferido de mucho tonelaje y ancha bodega —622 páginas—. La acción también transcurre en Madrid, en un Madrid que adquiere ahora la categoría de microcosmos nacional, siendo el relato, no de días pasados, sino de los momentos actuales que nos toca vivir a la generación de la postguerra.

Y otra vez el trazo maravilloso de los personajes. Matildona, portera de oficio, tiene fuerza de auténtica creación, aunque la veamos demasiado inteligente y, sobre todo, demasiado moralizadora y entendida en materias de moral.

Almagro nos dirá que este libro, recurriendo a los símiles que tanto gustan a Zunzunegui, que es de mayor tonelaje aún que las anteriores y está tripulada por personajes de tan variada condición que hacen del barco un trasunto animadísimo de esa clase media tan humana y tan española, en cuyo análisis y trasposición artística se ha especializado el autor, no sin distinguir con sagacidad extraordinaria los distintos grados que van de la más holgada burguesía al artesanado más desvalido: graduación marcada en la escala ya muy extensa de sus novelas y de sus cuentos. Sólo que ahora, en *Una mujer sobre la tierra,* Juan Antonio de Zunzunegui ha calado más hondo en el alma de sus personajes, y los ha llevado a más larga y fructuosa travesía por los mares del arte narrativo, con todas sus consecuencias no ya en lo psicológico, elemento esencial de toda novela que no sea simplemente de aventuras, sino en las circunstancias de ambiente físico y social que el personaje mismo necesita para definirse, así como del lenguaje que a cada cual le corresponde.

Zunzunegui ha escrito esta novela en un todo coordinado y en unidad de ambiente; para lo que ha contado el novelista con sus dos colaboradores más asiduos y felices: el humor y la ternura, especialmente encargados de matizar el lenguaje, sea el autor quien hable por su cuenta o hablen sus criaturas, tomadas del natural, como se decía cuando los artistas del pincel o de la pluma iban a caza de modelos.

Es así como *Una mujer sobre la tierra* resulta una sátira completa y sin remilgos de nuestra realidad contemporánea. Una sátira profunda, intencionada y enormemente certera que apunta bien y tira al bulto sin andarse por la ramas.

Para completar este ensayo, hemos seguido adelante en la lectura de las obras posteriores de Zunzunegui hasta donde no han podido llegar todavía los que nos ofrecen libros de crítica literaria.

Y hemos leído *El premio,* que es otra maravillosa sátira de los galardones literarios, otorgados no siempre con imparcialidad y sí atendiendo a compromisos lucrativos o a insinuaciones de las casas editoras.

El camino alegre es otra larga novela tan lograda, que es ahí donde el autor acusa la mayor dimensión de profundidad que nos ofrece el conjunto de su producción vastísima. Es una novela profunda y con un personaje central —Soledad— que viene a enriquecer la galería femenina del novelista vizcaíno. Una mujer que, una vez presentada al lector, marcha luego por su cuenta y riesgo, con más riesgo que cuenta, porque su destino es paradójicamente azaroso. El azar, un aparente azar, le sale al encuentro en su vida, no obstante la firmeza de su voluntad.

El mundo sigue es acaso la novela en que más se haya fijado el P. Félix García para dejarnos escrito acerca del autor lo que al principio de este estudio estampábamos como juicio certero. Es posible que, sin habérselo propuesto explícitamente, Zunzunegui fije las características de la sociedad actual —más que relajada, desconcertada—, en la parcela que gusta de observar con extraordinario y justificado pormenor.

Es indudable que en esta novela, como en otras, Zunzunegui se está fijando en Galdós; pero no lo es menos que dispone de un preciso y precioso instrumental propio, gracias al cual le pertenecen, por entero, las observaciones y las experiencias llevadas a cabo en el laboratorio de sus novelas, con muy singular regularidad y renovado magisterio.

Don Isidoro y sus límites es un libro en el que el autor vuelve a su tierra natal, a la que siempre ha llevado metida en el alma. Bilbao es de nuevo escenario de una gran novela social.

Aquí la sociedad y el ambiente, causa y efecto a la vez de la misma, no interesa tanto como la caracterización de dos personajes que no necesitan para definirse de un fondo expresamente abigarrado y cuantioso, con problemas de alcance general. El caso de don Isidoro —vuelve a decir Almagro— sólo necesita de su tardía y complicada esposa, Agueda, para establecer íntima comunicación con el lector. Todos los otros elementos son complementarios. Como que se trata, en puridad, de una novela de caracteres, no de ambiente, al modo que lo son, por ejemplo, *La quiebra, La úlcera* o *El premio.*

Una cuarta serie de los *Cuentos y patrañas de mi ría* nos ha vuelto a ofrecer Zunzunegui con *La poetisa,* en donde, a la observación característica, se añaden el humor y la pura fantasía, la vena poética del autor que tantas cosas sabe de su tierra y de la sociedad actual.

MIGUEL DELIBES

El equilibrio entre la ternura y el realismo

Yo he leído en un artículo del excelente novelista y escritor Rodrigo Rubio que «este es un tiempo en el que, por muchos sitios y en muchas cosas, se empieza a hacer reflexión; yo diría que hasta examen de conciencia. Hay que ver cómo andamos, si nuestros pasos son firmes, si son seguros, si dejan, detrás nuestro, una huella de limpieza y verdad. En cualquier estrato social y en toda actividad hace falta de vez en cuando una reflexión, un mayor o menor examen de conciencia.

Y esto también debemos hacerlo los que, entre otras actividades, nos dedicamos a la crítica literaria. Hay quien se atrevió a afirmar que la crítica literaria no existía —no existe— en nuestro país. Esta afirmación nace, desde luego, de un menosprecio a la crítica, puesto que sí existe crítica. Hay comentaristas de libros en periódicos, revistas, emisoras de radio y televisión. Pueden no ser buenos la mayoría de los comentaristas o críticos...; pero la hagan de una forma u otra, son críticos, hacen crítica.

A la crítica hay que pedirle, cuando menos, una información objetiva de lo que es (más aún, de cómo es) un libro... No basta con decir que el autor ha conseguido algo importante, o que el autor no ha hecho sino escribir un montón de folios sin apenas valor. Esto no es lo esencial en la crítica, sobre todo si pensamos que detrás de nosotros hay un público lector que después irá, bastante a ciegas, a comprar ese libro».

Efectivamente, hay obras que exigen una lectura reposada y atenta. Su contenido debe ser explicado, siquiera someramente. Y hay que ver asimismo su calidad —si la tiene—, su valor literario, pero también el fondo del argumento.

Y esto es precisamente lo que ocurre con el excelente novelista y escritor que es Miguel Delibes. Por eso, se equivocan tanto al enjuiciar sus libros: porque, como él mismo dice, «no entran en mis novelas». Esto ha podido ocurrir —ha ocurrido— en la última, la que nosotros comentaremos al final de nuestro ensayo: *Cinco horas con Mario*.

Personalmente, debo decir que siento admiración por Miguel Delibes, uno de los mejores y más destacados novelistas españoles de la actualidad.

También puedo afirmar que he seguido, paso a paso, su obra. Y que la he leído entera. Pues si me faltaba uno de sus relatos breves —*La partida*—, no hace mucho tuve la oportunidad de celebrar una entrevista con el propio autor, el cual, sabiendo de antemano que yo conocía este libro suyo, me le tenía reservado con una dedicatoria afectuosa.

Delibes es el escritor que ha destacado siempre por la sencillez de su prosa —la difícil facilidad a la que se refería, en su tiempo, el poeta latino escribiendo, creo, a los hermanos Pisones—, el poder de captación de los detalles de la vida cotidiana, el fino humor que pone en las cosas, y la sátira, a veces cruel y dura, que refleja en muchos de sus personajes, ya como símbolos, ya como realidad de la sociedad actual.

Ya han pasado bastantes años —veinte por lo menos— desde que se nos reveló como excelente narrador con *La sombra del ciprés es alargada;* novela esta que le valió el «Premio Nadal», y cuya primera parte es un primor de estilo y un arte maravilloso del buen escribir en castellano; si bien la novela, como tal, será mediocre, y con una segunda parte que le resta mucho valor a la primera.

Es curioso lo ocurrido con este hombre en el campo de las letras. Antes de dedicarse a la novela, Delibes vivía —y vive hoy— dedicado profesionalmente al periodismo y a su cátedra de «Derecho Mercantil» en la Escuela de Comercio de su ciudad natal, Valladolid.

Cuando comience a publicar sus novelas como «Obras Completas», en el primer tomo, nos hará su propia confesión; y en un prólogo delicioso nos dirá que fue justamente ejerciendo su cátedra y su periodismo como nació a la novela. «En mi caso personal —escribe— bien puedo asegurar que mi afición por las bellas letras se definió ante el «Curso de Derecho Mercantil», de don Joaquín Garrigues. Un mercantilista sopesando adjetivos es sin duda algo insólito y este hecho, como no podía por menos, me impresionó... Años después, un tribunal presidido por el propio Garrigues, me concedió una cátedra, es decir, que de buenas a primeras me encontré en esa situación extraña de libertad mal retribuida que es la condición de todo profesor en el país. ¿Cómo emplear ese tiempo libre en una actividad provechosa?

Así nací a la literatura. Por entonces, ingresé en «El Norte de Castilla» y mis primeros pasos en el periodismo provinciano, donde es forzoso ejercitarse en todo, me resultaron sumamente provechosos. Luego vino lo del Nadal...».

De este modo, Delibes, recogido habitualmente en su ciudad, ausente del avispero de las tertulias madrileñas —escribe ahora Juan Luis Alborg—, sin alborotos publicitarios ni golpes de efecto, honesta y llanamente, ha conquistado merecida fama de hombre entero y ponderado y hecho ver —con la piedra de toque de sus libros posteriores— la honestidad de una vocación que había nacido sin ruido y se acredita sin alharacas.

Lo mismo ha ocurrido con otro gran poeta y escritor vallisoletano —con ser tan distintos—, Francisco Javier Martín Abril, el cual nunca ha añorado Madrid, y sí se ha sentido muy a gusto en su ciudad, la ciudad que le quiere y admira, la ciudad tantas veces cantada por él, la ciudad del Pisuerga, la ciudad del Conde Ansúrez.

De Miguel Delibes nos hemos ocupado en otras ocasiones y según iban apareciendo sus novelas. Muchas veces hemos comentado juntos su estilo, su lenguaje, su sentido y su intención. La última lo hicimos a propósito de *Cinco horas con Mario*.

Y muchas veces hemos lamentado la segunda parte de *La sombra del ciprés*, pues el «Nadal» hubiera quedado mucho más perfecto sin ella.

Era obra de juventud, escrita a los 27 años. El propio Delibes nos dice de ella que se trata de una novela «mediocre», de un libro balbuciente. Como muchas primeras novelas, no es mala por lo que le falta, sino por lo que le sobra. Sin embargo, y pese a considerarla malograda, es una novela con fuerza, «que mete el frío en los huesos».

Y sale al paso de los que se la criticaron sin «entrar en ella».

«No estoy de acuerdo —nos dice— con aquellos que me censuraron la impropiedad de los pensamientos y sentimientos del niño Pedro, el protagonista, puesto que esos sentimientos y pensamientos fueron los míos a esa edad. En cuanto a la forma de expresarlos tampoco, supuesto que Pedro los analiza desde su madurez. La novela peca de otras muchas cosas. Digamos de enteriza, de sentenciosa, de convencional en su segunda parte... La redime, si es caso, la novedad del tema, lo que éste tiene de angustioso y universal».

Obra de juventud y todo, es dura, amarga y grave. Obra en la que el autor concede gran importancia a la educación del niño y al ambiente en que se desenvuelven los años más importantes de su vida, que son los de la infancia.

Una obra —*La sombra*— que nos señala ya una de las grandes virtudes del novelista vallisoletano: la habilidad narrativa, su poder de sugestión, su captación y observación del paisaje íntimo, interno del hombre, y del externo de los lugares y de las cosas.

Y otra gran cualidad que se echa de ver en seguida es el dominio del lenguaje y de la expresión. En esto Delibes es maestro desde el primer día que empezó a escribir. Es decir, que comenzó con plena madurez de estilo, como si se tratara de un escritor de muchas horas de vuelo.

Más tarde nos daría a conocer *Aún es de día;* de personajes más variados y más complicados que en la anterior. En ella Delibes «recorre un camino inverso —nos dice el citado crítico literario y ensayista Juan Luis Alborg— al anterior, pues que se trata de la historia de un optimismo. Un muchacho de físico deforme, debido al cual es objeto de todo género de burlas, descubre al fin, en medio de las tristezas y miserias de su vida, y en trance ya de desesperación, la existencia del espíritu y la posibilidad de ganar para éste la belleza que le ha sido negada a su cuerpo. Desde entonces, exaltado por una fuerza mística, lucha con éxito por hacer de su vida una fuente de derretida generosidad».

Tampoco se muestra satisfecho Delibes con esta su segunda obra. Por el temor de quedarse en novelista de una sola novela, entregó a la Editorial «Destino» su libro aun a sabiendas de que había sido escrito de prisa. Para colmo de males, la novela «no se publicó tal como yo la había parido», dice castizamente Delibes. Era aquella una época —1949— en la que a los libros, escribe con gracia, como a los toros, se les afeitaban los cuernos para evitar riesgos a quienes se les aproximaban demasiado. Pero a *Aún es de día* me le afeitaron más de la cuenta. Y el encargado de hacerlo no debía tener mucho sentido, ya que las mutilaciones convirtieron a menudo escenas inocentes en escenas escabrosas.

Delibes cree que en esta novela se pasó de rosca, y la tacha de «hiperrealista» y descarnada, de muy mal gusto. Tiene, es verdad, más unidad que *La sombra* y responde a una estructura más equilibrada; «pero se resiente, sin duda, de un naturalismo machacón, excesivamente rígido y su humor —llamémosle así— resulta de una tosquedad escalofriante».

Después llegarían las obras maestras de Delibes: *El camino, Mi idolatrado hijo Sisí, Diario de un cazador* (Premio Nacional de Literatura), *Diario de un emigrante, La hoja roja...*

Hablando con él de *El camino,* yo se le comparo, dentro de toda su obra literaria, a *Viento del Este, viento del Oeste,* de Pearl S. Buck; y no por lo que al tema se refiere, sino por lo que significan estas dos obras, deliciosas, poéticas y emotivas, dentro del realismo y de la dureza de muchas otras.

Los protagonistas de *El camino,* «tres niños de aldea, tres diablillos fértiles en ingenio y travesuras», están vistos con una penetración psicológica que no admite reparos. Como lo está, igualmente, toda esa abigarrada multitud de personajes de la aldea que desfilan con su lenguaje popular, su chispa, su gracia y donaire, su atuendo y costumbrismo, su folklore, su acendrada fe y enraizada tradición.

De esta novela ha dicho su propio autor: «Cuando en 1950 publiqué

El camino, me recomían auténticos nervios de estrenista. Intuía que había hallado, al fin, mi fórmula; pero entre lo que uno piensa y lo que piensan los demás hay, a menudo, mucha distancia. Dos entusiastas artículos de Carmen Laforet en «Destino» e «Informaciones» vinieron a tranquilizarme. Carmen Laforet cerraba así el último de ellos: «Yo deseo a este libro la suerte de caer en manos acostumbradas a manejar libros para que puedan apreciar su fuerza y su belleza». Este noble deseo de Carmen se cumplió, puesto que el eco alcanzado por *El camino* en el mundo ha sido considerable.

La salida del libro fue coreada casi clamorosamente por la crítica del país, que yo sepa sin una sola excepción».

La novela comenzó a interesar en el extranjero, y fue en seguida traducida a varios idiomas. ¿Qué tenía y qué tiene esta novela para haber alcanzado un récord mundial en tan poco tiempo?... Delibes cree que, ante todo, el éxito lo debe a su sencillez. Y no se equivoca. Todos los libros del novelista vallisoletano llevan esta faceta singular; pero *El camino* es el libro o novela de la sencillez por excelencia.

«En un momento en que la literatura universal se empecina en experiencias técnicas complicadas, *El camino* encierra el valor de un retorno, de un rayo de sol agrietando el muro de la niebla. *El camino* es una historia simple, donde sin desdeñar las innovaciones técnicas, no se somete a prueba la mente del lector.

Al propio tiempo, *El camino* representa una bocanada de oxígeno dentro del panorama turbio de la novela mundial de esta hora. El lector está ahíto de temas desesperanzados, de literatura angustiada y se agarra a los libros transparentes con temblorosa avidez. Desde este punto de vista *El camino* significa una salida a respirar de un mundo que ha estado sumergido demasiado tiempo.

Por último, atribuyo el éxito de *El camino* al hecho de que en este libro nos encontramos a nosotros mismos cuando éramos niños, nos ayuda a reconstruir un mundo —el de la infancia— brutalmente aniquilado por la técnica moderna».

De *Mi idolatrado hijo Sisi,* ya escribí en otro lugar, señalando entonces sus aciertos y sus taras. Posiblemente, hoy que conocemos mejor al autor, y algo que nos ha enseñado con los años la vida, seríamos más benignos en el juicio que entonces emitimos, si bien diremos siempre que algunas escenas pudieran haberse suprimido sin que le quitaran fuerza a la novela, de suyo fuerte y en ocasiones brutal.

Mi idolatrado hijo Sisi es un libro totalmente distinto a los anteriores. Delibes, católico, casado con una mujer encantadora, madre de siete hijos [1], amante del hogar, defensor de la familia cristiana, de intento trató de componer en la novela un alegato contra el malthusianismo. La tesis, dirá Delibes, es incontestable y, nos guste o no —hubo críticas muy duras, como la de Manuel Cerezales— la novela pretende demostrar que limitar deliberadamente nuestra descendencia a un solo hijo, aparte de inmoral, no es cosa cómoda ni aconsejable.

Y a fe que es verdad. El desenlace del drama familiar, durísimo, cruel, pero hasta cierto punto lógico, lo dice bien a las claras.

No vamos a seguir comentando las novelas que siguieron a *Mi idolatrado...* Lo hemos hecho en la revista «Religión y Cultura» y en la malograda y tristemente desaparecida «Apostolado». En ellas hablamos del *Diario de un cazador,* novela para nuestro gusto la mejor de todas cuantas ha escrito el novelista del Pisuerga, y que le valió el «Premio Nacional de Literatura»; y *La hoja roja,* modelo de novela narrativa y detallista, contándonos la vida de un sencillo oficinista que al final tiene que cortar y arrancar la última hoja de su vida activa, como se corta la última hoja —la roja— del librillo de fumar.

Delibes ha escrito también novelas cortas, las cuales, sin que podamos afirmar igualan a las otras, sí podemos sostener que en ellas encontramos algunas de sus páginas mejores.

En *Siestas con viento sur,* por ejemplo, y en *La partida* —esta última la hemos leído recientemente—, encontramos relatos breves, como «La mortaja», que es sin duda el que más valores encierra.

La prosa de estos libritos, «animada y expresiva, brinca con un ritmo ligero de singular amenidad y fácil lectura. Es posible que el escritor haya tenido que heñir su materia en un trabajo de lenta y cuidadosa elaboración, pero el esfuerzo no se advierte en absoluto y todas las páginas parecen nacidas como sin esfuerzo, con una frescura y naturalidad que constituyen su condición más destacada».

En *La partida,* Miguel Páez, el muchacho de Valladolid, que se hace un día a la mar, ve cómo le va enseñando lo duro que es el camino escogido. Delibes vuelve aquí a la fina y detallada observación de las cosas y de los personajes: del viejo barco, sucio, con ratas en las bodegas y cucarachas en las sentinas; un trasto reconstruído en el que, como extraña contradicción, el puente de mando brillaba como una patena, y la rueda del timón, pulcramente barnizada, parecía un objeto de adorno. Delibes, a través del muchacho de tierra adentro, nos describe al capi-

---

[1] Cuando escribí este breve ensayo, aún vivía la esposa de Miguel Delibes. Angelines era su nombre, y era todo un ángel de bondad y dulzura.

tán del barco; y al contramaestre; y al maquinista...; todos ellos «con mil novias», mujeriegos y bebedores; amigos del poker; aficionados a llenar las paredes de su camareta con las estampas de las actrices de fama, y a ser posible «medio desnudas»; hombres duros, sufridos, hombres de la mar; hombres que esconden dentro del alma sentimientos nobles; y guardan recuerdos con nostalgia, y rencores a causa de mujeres que tratan de olvidar.

Al mismo tiempo, el cuadro le ofrece al maestro la ocasión de estampar pinceladas como esta: «Caía la noche y de la amura de babor soplaba una brisa muy fina. Los pesqueros se ponían en movimiento y se oía, a lo lejos, un sirena como el quejido de una mujer ebria. Olía a salitre y a algas y las gaviotas sobrevolaban el mar con una atención suspensa. De la parte de Pedreña la superficie se encrespaba y se poblaba de cabrillas blancas. En el muelle, el bolardo parecía un brazo en tensión, cargando con la responsabilidad del «Cantabria».

* * *

Y entrémonos ahora por el intrincado e interesante mundo de *Cinco horas con Mario;* una novela que lleva carga social como ninguna.

El propio autor nos ha confesado que ha sido elaborada con mucha atención y no con poco esfuerzo. Le ha llevado muchas horas de trabajo, tanto en la redacción como en la armadura.

Quedaba muy comprometido con esta novela. Se exponía a mucho con *Cinco horas con Mario.* El estaba cierto de lo que iba a escribir; pero, precisamente por eso, por ser realista y veraz le daba un poco de miedo.

No todos los críticos y comentaristas que se han ocupado de ella han acertado. Creemos que algunos no la han comprendido. O que les viene un tanto estrecha.

Y yo que tenía mis dudas sobre el particular, me aproveché de la última entrevista habida con el autor. Hablamos de la novela, y escuchando a su creador, la comprendí mejor.

Acaba de morir un hombre: *Mario.* Un hombre que no se dedica a los negocios; ni es tampoco aventurero. Tampoco parece que sea bueno ni malo. Es él: *Mario.* El profesor del Instituto, con una paga recortada, y con unas ideas un tanto extrañas para la mentalidad moderna y materialista de nuestros días. Un hombre que escribe libros, también raros y extraños, que posiblemente no van a tener éxito de editorial.

Mario está visto a través de la caricatura que le hace su mujer, Carmen, durante cinco horas y mientras lo tiene de cuerpo presente.

¿Es posible llegar a conocer a Mario a través de esta caricatura?...
Necesariamente, la visión tiene que ser parcial. Y mucho más, si esa vida
la vamos a conocer a través del objetivo de una mujer vulgar y bastante
ordinaria; tan vacía de ideas, como llena de humos en la cabeza.

Delibes, en *Cinco horas con Mario,* acusa. Acusa tremendamente a
la sociedad española; y más concretamente a la mujer española de nuestros días.

Vedla ahí: Se llama Carmen. O «Menchu», como prefiere llamarla
su amiga Valen. Es igual. Aquí lo que interesa es que esta mujer acaba
de perder a su marido, el profesor del Instituto.

Hay unos aspavientos de pena y llantina. Unos primeros momentos
en los que recibe a la gente y escucha el consabido: «la acompaño en el
sentimiento»... «lo mismo digo»... Las amigas están —¡cómo no!— a
su lado. Y la animan. Y hasta la dicen que es mejor así: «que se relaje
un poco»..., «que qué entera»...

Pero luego se ha retirado. Sobre la mesilla encuentra un libro. Es
el libro por excelencia —*La Biblia*—. Ella, Carmen, va leyendo capítulos
sueltos del libro de la «Sabiduría». Y a cada párrafo, una oleada de recuerdos suben a su memoria.

Y es ahora cuando comienza el monólogo que dura «cinco horas».
Son muchas horas de monólogo. Quizá por eso, al final, nos canse
un poco la viuda de Mario recordando escenas y casos de su vida de
soltera, o de casada.

Al cabo del largo monólogo, uno se vuelve a preguntar: ¿por ventura
habrá llegado a conocer alguna vez Carmen a su marido? Y nosotros lo
dudamos mucho.

Para dar con la respuesta, hay que escuchar el irritante discurrir de
la pequeña y estrecha mentalidad de aquella mujer vulgar.

Confesamos que Delibes dispone aquí, como en pocas novelas suyas,
de la virtud de retratar a los personajes que crea a base de asimilar el
lenguaje de éstos introduciendo en las conversaciones una incisiva corriente de ironía, con objeto de conseguir los efectos dialécticos o sorprendentes deseados.

Esto lo hemos leído en un periódico de provincia, y ha sido escrito
por José Luis Martín Abril, el cual, si acierta en lo apuntado, da luego
la sensación de que no ha leído bien la novela, o no la ha comprendido
del todo.

Porque *Cinco horas con Mario* es una novela de profunda penetración psicológica que, a través de la viuda, llega hasta el fondo de la sociedad española de nuestro tiempo.

De tal modo que, aunque parezca dura la frase, se ha pronunciado y escrito con toda verdad: «Carmen, la mujer de Mario, es el prototipo de la mujer española actual». Naturalmente, yo hago siempre honrosas excepciones.

Sólo Delibes, escritor que domina el idioma de Cervantes a la perfección; observador, psicólogo y caricaturista del mundo actual, podía escribir y enfrentarse con tema tan difícil, espinoso y comprometido.

Pero él lo ha resuelto brillantemente; si bien ha recargado algunas páginas de sugerencias negras y repetido escabrosidades y pronunciamientos de dudoso gusto, que con citarles una vez ya era suficiente para juzgar del calibre de Carmen, o de la comparsa de amigos, amigas y familiares.

Delibes ha calado hondo en el corazón humano. Casi siempre lo hace así. Pero aquí de un modo particular, y muy al día. El citado José Luis Martín Abril acierta en esto cuando escribe: «La novela *Cinco horas con Mario,* con excelente tono y equilibrio, con múltiples aciertos expresivos, con ironía de superior configuración, constituye un alarde de adivinación psicológica, en virtud del cual Miguel Delibes, renunciando a mucho, una vez más se acredita como brillante novelista que sabe llegar hasta donde quiere sin preocuparle el peligro de los fundamentos narrativos que elige».

Veamos cómo queda retratado Mario. Pero también observemos, de paso, cómo es el alma de su mujer, y un poco la de sus amigas y cuantos personajes la rodean. Incluso sus hijos mayores, que piensan de modo distinto a la madre. Al fin, el retrato, el cuadro de nuestro mundo actual, que, por cierto, no queda bien parado.

La mujer de Mario se cree, en su ignorancia y torpeza, una mujer ideal. «Casa y hacienda —lee en las Sagradas Escrituras— herencia son de los padres, pero una mujer prudente es don de Yavé». Y en lo que a ti concierne —ahora está hablando con su marido—, supongo que estarás satisfecho, que motivos no te faltan, que aquí, para inter nos, la vida no te ha tratado tan mal; tú dirás, una mujer sola para ti, de no mal ver, que con cuatro pesetas ha hecho milagros, no se encuentra a la vuelta de la esquina, desengáñate. Y ahora que empiezan las complicaciones, zas, adiós muy buenas, como la primera noche, ¿recuerdas?, te vas y me dejas sola tirando del carro».

Carmen, por lo mismo, se ha considerado siempre demasiado esclava, demasiado tirada y condenada a trabajo: «Ahora tú me ves aperreada todo el día de Dios, si no estoy entre pucheros, lavando bragas, ya se sabe; que una no puede divertirse y por mucha disposición que tenga, con una criada para siete de familia, a duras penas se puede ser señora.

Pero de estas cosas los hombres no os dais cuenta, cariño; que el día que os casáis, compráis una esclava, hacéis vuestro negocio, como yo digo, que lo hombres, ya se sabe, no tiene vuelta de hoja; siempre los negocios...».

Carmen se siente defraudada en su matrimonio por muchas cosas. Entre otras, por no haber tenido nunca un coche, la ilusión de toda su vida. Y no le perdonará nunca a su marido el que le quitase este capricho: «Comprendo que a poco de casarnos eso era un lujo, pero hoy un seiscientos lo tiene todo el mundo, Mario, hasta las porteras si me apuras, que a la vista está. Nunca lo entenderás, pero a una mujer, no sé cómo decirte, le humilla que todas sus amigas vayan en coche y ella a patita».

Menchu, o Carmen, es lo mismo, es avariciosa y desea tener dinero. Cosa que un pobre profesor de Instituto —al menos entonces— no le podía dar. Por eso le echa en cara a su marido que gaste el tiempo —he aquí cómo vamos conociendo a Mario— en libros que nadie lee. E incluso llega a sugerirle un argumento escabroso para una novela que tendría éxito: un caso feo y verde de la vida, conocido por ellos: es el caso de Maximino Conde, el que se casó con una viuda, enamorándose luego de la hijastra, con la consiguiente infidelidad y entrega de la muchacha. Esos argumentos son, por lo visto, los que interesan hoy a la gente. Para no quedar del todo mal, al final del libro se le hace reaccionar al protagonista y así resulta su vida hasta cierto punto aleccionadora, pues arrepentidos quiere Dios; debe pensar Carmen, y cuantas personas se parecen a Carmen.

Por esta mujer sabemos que Mario, su marido, era tímido; lo cual se lo reprocha de un modo feroz. Eso de que, componiendo versos y todo, nunca le leyera a ella, su mujer, ninguno; hasta el punto de que, de no ser por su cuñado Elviro, hermano de Mario, no se hubiera enterado de que era poeta... Incluso, mujer al fin, llega a pensar que los dedicados a la mujer, los escribía para y pensando en Encarna, la mujer de Elviro, la lagartona esa que, muerto su marido, perseguiría a Mario a todas horas, habiendo gozado alguna vez de su intimidad, al amparo de su afinidad y parentesco, sobre todo, cuando, ganadas las oposiciones a cátedra de Instituto, se fueron los dos solitos a celebrar el éxito de las mismas.

Uno va leyendo *Cinco horas con Mario*. Y se va preguntando a menudo: ¿estuvo Carmen enamorada algún tiempo de su marido?... Pero el caso es que ella misma, ahora que lo tiene de cuerpo presente y aun antes de perderlo, se lo había preguntado. Y se lo pregunta a él, que ya es cadáver. Parece que no; aunque, bien pensado, las mujeres son muy complicadas. A veces se casan por compasión, o algo así. Este debió ser el caso de Menchu. Puede que también se casara con él porque lo vio hombre de letras y educado y de la clase media; que en cuestión de principios Carmen los había heredado y muy limpios de su madre y de sus abuelos. ¡Cómo satiriza Delibes la sociedad y la manera de ser de ciertas mujeres que se nos antojan provincianas con ribetes de encopetadas señoras!

En realidad, los mejores años de Carmen fueron los de la guerra. Los mejores de su vida. Ni siquiera se enteraba de que, de vez en cuando, bombardeaban la ciudad.

También aquí Delibes se muestra duro e irónico a la vez. Se muestra gran observador al enjuiciar la conducta de esta mujer y de una hermana suya —como la de tantas muchachas del momento— respecto a la amistad contraída con los afeminados italianos.

Por otra parte, vemos a Menchu que arrastra tradiciones oscurantistas. Le molesta, por ejemplo, el que ahora todos los chicos quieran saber y estudiar, incluso los hijos de los obreros. Le molesta el Concilio, que ha puesto, según ella, todo patas arriba y ninguna cosa en su sitio. Le molesta la doctrina social de la Iglesia y que se predique y se hable tanto de ella. Le molesta «Cáritas», que tira las cosas a voleo, sin mirar antes quién lo merece, que lo mismo te ponen la mano los vagos que los protestantes. Y eso es lo que no puede ser.

Resulta tan vulgar esta mujer de Mario, que llega a hacerse «pesada». Repite mucho las cosas. Por eso —ya lo hemos apuntado arriba— la novela, a veces, llega a cansar y hasta hacerse un tanto fastidiosa. «El Señor —habla Carmen— no gusta de las medias tintas, cariño, y El me perdone, pero yo creo que ese Juan XXIII, que gloria haya, ha metido a la Iglesia en un callejón sin salida, que no es que diga que fuese malo, Dios me libre, pero para mí que lo de Papa le venía un poco grande, o, a lo mejor, le pilló demasiado viejo, que todo puede suceder».

¡Qué egoísta se muestra en ocasiones esta mujer! Ya se ve. Mejor hubiera estado su marido en un Banco, por ejemplo, ganando mucho más dinero, que no pasarse tantas horas muertas sobre los libros esos que nadie lee, o dando clases a chicos que no te lo agradecen.

En ocasiones no deja de tener sus buenos sentimientos de fidelidad: aunque se nos antoja un tanto hipócrita —lo es— cuando le pide excusas y perdón a su marido por aquella tarde en que, llevada de su capricho y afán de pasear en coche, se fue a dar una vuelta con Paco —uno de tantos personajes que desfilan por la novela y amigo de la juventud—: sin que pasara nada gordo, por supuesto, pero que la conciencia no la tiene del todo tranquila.

Y al final del libro, una buena observación del novelista castellano:

la conversación que mantiene la madre con el hijo, que ya no piensa como ella:

—El mundo cambia, mamá, es natural.

—A peor, hijo, siempre a peor.

—¿Por qué a peor? Sencillamente nos hemos dado cuenta de que lo que uno viene pensando desde hace siglo, las ideas heredadas, no son necesariamente las mejores. Es más, a veces no son ni tan siquiera buenas, mamá.

—No sé qué quieres decir.

—Hay que escuchar a los demás, mamá, eso quiero decir...

Al llegar aquí en nuestro trabajo, abro de nuevo el tomo primero de las «Obras Completas», y leo un párrafo donde se descubre el propio Delibes:

«Para Coindreau, mis obras son un punto de equilibrio entre la ternura y el realismo, notas a las que, con frecuencia, se agrega —dice— el humor. Según él, en mis dos primeras novelas, la conjunción de aquellas características no se opera del todo, y así *La sombra del ciprés es alargada* es una novela con excesiva carga sentimental, y *Aún es de día* una novela de un realismo exacerbado. Coindreau apela a la imagen del péndulo para simbolizar mi indecisión y agrega que el equilibrio entre realismo y poesía, insuflados de humor, no se alcanza hasta la tercera novela, *El camino*, para no perderlo ya en las sucesivas.

Por su parte, el profesor Bellini acepta estas notas y añade, a su vez, una cuarta: la angustia existencial, la preocupación por la muerte, patente en todas mis obras y nervio fundamental en *La sombra del ciprés es alargada, La hoja roja* y en los relatos breves recogidos en *Siestas con viento sur:* «El loco» y «La mortaja».

Entiendo que tanto Maurice E. Coindreau como Giusseppe Bellini han visto claro y me han enseñado a verme a mí, que, hasta ahora, literariamente al menos, me desconocía. Si es caso, yo añadiría a esta perspectiva cuál es mi propensión a novelar los medios rurales y las gentes sencillas, propensión que algún crítico español me ha afeado, siquiera yo estime que esta actitud nada tiene de censurable. Entiendo que la buena novela puede ser, indistintamente, rural o urbana, y, por otra parte, preocupación siempre viva en mí ha sido el hallazgo de valores estables, de valores materiales permanentes y, hasta el día, no encontré otro menos engañoso que la naturaleza. En lo que atañe a mi preferencia por las gentes primitivas, por los seres elementales, no obedece a capricho. Para mí la novela es el hombre y el hombre en sus reacciones auténticas, espontáneas, sin mixtificar, no se da ya, a estas alturas de civilización sino en el pueblo. Lo que llamamos civilización recata no poco de hipocresía. La educación empieza por disfrazar y terminar por uniformar a los hombres. El hombre que reboza sus instintos y se viste en el sastre de moda es un ser desfibrado, sin contrastes, sin humanidad y carente de todo interés novelesco. Esta es la razón —mi razón al menos—, que trato de hacer valer a la hora de justificar mis predilecciones dentro de la literatura».

Y en esta temática y dentro de este contenido que apuntan los críticos citados se orienta *La hoja roja,* en la que algo flota en el aire que no acaba de sentar su pie. La hemos leído. Y con placer, como todo lo que sale de la pluma de este novelista vallisoletano. Pero no hemos podido encariñarnos con sus personajes. Con ninguno, la verdad.

Lo cual no obsta para decir que se trata de una de las novelas más completas que haya escrito su autor. Incluso mejor que *Mi idolatrado hijo Sisi,* mejor también que *Diario de un cazador.*

La hoja roja sigue el marchamo, en estilo y dicción, de *Diario de un emigrante,* pero la gana, como a las anteriores, en equilibrio y en solución del problema central; solución más lógica y más suave, con menos carga de dinamita pasional y, esto también, con menos sermón. Tiene, además, una mayor frescura estilística, más vivo color en la idea dominante de todo el libro.

El título de la presente novela está tomado de «esa hoja especial que aparece en los librillos de papel de fumar anunciando que ya quedan pocas...».

De su protagonista o protagonistas, pues son dos los que se reparten el papel principal, escribiremos en seguida. De pasada digamos ya que están descritos de manera extraordinariamente patética, aguda y emotiva, hasta el punto que nos hagan dudar que existan tan al vivo, siendo como son, dos personajes auténticamente humanos.

¿Hasta dónde estos personajes son auténticamente humanos? Otros antes que nosotros, haciéndose esta misma pregunta, se han ido por los extremos, que siempre son peligrosos. Para ellos estos personajes de Delibes «no son humanos en el estricto sentido de la expresión. El novelista, con esa su enorme fuerza, su prodigiosa capacidad descriptiva, rehace cada figura, adoba con minuciosidad cada gesto, cada tipo, adentrándose audazmente y con toda deliberación en el anacronismo o la falta aparente de sentido lógico, fiel siempre a su idea primordial hasta llegar a su galería de gente de una hondura y una sensibilidad casi sin par en nuestras letras actuales».

Y otros, a nuestro entender más equivocados, han visto en el viejo Eloy y en la zafia de la Desi, no solamente dos personajes auténticos, sino también algo así como dos magníficos ejemplares de la fe sana que hay en la gente sencilla. Y la verdad, cuesta mucho —a nosotros por lo menos—, poner por modelos de cristianos a tales personajes de Delibes.

Digamos mejor que Delibes no intenta hacer novela religiosa, sino más bien costumbrista y popular. No lo intenta; y es mejor, pues, de otro modo, hubiera fracasado puesto a exagerar, ridiculizar, caricaturizar el medio ambiente que rodea a los protagonistas en la acción.

La novela de Delibes, aunque sea católica de los pies a la cabeza, no es religiosa, no se centra en Dios. Delibes es un autor católico; pero, hombre de nuestros días, tiende más bien a un catolicismo liberal que a un catolicismo viejo, intransigente y sin concesiones.

Delibes no sólo admite concesiones —con las que nada ganan sus libros—, sino que él mismo se encuentra vacilando frente a una opuesta concesión del modo de vivir de nuestros días. «De una parte el torrente que nace impetuso, sin contacto, casi con la civilización. Puro en su sabor de cumbre. De otra, los resultados postreros de una forma de vida falsa y parcial. Este es el dilema, el eje de la temática de *La hoja roja*. Miguel Delibes se ha atrevido valientemente consigo mismo, con su mundo y el nuestro, aunque se reconozca atado, aunque le duela toda nuestra herencia».

Delibes, además, paga contribución al viejo tópico, ya gastado y para nosotros fuera de lugar, pues deseamos algo más luminoso y claro y no tanta sentina, al viejo tópico de la España negra. Es la moda, ya se sabe. Y los novelistas, como los cineastas, han de pagar tributo a la moda. ¿A qué, por ejemplo, el degüello de la asustadiza e histérica meretriz por el Picaza, y solamente porque se ha acordado de su madre? ¿A qué las frases reiteradas tanto del viejo, como de la Desi que llegan a cansar, sobre todo, en la primera mitad del libro?

Lo demás es exagerar las cosas, y sacarlas de su sitio. Como sucedió en su día, cuando en un artículo aparecido en «El Norte de Castilla» —del que ha sido director el propio Miguel Delibes— se decía entre otras cosas, lo siguiente: «¿Y cómo no poner aquí nuestro caliente elogio hacia esa fe, a la vez tierna y cazurra, con que Delibes carga el alma de sus personajes cada vez más claramente en sus últimas novelas?»...

Tal vez, en esto ande más acertado Manuel Fernández Areal, el cual reconoce paladinamente que *La hoja roja* describe minuciosamente y reiteradamente las tres figuras centrales: el viejo Eloy, «la Desi» y el «Picaza». Tres tipos humanos «presentados tal y como son», en un estilo que muchos han calificado de vulgar y que yo denominaría realista, sincero, verdadero y certeramente popular».

Reconoce asimismo que la presente novela, más que narrar, describe, sin llegar a presentar el completo de las situaciones en que sus personajes intervienen.

Lo que ocurre al viejo Eloy, y a la Desi y al Picaza, ocurre en la vida de cualquier funcionario retirado y que ya chochea. Un funcionario que ya desde niño buscó instintivamente el calor, y que desde niño, empujado por un sino tortuoso, se había visto obligado a cambiar de calor como de camisa. Ocurre en la vida de cualquier moza de servicio, primitiva, basta, cerril, buena intuitivamente, analfabeta y cariñosa por corazón. Y ocurre asimismo en la de cualquier mozo de pueblo, que viene a la mili, cazurro, burdo y con tan escasos conocimientos como su novia.

¿Y no hay personas, alrededor de éstas, que reaccionen de otro modo, que reaccionen más inteligentemente, que tengan sentimientos más depurados?... Es la pregunta que se hace el director de «Diario Regional». Y nosotros, yendo más lejos todavía, insistimos: ¿es que la gente de pueblo es tan zafia que confunde a San Roque con la Madre de Dios, o con el mismo Dios Nuestro Señor? ¿Y las chicas de servicio son tan zotes que, no solamente se pasan toda la misa distraídas, haciéndose muecas y riéndose de las trazas de los cazadores, sino también al tiempo de la consagración solamente saben rezar el «con Dios me acuesto, con Dios me levanto?...

Uno, cuando escribe, tiene derecho a exigir y a pedir. Y nosotros pedimos al gran novelista, no un trozo de novela, sino una novela completa; no lo parcial de una vida, sino el conjunto armónico o desordenado en que se desenvuelve esa vida. Luego, el novelista, podrá hacernos caso o no; mas, así como él se empeña en describirnos el lado feo de las cosas, nosotros tenemos perfecto derecho a protestar y decir que nos gusta mucho como escribe Delibes; pero que sus novelas las encontramos incompletas, sin que nos acaben de llenar la temática y el contenido. En esto, el autor de *La hoja roja* es más amigo de la oscuridad que de la luz. Se recrea más en la descripción de la parte oscura de la vida humana que en la narración de lo más noble de esta misma realidad.

Por lo demás, habrá que decir que Miguel Delibes se muestra en ésta, como en todas sus obras anteriores, muy observador. Observador, ingenioso y dotado de una rara captación del costumbrismo y lenguaje del vulgo.

¿Cuándo le veremos más completo, extenso y universal?...

El puede acometer esta empresa, pues posee talento para ello.

JOSE MARIA GIRONELLA

Novelista de la vida político-social española

Yo comencé a tener conocimiento de José María Gironella con la lectura de su libro *Los cipreses creen en Dios*. Creo que esto ha debido ocurrir a muchas otras personas con respecto al mismo escritor.

Supimos entonces que había nacido el año 1917 y en la provincia de Gerona. Y que antes de escribir *Los cipreses...*, había publicado al menos otras dos novelas de relativa importancia y que no le habían dado mucha fama, a pesar de que una de ellas había sido la ganadora del «Premio Nadal 1946».

Gironella afirmó, en una tertulia intelectual y ante un público selecto que le pedía un enjuiciamiento de su propia obra, que su vocación era la de escritor y la de escribir. Posiblemente sea verdad, ya que el novelista gerundense es uno de los pilares de la llamada «generación del 45», uno de los autores más leídos en España y en el extranjero, y también, debido a los temas que trata en sus libros, uno de los más discutidos del momento actual.

De lo que nadie duda es de que el libro que le conquistó la gran fama y el mayor éxito de editorial fue el citado *Los cipreses creen en Dios;* novela de la que ya tuvimos ocasión de ocuparnos —lo mismo que de la siguiente, *Un millón de muertos*— meses después de estar siendo devoradas por el público.

Con todo, y antes de tratar de analizar la última de su famosa trilogía: *Ha estallado la paz,* bien merece que nos detengamos, siquiera brevemente, en sus dos novelas primeras, menos conocidas, y que hoy pocos leen.

El «Nadal 1946», *Un hombre,* para ser debidamente juzgado, precisa conocer un problema serio en literatura. Este problema se lo plantea Juan Luis Alborg de la siguiente manera: «¿Tiene derecho un novelista a rehacer sus obras después de publicadas, sobre todo cuando han sido objeto de un galardón público concedido a la versión primera? Claro está que semejante revisión o corrección no sólo es aconsejable, sino indispensable, en los libros doctrinales o científicos de cualquier naturaleza, porque su autor está obligado a desechar lo que ha quedado rebatido o anticuado y a poner al día sus conclusiones. Pero, ¿es idéntico el caso de las obras de arte?

Semejante revisión —y este es sin duda el caso de José María Gironella— hace suponer un evidente deseo de perfeccionamiento, una plausible humildad que conduce a reconocer las propias deficiencias y a procurar su eliminación; un orgullo también, no menos admirable, que mueve a renegar hasta de los propios hijos que no estima perfectos y a sustituirlos por otros. Pero una creación, después de dada a luz, deja de ser un exclusivo patrimonio de su autor, y si éste puede retirar cualquier elemento o pasaje de su obra por razones de índole ideológica o moral, no parece —tal es mi opinión— que deba suprimir o modificar lo que es ajeno a dichos campos. Para dar testimonio de sus cambios de actitud artística o de sus progresos, están las obras siguientes, todo el resto de la andadura que pueda o quiera recorrer. El proceso, la evolución de un escritor, forman parte de su carácter y personalidad, que éste no puede escamotear ni mixtificar».

Esto quiere decir que el novelista catalán ha modificado de tal manera su «Nadal» —y lo mismo habría de hacer más tarde con su segunda novela, *La marea*—, que apenas se parece a la que el Jurado premiara en su día.

Lo cual no deja de causar desconcierto, tanto en los críticos, como en los simples lectores; pues tanto el juicio a emitir, como la misma lectura, dependerán en gran parte de la edición que tengan entre manos.

Gironella, en esto, ha sido más afortunado que Miguel Delibes, el novelista castellano que consiguió el preciado galardón del «Nadal» un año después que el catalán, y al que le hubiera gustado corregir su novela premiada, *La sombra del ciprés es alargada*, e incluso hasta, si pudiera, haber suprimido toda la segunda parte de la misma por considerarla machacona y convencional.

El propio autor de *Un hombre* declara sin ambages: «Me pareció que el tema estaba ahí, pero fallado por inexperiencia: el tema del hombre caprichoso, sutil para sí mismo, incoherente; el tema del hombre desasido y, en definitiva, cruel. Decidí escribir una segunda versión. En ella sacrificaría — ¡con qué júbilo!— todo lo anecdótico, dotaría al texto de un eje, tocaría cada palabra con mi actual ser meditabundo. Trabajé con entusiasmo. Cuando lo lea en 1962, ¿cuál será mi remordimiento? Se trata prácticamente de un libro nuevo. Lo declaro de antemano por considerarlo un deber. En realidad debería titularse: *Otro hombre*».

A Juan Luis Alborg le parece, sin embargo, que, con todo lo que diga Gironella, de haber puesto en circulación ese *Otro hombre,* no hubiera sido modificado sustancialmente. «Diríase un cuadro en el que el autor ha retocado efectos de luz, corregido sombras, apurado calidades, pero sin que la estructura de conjunto, la arquitectura fundamental, su composición, haya sido variada.

Perfecionado, pues, todo lo que se quiera, no sólo en su propia silueta, sino en la circunstancia de gentes y naturaleza que le enmarcan, *Un hombre* me sigue pareciendo más o menos lo mismo que en su primera versión. El libro está compuesto con una meticulosidad, con moroso detallismo que renueva los procedimientos del realismo decimonónico. Abundan los datos que no suponen nada sustancial, que nada importan para la comprensión de las psicologías o de los hechos, y que el lector —inevitablemente— tiene que dejar escurrir de su atención. No siendo tampoco esencialmente válidos como belleza formal —lo que los justificaría plenamente—, deben ser considerados como peso muerto en la novela. Detalles de cuentas, operaciones de ventas, transacciones, idas y venidas, gentes y objetos, se nos describen con innecesaria precisión».

El protagonista —«un hombre»—, es un viajero. A Gironella le ha gustado siempre viajar y así le recordamos —viajero— en *Los fantasmas de mi cerebro*. Pero parece que no llega a enterarse gran cosa del mundo, o mejor, de los pequeños mundos que van apareciendo ante la retina de sus ojos.

Incluso el mundo interior, el de los espíritus, el alma de las cosas, también se le escapan en minucias exteriores. Es una gran diferencia la que se advierte entre los personajes del escritor catalán y los que salen de la pluma del novelista castellano anteriormente citado, Miguel Delibes.

Los personajes de Gironella nos interesan; pero no nos ganan, ni menos nos cautivan. Por eso, cuando alguien habló de influencias barojianas en la primera novela de Gironella, se equivocó. Si hay alguna semejanza es meramente superficial y ocasional. «Media un abismo entre el opaco, cauto y sosegado dibujo de Gironella y el recio trazo incompleto y siluetante, pero tremendamente eficaz, del maestro vasco. El libro de Gironella es una supervivencia incuestionable del viejo realismo, no simplemente como norma genérica de creación, sino como «sistema» o módulo de arte, con todas las características que van más allá de una tendencia o procedimiento y que engloban incluso hasta los rasgos y el sabor característicos de un estilo de época».

Su segunda novela, *La marea,* es mucho mejor. Para Alborg es hasta excelente, con todas las cualidades de un modelo en su tipo.

Pero tampoco tuvo éxito de editorial. Ni lo tiene hoy que debe ser mejor comprendida. Seguramente que llegó en un momento poco oportuno. El tema es el de la Alemania nazi. Y apareció en un momento en que la «germanofilia» era en España la gripe política de la moda; pasán-

7

dose por alto incluso las mayores atrocidades cometidas por las huestes hitlerianas y la célebre y tristemente Gestapo.

Por este motivo, *La marea* perdió vigencia en seguida. Como la pierden esa clase de películas que nos describen las atrocidades de la guerra, y que pasada la época de fervor patriótico, llegan a fastidiar al público.

Sin embargo, la novela no deja de ser interesante; y no tanto por el hecho de que nos describa los años de la Segunda Guerra Mundial y la derrota final de Alemania, cuanto porque nos pone de manifiesto «el fracaso de una postura moral, la quiebra de un materialismo sin límites, la vanidad satánica de una divinización del hombre al servicio de los ideales desorbitados, la carencia de humanidad y respeto al derecho ajeno, el orgullo desenfrenado y la adoración trágicamente narcisista de la propia superioridad.

Cada personaje de la novela puede decirse, pues, que encierra el valor de un símbolo; y, sin embargo, merced a la intensidad con que los ha concebido el novelista, adquieren sólida consistencia humana, son seres hasta tal punto vivos, que su realidad contribuye a reforzar la misma intención trascendente de que los ha querido dotar el autor; una fusión, en suma, muy equilibrada de ideas y de vida, dentro de un cauce novelesco que apasiona y arrastra desde el comienzo hasta el final.

En donde realmente triunfó y alcanzó un gran éxito Gironella fue en *Los cipreses creen en Dios.* Con este libro el novelista catalán rompió, por decirlo así, su primer molde, adentrándose por los caminos de la novela político-social, en la que parece haber encontrado su filón verdadero, su vocación y su destino en el mundo de las letras y de la cultura patria.

Creo que es así como tenemos que llamar a la trilogía que ya se ha hecho famosa en España y también en el extranjero: *Los cipreses creen en Dios, Un millón de muertos* y *Ha estallado la paz.*

Algunos críticos han calificado estos libros como «novelas históricas». Creo que, con tener bastante de historia, no encuadra del todo en el epígrafe. «La obra de Gironella sí es, en efecto, una combinación de novela y de historia (de una historia que casi es vida aún y que lo será más agudamente a medida que el autor avance en el camino proyectado). Lo mismo podría tomarse por una historia novelada, es decir, un relato de sucesos auténticos, animado novelescamente por la interpolación de una acción ficticia, que por una novela densificada histórica y políticamente mediante el procedimiento de inscribir su desarrollo en el polígono de unos hechos ciertos».

La trilogía *Un millón de muertos, Los cipreses creen en Dios* y *Ha estallado la paz*, nos hacen recordar los episodios nacionales de Benito Pérez Galdós.

Uno piensa en los *Episodios* y también en las *Memorias de un hombre de acción*, del inolvidable Baroja. Cuando aparezca *Ha estallado la paz*, nos vamos a encontrar con que se insiste de nuevo en la misma idea, convirtiéndola casi en tópico. «Leyendo este libro de Gironella —escribe el crítico de «ABC»— percibimos con bastante claridad que en el concepto estético de «novela histórica» caben holgadamente algunos subgéneros. La novela de ubicación retrospectiva es, digámoslo esquemáticamente, una invención del Romanticismo: fue Walter Scott quien difundió el género, obsérvese bien, en relación con el medievalismo en boga —que idealizó un período menospreciado por el neoclasicismo—, por lo que la novela histórica comenzó siendo romántica e idealista, con una caracterización estética muy precisa, apoyada en la «lejanía» cronológica de su escenario. ¿Se dan estos datos en las narraciones que sitúa a lo largo del siglo XIX don Benito Pérez Galdós, con el título de *Episodios nacionales*? La contestación es obvia: Galdós reconstruye sus relatos de la manera más documental que le es posible. No ha «vivido» —excepto los últimos tomos— las peripecias que relata; pero se advierte que su modo de decir se aproxima a la crónica, incluso a la «crónica periodística». No idealiza, sino que evoca. Si a esto se llama «novela histórica», deberá aceptarse un subgénero perfectamente caracterizado: el de la «novela-evocación». En esta línea se moverían también los «episodios» que publica Susana March y R. Fernández de la Reguera. ¿Caben ahí los volúmenes que publica Gironella? Ciertamente, tampoco. Definiríamos un tercer tipo de novela histórica: la reconstrucción de unas realidades colectivas a través de la pupila del autor, testigo inmediato algunas veces, otras veces ambiental, de la peripecia que desarrolla. Ahí ya no hay invención idealizadora; ni siquiera «evocación» reconstructora, sino simplemente «testimonio». Un riesgo será constante: la falta de perspectiva. Por ahora, este riesgo está atenuado: el relato está rigurosamente acotado por el novelista: desde el 1 de abril de 1939 hasta el 12 de diciembre de 1941. O, dicho de otro modo, desde el Parte de la Victoria hasta el bombardeo de Pearl Harbour».

Sin embargo, la influencia de novelistas españoles en Gironella, aun exista, es menor que la que suponen algunos. Seguramente que es mayor la de Zola con su *Historia natural y social de una época,* con la que guarda gran parecido *Los cipreses creen en Dios.*

No vamos a repetirnos en este trabajo sobre lo que ya hemos escrito sobre las novelas citadas. Pasemos, pues, a examinar el tercer libro de la apasionante trilogía: *Ha estallado la paz.*

Veamos, primeramente, lo que el propio autor nos ha dejado escrito en el frontispicio de su voluminoso libro: «Habida cuenta de que la etapa histórico-política iniciada en 1939 no ha concluído todavía y de que muchas de sus circunstancias perduran básicamente, he decidido dedicar a la postguerra unos cuantos volúmenes. No me parece válido, en ningún aspecto, finalizar mi retablo un año cualquiera: 1945, 1950, 1958... Tampoco era factible abarcar en un solo volumen tan largo período. Así que opté por fragmentarlo y por escribir una suerte de «Episodios nacionales», que podrían terminar el día en que se produzca la sucesión de la Jefatura del Estado».

Por las palabras que anteceden y por las que se pueden leer «entre líneas», nos damos cuenta de que la empresa, lo mismo que la de las dos anteriores, era harto ardua y difícil. Además, que se esperaba con verdadera impaciencia este tercer libro de Gironella sobre la vida política y social de la España inmediata a la terminación de la guerra civil.

Respecto a la dualidad de planos que exige la armazón de este tipo de novela político-social —ha escrito Mercedes Gómez del Manzano—, Gironella ha vuelto a conseguir el equilibrio característico de *Los cipreses creen en Dios.* Por una parte presenta la panorámica del mundo, principalmente europeo, en pleno auge de los totalitarismos y entre las angustias de la segunda guerra mundial, y a la par aborda todo el acontecer de la vida privada y política del pueblo español aun en sus detalles más nimios. Como centros de repercusión de estos acontecimientos elige una ciudad y una casa: Gerona, y la casa de la familia Alvear; el Banco Arús, el Palacio de la Gobernación, el Palacio Episcopal, la pensión de Agustín Lago, inspector de Primera Enseñanza, la clínica del doctor Chaos, el bufete de Manolo Fontana, son otros tantos escenarios por los que desfilarán personajes de ficción o personajes un tanto reales.

He aquí cómo de nuevo nos vamos a encontrar con personajes ya conocidos: los de la familia Alvear; y otros que aparecen por primera vez, como el gobernador de Gerona, el señor obispo, el «niño de Jaén», el doctor Chaos y Manolo Fontana.

Ha estallado la paz discurre nuevamente casi por entero en la ciudad de Gerona, excepto los retazos en que se habla de los exiliados. Los personajes vuelven a sus hogares —menos los que han muerto en la guerra— y la citada familia Alvear y sus amigos —los antiguos y los nuevos— vuelven a protagonizar la novela.

La intención del autor parece que queda manifestada cuando nos dice: «He quedado mis pestañas en el intento de narrar fiel e imparcialmente lo acontecido aun a sabiendas de que en todo relato subyace de modo inexorable la interpretación personal».

La guerra era algo así como una amputación de cuerpos y de almas. España se había convertido, con la guerra, en una inmensa fosa, sobre la que el cardenal Gomá podía trazar una definitiva cruz.

Don Emilio Santos —el padre de aquel valiente muchacho que se llama Mateo— no puede olvidar que se pasó doce meses en una celda con los pies en el agua.

Matías Alvear —el padre del indeciso Ignacio— se mantiene en esa actitud contemporizadora de perdón y de olvido.

Mosén Alberto —el capellán de la familia Alvear, y que tanto consolaba a Carmen asegurándole que su hijo César era mártir y santo— rubricará como si estuviera explicando una lección de cánones: «Al fin y al cabo la guerra ha terminado ya. Los muertos, muertos están. Incluso por elegancia podríamos dedicarnos a perdonar».

Carmen Elgazu —la madre que no puede quitarse la pena del hijo fusilado, al que ahora tendría ya de sacerdote— escuchaba con emoción a Mosén Alberto. El recuerdo de César es el recuerdo del santo de la familia.

Y el hogar de los Alvear vuelve a ser aquel hogar sereno y sano, si bien, muchas cosas inevitablemente han cambiado. Pocos había en Gerona que se le pudiesen comparar.

Pilar —la novia del fogoso, inteligente y sano muchacho de Falange— se ha hecho una mujer hermosa, y muy mujer. La camisa azul le sienta de maravilla.

Los jesuitas —no podían faltar en la «reconstrucción» de España— están y han llegado a Gerona en calidad de verdaderos triunfadores y con ganas de empezar a trabajar en la reforma social. Ellos, inteligentes, van a lo suyo... El P. Forteza, apóstol dinámico, romántico, unas veces se siente fracasado y otras pasa por el verdadero triunfador.

Ignacio —protagonista del libro, lo mismo que de los dos anteriores— sigue siendo el de siempre. Preguntado por el coronel Triguero para qué había nacido, le respondió frío, escéptico: «para ir mirando, para ir mirando». Ignacio Alvear continúa protagonizando la novela y en torno a él juegan políticamente las fuerzas nacionales e internacionales, y desfilan todos los estamentos sociales que en ese momento tienen algo que decir; pero en este caso el cambio de panorámica obliga a un peso especial de los factores individuales y humanos sobre los factores públicos... «La figura de Ignacio Alvear nos interesa, pero siempre que la utilicemos como contraste. Ignacio vive al socaire de la situación política, aunque inmerso en ella. La trayectoria de su vida queda enmarcada por una aventura sentimental y una casi autopsia personal psicológico-política, fruto de la situación circundante».

Mateo —el novio de Pilar— también sigue siendo el de siempre, sólo que al revés de Ignacio. Es uno de estos muchachos que, en sentir del gobernador, pertenece a una generación verdaderamente heroica, pues lo han dado todo, al dar su juventud.

Pero Mateo es generoso y le contesta, sincero, a su jefe:

—Más meritorio es lo vuestro. Tú te fuiste al frente estando casado y siendo padre de familia.

El señor obispo de Gerona, forzosamente, tenía que defender la legitimidad de la guerra española con argumentos sacados de la Suma de Santo Tomás de Aquino. Como, por ejemplo, aquel que dice: «Son alabados aquellos que liberan a la multitud de una potestad tiránica».

Y luego los exiliados. José Alvear..., Antonio Casal..., medio defraudados, medio resentidos. Hombres que están contra España y que no dejan de pensar en ella. Sobre todo, cuando las cosas no vayan del todo bien.

Cosme Vila, el más famoso de todos, el anarquista, el jefe..., está en Rusia...

Por otra parte, aparece también aquella familia de Matías Alvear, la de Burgos, que tanto había sufrido por parte de «los nacionales»... Es una familia sospechosa y perseguida. Se la cierran las puertas a una colocación, y hasta casi a un pedir limosna. Cosas de la guerra, y cosas de la paz.

A propósito de Paz —la sobrina de Matías—, cuando se venga a Gerona arrastrará tras de sí, provocativa y voluptuosa, las miradas y los deseos de todos los hombres, constituyendo una auténtica pesadilla para los familiares que la han recibido en su casa y protegen tratando de buscarle colocación.

Esto es el libro de Gironella *Ha estallado la paz*. El nos hablará también de la Segunda Guerra Mundial que acaba de estallar y de la que, felizmente, se libra España.

Nos describirá fiestas patrióticas y recuerdos de hombres ilustres, como es el caso de José Antonio... Y también fiestas religiosas que entusiasman y enardecen la devoción cristiana, un tanto pacata, esa es la verdad, y bastante rutinaria y tradicional. Este procedimiento de valorar las fiestas litúrgicas, como las de Navidad y día de Reyes, como síntoma de un retorno a la religiosidad que hubo de esconderse, dice muy bien con el libro evocador que es *Ha estallado la paz*.

Por todo ello, la novela del escritor gerundense nos parece buena, excelente. De un estilo parecido a las anteriores: discursivo, vivo y sereno, característico del autor.

La novela se acerca más a *Los cipreses...*, que a *Un millón de muertos*. Esto se echa de ver, sobre todo, en el predominio de los factores individuales y humanos de los personajes, siendo, con toda seguridad, superior a ellas.

Ha estallado la paz supone un avance en el enfoque y en la realización con repecto a las anteriores, mostrándose el autor mucho más equilibrado y más acertado en la exposición del tema, de suyo difícil y comprometido.

En la novela se echa de ver una intención clara y un anhelo de cauterización de heridas producidas, en uno y otro bando, por la guerra civil; demostrando varios casos de incorporación al quehacer colectivo por parte de gentes de las dos riberas. «En este sentido —terminamos con las palabras del crítico de «ABC»— el libro de Gironella me parece la crónica del avance de los valores humanos —la ternura, el sentido de lo familiar, la necesaria convivencia, el retorno a una tradición de espiritualidad religiosa y de buenas maneras— después de la terrible devastación que en los cuerpos y en las almas había producido la guerra».

«CONDENADOS A VIVIR», UN TEMA DE PALPITANTE Y EXTREMECEDORA REALIDAD

Si alguien nos preguntara por dónde debemos empezar el juicio de esta novela —*Condenados a vivir*—, yo diría que por las mismas palabras del autor, que en un breve prefacio nos explica la génesis, el desarrollo y la finalidad de la misma. Mi propósito al escribir estas páginas —nos viene a decir Gironella— ha sido ambicioso: contar con sencillez una historia. El intento me ha costado semanas y meses y huelga decir que ignoro si he salido airoso de la empresa.

Me tentaba el problema de la juventud y el del abismo generacional que dicho problema comporta. Por tres veces marré el enfoque, porque me ocupaba en demasía de los hijos y solo marginalmente de los padres. Hasta que descubrí que era elemental conceder a unos y otros idéntica atención.

Por otra parte, nos dice, decidí limitar el área geográfica; lo mismo que su inicial proyecto de referirse a la juventud en su aspecto plural, en la diversidad de sus clases sociales. Los jóvenes forman grupos muy dinámicos y separados. Los conflictos de los universitarios tienen poco que ver con los de los trabajadores y con los que atenazan a los muchachos marginados por la pobreza. Ahí limitó el campo y decidió ceñirse al análisis de los «burgueses», por ser los que mejor conocía.

«En definitiva, pues, escribe textualmente, relato los avatares de dos familias bienfortunadas, y las sitúo en Barcelona. Epoca, la postguerra civil, desde 1939 hasta 1967. A medida que la pluma trazaba sus garabatos mi temperamento «torrencial» iba imponiéndose y terminé por pintar un retablo, mejor o peor, de un gran sector de la sociedad que nos rodea; operando conforme a mi característica manera de hacer, es decir, a base de ensanchar la acción por medio de círculos concéntricos en busca de una visión panorámica general».

El autor tiene buen cuidado de decirnos que esta vez se ha apoyado sólo en muy raras ocasiones en hechos y datos históricos. Se trata de una novela-novela, de una estricta fabulación, por lo que se ha permitido más que nunca una libertad absoluta... En lo posible, se abstiene de juzgar. Su campo es narrativo. Ahí quedan los hechos para que cada lector lo interprete a su modo.

Antes de que la novela de José María Gironella cayera en mis manos, leí, por casualidad, un artículo sobre la misma, en el periódico «Ya», y que firmaba Rosendo Roig. Lo encabezaba preguntando: ¿Estamos los españoles «condenados a vivir» en la España actual? Y se preguntaba a renglón seguido: ¿qué es lo que ha pretendido Gironella en su libro? Y se contesta: creemos que, ante todo, exponer un concepto de la España actual. O más exactamente, en qué ha parado España después de treinta años de paz, victoria o «establishmen» político.

El libro, así, más que novela, es un resumen del camino recorrido por la política, la economía, las relaciones con el exterior, la sociología, la educación familiar, el ambiente estudiantil, el «boom» culturalista, y, especialmente, una historia de la psicología del hombre medio español.

Como leemos en la revista «Reseña», *Condenados a vivir* es una novela río, una crónica de la vida contemporánea española a lo largo de casi treinta años, sobre el telón de fondo de los principales acontecimientos de la vida internacional. Es también la saga de un par de familias barcelonesas que viven y padecen el profundo cambio desde una España vetusta y tullida por la guerra, a una España cosmopolita y en pleno desarrollo.

Desde aquella novela suya, que tanto éxito tuvo, *Los cipreses creen en Dios,* a Gironella le han interesado siempre estos temas amplios, esas amplias panorámicas, más que el análisis del destino individual de unos pocos caracteres. Gironella, una vez más, ha hecho «su novela»: Su punto de vista no es tanto la conciencia de los personajes que van desfilando por toda la extensa obra, ni el sorprendente brotar de la vida haciéndose desde dentro y respondiendo al estímulo de los acontecimientos, cuanto el ojo omnipotente del autor que va mirándolo todo desde fuera.

En esto, Gironella no ha cambiado. Si su éxito anterior se llamaba *Los cipreses creen en Dios, Un millón de muertos* y *Ha estallado la paz,* los dos volúmenes que comprenden el Premio «Planeta 1971» bien podía titularse *El césped no cree ni en sí mismo* y *Ha estallado la mediocridad.*

El crítico de la revista anteriormente citada nos dice que *Condenados a vivir,* aunque no es un relato histórico como los de la famosa trilogía, sino obra casi toda de ficción, está trabajada con idéntica meticulosidad, con la misma admirable precisión en el ensamblaje de las piezas del mosaico, pero con una mayor soltura y llaneza expresiva, pues el estilo siempre funcional de Gironella se ha agilizado y ha ganado en precisión y en gracia.

La temática no es que sea nueva, como apunta Antonio Blanch; pero sí candente y de gran actualidad. A lo largo de la historia se han manifestado corrientes de oposición, evoluciones socio-culturales y crisis de generaciones. Pero en nuestros días toda esta problemática se ha agudizado enormemente debido al cambio rápido que ha sufrido la sociedad española y la vida de los españoles, que es de lo que trata la novela.

Todo comienza al terminar la guerra civil, en que un hombre joven, con una formación intelectual y técnica, madurada por tres años de estar en el frente, se decide a quedarse en Barcelona, aunque él procede de Andalucía.

Gironella echa a andar a este español —Julián Vega es su nombre—, un hombre y un español de la clase media, por los caminos de España que ha de surgir, como el Ave-Fénix, joven y nueva de las cenizas de una guerra fratricida.

Julián Vega, el joven arquitecto granadino, puede pasar por el protagonista de la novela; pero en torno a esta figura central se mueve una serie de personajes que dan vida al relato hasta hacerle agradable e interesante a pesar de su extensión y volumen. Porque Julián Vega se ha quedado en Barcelona y comienza a relacionarse en seguida con personas que van a formar su ambiente y aun su familia después.

Julián es un hombre noble, sencillo, modesto en sus aspiraciones, inteligente y cordial. Era, al llegar a Barcelona, la viva estampa del vencedor: alto, fuerte, seguro de sí mismo. Hasta el uniforme parecía sentarle bien. El espectáculo que presencia en la Plaza de Cataluña era en verdad hermoso. Las banderas se volvían locas. Julián se sintió orgulloso de su estatura y de las dos estrellas de la bocamanga. ¡Había deseado tanto vivir aquel momento!

Y hubiera deseado más: llegar a la frontera y soltarles cuatro cosas a los franchutes. Pero su compañía permaneció en Barcelona dedicada a tareas de reconstrucción. ¡Había tanto que hacer! La guerra había convertido a la ciudad en un haz de escombros. En aquellos meses de obligada estancia en Barcelona, Julián se llevó dos grandes sorpresas. La primera, que puede echarse de menos un huracán; la segunda, que hay estaciones de paso que pueden tentar de una manera imprevista.

Julián Vega había estudiado su carrera en Madrid, por cierto, que con altibajos, debido a su debilidad emocional y a que las mujeres le gustaban tanto como a su amigo el teniente Saumells. Pero, al fin, terminó arquitectura. Y ahora, acabada la guerra, después de muchas dudas y cavilaciones, animado por sus amigos, decide quedarse en la Ciudad Condal, aunque reconozca que también en Granada habría mucho que hacer.

Precisamente, sobre el particular, en el viaje que hace a su tierra, comprueba que en Granada se había parado el reloj. Y no sólo el de los Vega, sino, prácticamente, el de toda la población. Allí se encuentra con una familia que apenas ha evolucionado. Su padre, don Arturo Vega, abogado de profesión, no hace otra cosa que dar una vuelta por los olivares de su propiedad y pasarse la tarde en el Casino. Su madre era una mujer apañada, hacendosa, que mantenía el hogar reluciente como una patena. Sus hermanas, adscritas a la «Sección Femenina», eran redondas a excepción de Mari-Tere, que tenía ágil la cintura y bailaba y palmeaba que daba gloria verla.

Mari-Tere era la única que necesitaba cerebro para vivir. En cuanto a su hermano Manolo, especializado en pulmones y corazón, pero que de hecho ejercía medicina general, lo encontraba un inadaptado. Con todo, hay que reconocer que la partida fue dolorosa: decía «adiós» a muchas cosas. A jirones de su niñez, de su juventud. Al primer pecado, al señorío que había heredado de su padre, a los abanicos y a la negra mantilla de su madre, al chequeo que unos días antes le había hecho Manolo.

Cuando llega a Barcelona, su amigo Claudio Roig le espera en la estación, ya sin uniforme y sin barbita. Las cosas comenzaban a andar. De momento, no sabe a quién acudir, pero está seguro de que pronto encontrará trabajo. Lo que más le duele es que don José María Boix le diga que no pueden fiarse de los materiales que les envían: el cemento no es cemento, los ladrillos no son ladrillos. Abundan los desaprensivos. Le duele el que exista esta clase de gente y que, además, prolifere como setas. La falta de escrúpulos imperaba por igual entre los fabricantes, los almacenistas y los constructores... Cuando visitaba alguna de las obras, se quedaba de una pieza. ¿Pero qué ha pasado aquí?... Se preguntaba. Y es que se especulaba con el hierro, con toda clase de material, con la tierra edificable, con el espacio...

Julián vivía en una pensión donde era muy estimado de todos. Un buen día, el policía que rondaba aquella morada, le soltó a quemarropa: «Si conociera la cifra exacta de prostitutas que hay en Barcelona, sus entusiastas ideas sobre la postguerra sufrirían un rudo golpe». Aquello era otra experiencia más para el pundonoroso excombatiente.

El joven arquitecto trabaja, de momento, a las órdenes de don José María Boix, el cual le provoca continuamente haciéndole ver que los propietarios de las elegantes masías preferían disponer de una confortable finca rural y contribuir al mantenimiento de la ópera en el Liceo, que no vivir de las rentas del Cid Campeador o pasarse treinta años diciendo «¡a sus órdenes!» para conseguir un fajín de general.

Julián Vega conoce por este tiempo a la mujer de su jefe, Gloria, con la que tiene relaciones amorosas. Gloria lo tiene embriagado, pero acierta a descubrir el peligro. Cuando Aurelio Subirachs, famoso arquitecto de Barcelona, le garantiza que podía contar con su ayuda personal, y que podía proporcionarle de muchos proyectos que él se veía obligado a rechazar, Julián no dudó un solo momento en cambiar de jefe. Por lo que a aquella mujer se refería, podrían seguir viéndose en el piso que pensaba poner, en un ático de la calle de Balmes, desde el cual el panorama de la urbe era inmenso.

Pronto conoce a Rogelio Ventura, jefe de una constructora que está tomando mucho auge. Rogelio será el segundo núcleo dinámico de la obra de Gironella. De él y de Julián surgirán las dos familias en cuyo seno se entablará esa nueva guerra civil incruenta, que no por ser fría y doméstica deja de ser muy cruel, y aun, en ocasiones, trágica.

Pero Rogelio era muy distinto de Julián. Rogelio era el arquetipo de los constructores desaprensivos, sin escrúpulos, que pululaban por la ciudad. Era el caso típico del hombre de negocios, emprendedor, práctico y astuto, y además vanidoso. Era un ser dual, complejo y merecedor de muchos de los epítetos que le colgaban. Verlo actuar, era asistir a una película de acción. Era un hombre muy seguro de sí mismo. Además, era un excautivo. Se había pasado prácticamente toda la guerra en la cárcel

Modelo, lo que eliminaba por definición cualquier duda en el aspecto político, sobre el que Julián estaba harto escarmentado.

Después de la primera conversación que mantuvo con él, Julián pensó que los madrileños podían muy bien calificarlo de «tipo fetén», «un pícaro», aunque no se sabe si lo era de siete suelas, o sólo de cinco, o sólo de dos. Indudablemente, había algo contagioso en la personalidad del construtor. Imposible negar que era el caso del bribón simpático hecho realidad.

Rogelio se casó con Rosy, mujer muy vistosa y mimada por la fortuna, hecha para vivir en el lujo que le proporcionaban los turbios negocios de su marido. Mujer superficial, cuando en cierta ocasión sea preguntada por su amiga Margot si alguna vez pensaba en Dios, ella contestaría:

—¡Dios! ¡Me preguntas si pienso en Dios!... Pues..., si he de serte franca, muy poco. Sólo en Viernes Santo.

Julián se ha casado justamente con Margot de Abadal, mujer sencilla, de gran finura espiritual y mucha entereza. A veces emanaba de ella como un halo de integridad que impresionaba a las personas. Resultaba inconcebible que algo pudiera torcer su conducta, su saber estar donde le correspondía. Uno de los consejeros de la empresa «Construcciones Ventura, S. A.», decía de Margot que, como mujer, era el invento más notable que él había conocido.

Margot era una de esas mujeres que descubren muy pronto que la cómoda neutralidad de los hoteles no era de ningún modo comparable al cálido sentimiento que podía experimentarse entre cuatro paredes que olían a corazón. En el hogar, todo adquiría un sentido exacto: alinear las corbatas de Julián en el armario; limpiarle los zapatos; colocar las pipas en el artefacto giratorio; preparar el gazpacho de acuerdo con la receta que en Granada le facilitara Mari-Tere...

Margot se preguntaba a menudo de qué medios se valía Rogelio para prosperar tan espectacularmente. ¿Medios lícitos, medios ilícitos? Ella recordaba una sentencia de su padre: «Los ladrones de guante blanco suelen ser bien admitidos entre la llamada buena sociedad». Ignoraba muchas cosas de su vida, y le preguntaba a su esposo Julián, el cual no le daba contestación alguna. ¿Era realmente un tramposo, un ladrón de guante blanco? No lo sabría decir.

Aunque tan distintos en estilo vital, estos dos matrimonios se hicieron muy amigos. En verdad que podía hablarse de las «familias Ventura y Vega». Una familia no era un amor como partido al que un mosén Castelló cualquiera hubiera echado la bendición; una familia era lo que aquéllos estaban siendo: un agrupamiento, una gran cabriola colectiva, una reunión de cabezas y cabecitas y un coro de voces que en un momento determinado podían discutir y disputar, pero que en otro momento —el más importante— podían enfrentarse al mundo entero con estas o parecidas palabras: «Aquí estamos solidificados los de una misma sangre, dispuestos a defender nuestra manera de ver las cosas, nuestro acotado territorio. ¡No faltaría más! ».

Los dos matrimonios compartían el estupor que les causaba la generación de los jóvenes y se aliaban para resistir a los embates de esa nueva ola. Margot, que ha tenido un tercer hijo, al que llega a querer tanto, que los demás se sienten un poco celosos, charlando un día con el P. Saumells, amigo de la familia y muy inteligente, le oyó decir: «Está claro, Margot. Tus hijos no son ni mejores ni peores que los demás de su clase social. ¿Entiendes ahora por dónde voy? Los hombres como tu marido, como Rogelio, como tantos otros, están creando un tipo de riqueza que os afecta primero a vosotras, las mujeres, luego a vuestros hijos y, colectivamente, a toda la sociedad. Están elaborando un tipo de sociedad que, ¡ya lo sabes!, a mí me desagrada positivamente. Entonces ocurre que vuestros hijos viven desfasados de la realidad... ¡Métete esto en la cabeza, Margot: la protesta! Vuestros hijos han empezado a protestar. De momento, puesto que son tan jóvenes y no saben de qué se trata, engullen unos cuantos *slogans* primarios, pero la intención es profunda, porque intuyen que hay algo injusto en el lenguaje que hasta ahora ha estado funcionando y que nosotros hemos considerado como de «sanos principios». Sea lo que sea, pase lo que pase, antes que vuestros hijos se vayan de vuestro lado, debéis procurar inculcarles en el alma la idea de que sin una fe transcendente todo está perdido... En cuanto a Julián, convéncelo por tu cuenta de que su hijo tiene razón: la libertad es algo que uno de repente desea... y ya está. Y que no tiene más remedio que aguantarse».

Julián quería mucho a sus hijos; pero apenas si le daba tiempo para demostrárselo. En los últimos meses transcurridos su trabajo se había duplicado, por lo menos en importancia. Julián estaba empeñado en descubrir dónde estaba el fallo de los españoles. Especuló sobre la falta de investigación, sobre el individualismo, sobre el hecho de que todo el mundo se considerase sabio sin haber hecho nada.

Pero Julián era un hombre de fe. Cristo era su asidero. De no ser por El, por su figura sin mácula, pendiente de una cruz desde hacía casi dos mil años, tiempo haría que le hubiera dicho a Margot: «Margot, no te ofendas, pero todo eso que nos han enseñado los curas me parece una pura patraña».

Julián vivirá, junto con su esposa, una temporada de vientos contrapuestos, que los zarandeaban sin piedad. Era la vida misma. El ambiente que les rodeaba. Y eran sobre todo los hijos. Era Laureano, el muchacho comunicativo, deportista y dotado de una voz bien timbrada y agradable. Algo más bajo que Pedro, el hijo mayor de Rogelio, pero más ancho de tórax, más desarrollado gimnásticamente.

Pedro era bastante más alto que su padre, del que físicamente sólo había heredado el ser patizambo y las orejas grandes y colgantes. Con mucho cabello y unos ojos profundos, que tan pronto se lanzaban en pro de «lo otro», como se replegaban sobre sí mismos. El primer encuentro duro con su padre lo tuvo cuando le anunció que no **quería** estudiar arquitectura. Rogelio no lo podía tolerar.

Julián y Margot, de acuerdo con Rogelio y Rosy, decidieron que sus hijos estudiasen enseñanza primaria y luego bachillerato en el Colegio de Jesús de la Bonanova, Orden de mucho prestigio, que tenía fama de imponer disciplina férrea y de estar dotada de excelente profesorado.

Quedaban las hijas: Susana y Carol. La primera, hija de Julián y de Margot, que tenía un encanto especial. Era obediente y dócil y apenas si había necesidad de vigilarla. Delgada y grácil, parecía haber nacido para ser una oración. Era una niña tan sincera, que para ella no existía nada tan fabuloso como la verdad.

En cuanto a Carol, era distinta de su amiga; pero juntas formaban una pareja ideal y sus padres estaban orgullosos de ellas.

Junto con estos personajes, o con estas dos familias amigas, formaban el bloque de los que podemos llamar «adultos», de fisonomías muy típicas y contrastadas: el banquero Ricardo Marín, el negociante Jaime Amades, el citado y célebre arquitecto Aurelio Subirachs, el doctor Beltrán, el Padre Saumells, cura obrero que llegó a ser rector del colegio de pago con intento de «democratizarlo».

Fuera de este último personaje —escribe el crítico de la revista «Reseña»— todos los demás miembros de la generación de la guerra tienen un común gran defecto: la falta de imaginación para comprender los grandes cambios que se avecinan. Son personajes entre ingenuos y vividores, que han sobrevivido a una catástrofe sin haber aprendido la lección de esa tremenda sacudida, y se ponen a organizar sus vidas y las de sus hijos con los criterios e ideales que ellos heredaron de sus mayores, sin descubrir que las cosas han cambiado radicalmente. Esto lo descubren demasiado tarde en el choque con la nueva generación que comienza —con razón— a echarles en cara el no haber sabido prepararles para esa vida nueva tan absolutamente distinta y extraña.

Planteado así el primer bando de ese enfrentamiento, Gironella se entrega con evidente mayor interés y matización a la creación del bando de los jóvenes, constituído principalmente por los hijos de las dos familias protagonistas, los Vega y los Ventura. El autor ha confesado —sigue diciendo Antonio Blanch— haber concebido esta novela como la novela de la juventud. Ese grupo de adolescentes y muchachos surge en la novela con mayor soltura y en algún caso con mayor dimensión interior. En cambio, toda la serie de problemas que suscita esta nueva generación están tratados siguiendo un plan sistemático que parece más propio de un ensayo que de una novela. Algo de eso ocurría ya en *Los cipreses creen en Dios,* en relación con la gran variedad de partidos e ideologías políticas en la España anterior al 36. Gironella es experto en el arte de la novela pedagógica o del ensayo novelado, porque sabe entreverar y dosificar —aunque sin que se fundan del todo— las ideologías o los problemas con escenas de la vida real y concreta. Este montaje inteligente lo consigue en *Condenados a vivir* a base principalmente de viajes a una Europa totalmente distinta, o de visitas de extranjeros. En ese vaivén de informaciones se ofrecen sucesivamente los principales síntomas del malestar juvenil y de sus protestas: el existencialismo parisién, los «beatniks» y los «blousons noires», los «rockers» y los «mods», los «provos» y, finalmente, los «hippies» instalados ya en las playas de Ibiza.

Sobre este telón de fondo internacional, la juventud española más despierta se rebela contra los adultos y contra su concepción de la vida. Es un enjambre de chicos y chicas el que pinta Gironella ensayando en España por primera vez las posturas típicas de la nueva ola: el arte abstracto y la música «pop», el marxismo y la libertad sexual, la pobreza voluntaria, el periodismo desenfadado, las drogas y la emancipación de la mujer. Junto a la muchachita romántica y a lo «hippie», está también la que va a la caza del «buen partido», la que aborta tranquilamente, o la que consiente en tener el hijo.

La lucha generacional se resume y se centra, sobre todo, en los dos primogénitos de los Vega y los Ventura, con la curiosa inversión de trayectorias que hace que Laureano se oponga a sus honrados padres desde la fascinación de lo trivial, mientras que Pedro rompe con sus mundanos progenitores desde unos presupuestos de seriedad ante la vida mucho más consistentes y auténticos.

Más adelante veremos a Laureano como estrella de la canción de un conjunto que fracasa; y a Pedro marchándose de casa para vivir pobremente, meditar y escribir denunciando a los «hombres-vientre», los errores y las hipocresías de los que ganaron la guerra.

Ahora nos los encontramos en su primer choque con el mundo nuevo de la Universidad. Un choque que, más que nada, es emocional. Ser universitario era algo así como colgarse una etiqueta importante, gozar de una espléndida oportunidad. Pero también era un choque de léxico, y del léxico como vehículo de expresión de todo un repertorio ideológico. Muchas cosas que en el colegio de Jesús se admitían sin más, sin discusión, allí eran puestas en tela de juicio, cuando no arrinconadas como si fuesen basura. Ello afectaba de modo especial a temas de autoridad, de política y, por supuesto, de religión. Se hablaba de todo con una crudeza y un desparpajo que ponían carne de gallina.

Continuaba fulgurante la trayectoria de los chicos, que se reunían periódicamente en el «kremlin», es decir, en la buhardilla que habían encontrado y preparado a «su manera». La sinergia, el «ambiente» de que el P. Saumells habló a Margot, maduraba con extrema rapidez la personalidad de cada cual. A la vuelta de cada esquina dejaban un pedazo de lo que fueron antes. Laureano se descuida en los estudios y suspende en junio. El vocabulario del muchacho, copiado de la Facultad, se centraba en la palabra burguesía, aun a sabiendas de que vivía integrado en ella.

Pedro, por su parte, discute con su padre a menudo. Rogelio no sabe decirle otra cosa que el día en que se cierre la cartera pasará más hambre que un judío pobre. Pero Pedro tiene vocación de escritor y sigue adelante con su idea.

Los dos muchachos que gustan escuchar las canciones del P. Duval, el cual protestaba admitiendo en sus letras, que él mismo componía, que las noches eran a veces largas y angustiosas, pero que el quid estaba en pedir a Dios que precisamente se hiciera presente en medio de la noche. Y repetía que todos éramos hermanos. Pero no decía «perro bajo un mismo árbol», sino hombres y almas bajo un mismo cielo estrellado.

Pedro no estaba conforme con la conducta que seguían sus padres y se lo echaba en cara. «¿Y mamá? ¿Cuánto dinero tiene en joyas? Cuando os vais a cenar por ahí parece un escaparate. Un escaparate espantosamente ridículo».

Rogelio estaba desconcertado con el modo de pensar de su hijo. «Estás jugando a lo fácil, Pedro, le decía. Acusar está al alcance de cualquiera; poner remedio es cosa de hombres de mucho fuste... Nunca jamás me hubiera yo atrevido a hablarles a los míos en el tono que tú lo haces».

Y sin embargo, Pedro, que no tenía nada de frívolo, hubiera querido admirar a sus padres y no lo lograba. En la encrucijada de la vida, Pedro por un lado se acordaba del proverbio oriental: «Caminante, lleva contigo siempre dos muletas, que en el momento más impensando puedes necesitarlas»; y por otro, acordándose de las palabras que le dirigió Mosén Rafael a poco de conocerlo: «Si en el mundo en que te mueves lo aceptaras todo sin rechistar, un superior te suspendería en la asignatura de la vida».

El problema de los muchachos preocupaba a los matrimonios; y en sus encuentros hablaban de ello. Pensaban que sus hijos, a lo más, eran rebeldes, pero no revolucionarios. Durante el choque entre padres e hijos, domina la incomprensión y el progresivo aislamiento; la hipersensibilidad y el escándalo. Su lucha con la imaginación más que con razones; la falsa «respetabilidad» de los mayores choca con la temeraria y utópica sinceridad de los jóvenes. La ruptura se hace inevitable.

Pedro, sobre todo, se da cuenta, en un momento en que su padre estuvo a punto de perder la vida, de que su madre al lado de otro hombre hubiera sido una mujer menos insensata, que no se habría levantado a las doce ni hubiera jugado tantas horas al bridge, ni habría llenado la casa de almohadones.

Laureano, por su parte, cogía los libros de texto como si fuesen una carga y apenas si le preguntaba a su padre nada referente a la profesión. La ruptura con él fue de campeonato. Formaba parte de un conjunto que llevaba el nombre de «Los Fanáticos». Mantenía relaciones amorosas con una muchacha, a la que deja embarazada y con su consentimiento acude a la curandera para que la provoque el aborto...

La suerte estaba echada. El muchacho se interesaba cada vez menos por los estudios y cada vez más por la música. Sus amigos le animaban: «Si el chico es artista, ¿por qué no? Sería un crimen cortarle las alas».

Pero tuvo que enfrentarse con sus padres. De antemano sabía el disgusto que les iba a ocasionar; pese a lo cual estaba dispuesto a no renunciar por nada del mundo a su idea. Ante el aplomo del muchacho, Julián queda desconcertado. Casi fue este aplomo lo que más le irritó. Laureano les había hablado como si se tratara de cambiar la marca del tabaco, y se trataba de cambiar el rumbo de la existencia y de poner en ridículo el apellido que llevaba.

Laureano sentía verdadera pasión por su madre. ¿Cómo demostrarle que esa música que ella despreciaba tal vez fuera tan buena como pudo serlo en otros tiempos lo que ella amaba? ¿Que los años habían pasado y que la juventud moderna no era un mal sueño, sino un cuenco tan vasto que en él lo mismo cabía lo primitivo —el tan tan— como la pasión por la cibernética, o la pasión por la libertad?

Por fin, llegó la hora de la verdad, el día del Festival, que se celebraría por la noche en el Palacio de los Deportes y sería retransmitido por Televisión Española. El conjunto de «Los Fanáticos» quedó proclamado vencedor. Laureano, estrella del conjunto, se hizo famoso.

8

Pedro, a su vez, sufría en su carne el problema de su casa. Y le dolía también en el alma su amigo Laureano. Este se fue pervirtiendo en aquel ambiente en que vivía. Lo normal le fatigaba y lo encontraba rutinario. Cada vez que iba a Madrid, su tía Mari-Tere le ponía en contacto con el ambiente del cine y de los espectáculos, donde se movían mujeres de gran apariencia, flanqueadas de prostitutas de tres al cuarto.

Laureano y Pedro discutían sus propias vidas. Pedro trataba de demostrar a su amigo que sus familias no podían compararse. Y le decía más: «Tú estás quemando las etapas, mientras que yo prefiero el ritmo lento. Me temo que cualquier día te encuentres con que se te acabó la curiosidad. Y entonces ¿qué...?».

Pero Laureano se sentía feliz, como no lo había sido en su vida. Hasta aquella noche fatal en que ardió la «boite», estando claveteadas las puertas de salida de emergencia, por lo que tuvieron que ir a la cárcel Rogelio y Alejo, y donde encontraron la muerte compañeros del conjunto. Ahora estaba desmoralizado. Recordaba a la familia... Ahora ya no le daba miedo ni la muerte ni los perros; y su madre se le había alejado del pensamiento no por culpa de nadie, sino de la propia vida, que reclamaba cada día su ración distinta de júbilo, de amores y de llanto.

¿Y Dios? ¿Qué era Dios para Laureano? Una extraña lejanía. Un Dios casi tan lejano como el colegio de Jesús. Entretanto, los dos matrimonios se daban cuenta, cada uno por su lado, de que la ruptura era inexorable, una suerte de fatalidad de los «condenados a vivir».

Cuando el matrimonio Vega se decidió a ver actuar a Laureano en la «boite», a Margot le invadió una tristeza inexpresable. Más que nunca se convenció de que aquello respondía a un primitivismo superficial, mezclado con un deseo confuso de evasión... Al cabo miró a su hijo, que no cesaba de contonearse y de cantar, con la guitarra en la mano. ¡Cuántos recuerdos afluyeron a su mente! Desde la primera vez que lo llevó al parvulario, hasta el día en que les dijo: «Estaría dispuesto a marcharme de casa».

Margot había retado a Laureano y debía hacer honor a ese reto. Pero, además, Rogelio le repugnaba, y sólo el sentimiento cristiano y los ruegos de Julián podrían lograr que disimulase. En cuanto al matrimonio Ventura, en un momento de sinceridad, Rosy le dijo a su marido: «Par favor, Rogelio, es la hora de la verdad. No chaquetees ahora... Los dos a solas no podemos mentirnos, porque de nuestro amor no quedan ni las cenizas, dicho sea sin metáfora; pero de puertas afuera, más unidos que antes...».

A fe que aquella mujer no esperaba el desenlace fatal de su marido, que terminaría suicidándose. De este modo, el proceso contra Rogelio se cerró, quedó cancelado para toda la eternidad. El veredicto se lo dio él mismo, con una rotundidad que ningún tribunal humano hubiera podido igualar. Rogelio fue su propio juez y rubricó la sentencia con un tiro al corazón y con un charco posterior de sangre.

La novela termina con los primeros casamientos de los hijos mayores —Pedro con Susana—, y el nacimiento de sus primeros hijos, que anuncian con sus vagidos indefensos el enfrentamiento de la siguiente generación.

La vida sigue, y por consiguiente, seguirán los cambios y las posiciones, las mentiras y las fidelidades, los años de energía y de conquista y la muerte inexcusable. «En resumen, todo el mundo estaba condenado a morir, pero todo el mundo, y los jóvenes más que nadie, estaba condenado a vivir... Y a veces era más difícil lo segundo que lo primero».

En honor de la verdad, tenemos que decir que la novela de Gironella cumple extraordinariamente su objetivo. Hace pensar en serio sobre la situación actual y real de los españoles. El tema, hay que reconocerlo también, es uno de los más apasionantes de nuestro tiempo; la variedad de los problemas y de los enfoques es aquí muy amplia; la encarnación de los mismos en ambientes y circunstancias familiares refuerza el interés de la lectura; los abundantes chispazos de vida palpitante acaban por introducir al lector en ese microcosmos de ficción: el lector se siente llamado a reflexionar, acaso se identifique con algún personaje o experiencia vital... Pero el lector crítico —escribe el citado Antonio Blanch— no puede evitar una constante desazón ante la simplificación de tantos planteamientos graves y ante la falta de densidad de esas vidas y de esos encuentros vitales. También resultan desdibujados los ambientes domésticos, ciudadanos o profesionales. ¿Por qué ha inhibido Gironella sus conocidos talentos de costumbrista moderno, que le ponían otras veces a la altura de un Agustí o de un Zunzunegui? Al leer esta última novela de Gironella nos venían a la memoria otras también planteadas como la suya en parecidos ambientes y con la misma trama argumental por un Turgueniev, un T. Mann, un H. Böll, o por nuestro incomparable Pérez Galdós... Gironella, tan amigo de retablos de la vida contemporánea, podría acceder a categorías artísticamente más transcendentales si lograra concentrar esa gran dispersión de datos y circunstancias en unos personajes vivos más intensamente concebidos y mucho más tenazmente analizados; de lo contrario, la fuerza centrífuga de sus colectividades en marcha será cada vez más disipante. La historia y la sociología irán poco a poco devorando la vida densamente imaginada, que es —a juicio del crítico citado— la sustancia misma de la novela. También creemos que lo colectivo español aparecería con mucha más hondura en las raíces de unos fuertes caracteres literariamente bien fundados. Este fue el secreto de Galdós. Porque el secreto de los grandes artistas radica precisamente en saber expresar lo universal en lo particular; y no a la inversa, que es tarea más propia de filosofía, pedagogos o reporteros apresurados.

Uno, cuando termina la lectura de los dos volúmenes, se pregunta con el reportero: ¿En nuestro ambiente no aparecen ideas por las que valga la pena esforzarse y dejarse la piel por una España más superada? Todo huele a chata mediocridad. ¿Nuestros programas políticos, económicos, religiosos, sociales, culturales... rezuman falta de vigor y no llegan a prender en el español medio que vive su sabroso vegetarianismo? Todo posiblemente está bien, comprensiblemente bien, pero no basta. El programa que la nación presenta al español es bueno, pero no logra arrancarle. No inspira ese fuego que conecta con la fe social. La mediocridad rebrota aquí y allá en forma de vulgarismos extremistas de uno y otro bando, pasajeramente, casi ininterrumpidamente.

Pero la substancia de la situación continúa sin tener garra. Y la mayoría ha elegido la conformidad. Porque teme. Teme todo: la guerra, las dificultades cotidianas... Prefiere un trabajo sistematizado, un descanso suficiente y continuar hasta que hemos llegado a los últimos cinco años y grupos de jóvenes han dicho «no». Y dan la espalda a la realidad rompiendo con ella. Rompen con el pasado de sus padres, con las historias reales y respetables de la guerra y con todo lo que ha costado la seguridad acual [1].

En este punto, Gironella acierta plenamente. Porque estos jóvenes que rompen con una España tradicional lo hacen para aprovecharse de la mayoría que trabaja en la nación: los españoles del consumo. No rompen para dedicarse a pensar, para preparar unas ideas que nos salven, un programa que nos de luz y anime al trabajo. Rompen para echarse un micrófono a los labios y unas melenas a la cabeza. Han llegado unos nuevos dioses, todos en función de una transitoria juventud, estupenda en tantos aspectos, pero tan pasajera como los mismos dieciocho años. La postura de Gironella es desoladora. Se han enfrentado padres e hijos. Ha nacido un nuevo mal en España, por si no teníamos suficientes. Y quedan en peores circunstancias los jóvenes. Porque, como queda extraordinariamente patente en *Condenados a vivir,* el joven que rompe no se abona al estudio, ni a la austeridad, ni al sacrificio por una sociedad mejor, ni a Dios, ni

---

[1] Cuando apareció este ensayo en «Religión y Cultura», España y los españoles vivíamos a mediados del año 1973.

al prójimo. Se entrega a sí mismo, a un nuevo egoísmo de factura demasiado sensible.

¿Qué ha pretendido Gironella en su obra? ¿Confirmar que nuestro destino es una burguesía, a ser posible cada vez mejor colocada, y que quien se rebela tiene como futuro la frivolidad? ¿Ha querido confirmar que los españoles, ahora, no hemos sabido dialogar sobre cuanto reflexionamos y que se nos está escapando la profundidad de la vida y nos quedamos en lo verdaderamente superficial, que es la desunión? ¿Era válida, para la España de siempre, la ideología del año 39? Si lo era, ¿por qué gran parte de la juventud no cree en sus mayores, con los que convive veinticuatro horas al día? ¿Qué ha pasado aquí? ¿Quién ha intervenido en padres e hijos para que este programa no funcionara como es debido? ¿Vale la pena pensar lo que nos está ocurriendo a los españoles a nivel sincero y real, no a nivel publicitario?

Tales preguntas quedan planteadas en *Condenados a vivir*, con muchas sugerencias de alto calibre. Seguramente que no ha dejado punto por tocar. Desde la Iglesia hasta el Estado, desde la política hasta las íntimas e inconfesables pasiones. Así la obra viene a ser como un NO-DO de los últimos treinta años, con final bastante pesimista.

CAMILO JOSE CELA

Tan discutido novelista, como excelente escritor

Confieso que escribo con cierto temor al tiempo de enjuiciar a nuestro ilustre escritor gallego. Por una parte, le veo vanidoso, algo superficial y como con ganas de hacerse «el artículo a sí mismo». Por otra, la Academia no ha dudado en sentarlo en uno sus escaños, y por si esto fuera poco, el Rey de España le nombró senador el día 15 de junio de 1977. Seguramente que ambas cosas son compatibles. Pero el crítico, por muy objetivo que quiera ser, no puede prescindir de su estilo personal, de su modo de ser y de pensar, de su idiosincrasia particular. Y esta vez el crítico, este servidor de ustedes, confiesa que no tiene ninguna simpatía por Camilo José Cela, como novelista, aunque sea uno de los famosos del momento actual.

Se me atragantó pronto. Desde que la pobreza cultural española de la postguerra le levantó una estatua sin que la mereciera. No había otra cosa entonces y nuestro gallego aprovechó la ocasión.

Se me atragantó desde que leí lo siguiente: «Me considero el más importante novelista desde el 98 y me espanta el considerar lo fácil que me resultó. Pido perdón por no haberlo podido evitar».

Camilo José Cela tiene razón al afirmar que le ha resultado sumamente fácil llegar a novelista importante. Pero hace una injuria a otros de habla española al decir que «se considera el mejor». Claro que nadie puede quitarle este derecho. Porque Cela tendrá su mérito —y lo vamos a ver en seguida— en la novelística actual española. Y habrá escrito libros interesantes sobre viajes y «vagabundeos» por tierras de España. Y será —yo no lo dudo— uno de los grandes novelistas de la postguerra. Pero no le perdonamos su vanidad; sobre todo, teniendo en cuenta que, mientras otros novelistas españoles han ido superándose a lo largo de su vida de escritores, Cela no ha vuelto a publicar una novela que supere a *La colmena* (ni siquiera contando *San Camilo*, 1936).

Conste que, al escribir esto, me hago responsable de lo que digo; pues el lector que me haya seguido a través de los trabajos publicados en «Religión y Cultura», habrá podido advertir que conozco lo suficiente —nunca lo que uno desea— la novelística actual española como para decir que Cela no es el mejor; sino que, como novelista, se ha quedado estancado y no ha seguido la línea marcada en la citada obra *La colmena;* que ésta sí, es una de las grandes novelas actuales españolas, con todos los reparos que tiene y que hemos de ver.

Lo que pasa es que nuestro vanidoso escritor ha tenido la suerte «de cara», o sea, la ha sabido buscar, y ha sabido explotar el momento de indigencia y miseria cultural española que siguió a la guerra del 36.

Seamos objetivos y reconozcámoslo así. Juzgar de otro modo a Cela, sería engañarnos a nosotros mismos y hacer una injuria a Miguel Delibes, Carmen Laforet, Ana María Matute, Tomás Salvador, Agustí, Aldecoa, Zunzunegui, Sánchez Ferlosio, José María Gironella, Elena Quiroga, José Fernández Santos, Juan Goytisolo y otros notables de hoy.

No hace mucho hablaba yo con un amigo intelectual, que se conoce a la perfección el mundo literario actual y al que considero como un hombre equilibrado y de criterio ajustado, sobre un libro de Cela cuyo mismo título me resisto a escribir... Y me decía:

—¿Por qué ha publicado Cela semejante panfleto? ¿Qué necesidad tenía de caer tan bajo, siendo tan gran escritor como es? ¿O es la vanidad, notoriedad, el dinero lo que le guía en éste y en otros casos parecidos?...

No le di respuesta, porque no la tenía. Pero vayamos al Cela literario; al que nos ofrece mayor o menor interés, según la calidad de sus escritos.

Sobre mi mesa tengo *La familia de Pascual Duarte, Pabellón de reposo, La colmena, San Camilo 36, Oficio de tinieblas 5*... De libros de viajes, *Judíos, moros y cristianos, Viaje a la Alcarria, Primer viaje andaluz*. Le he seguido también en su día «por Lérida», tal y como iban apareciendo sus artículos en el rotativo «ABC».

Para enjuiciar serenamente la obra de Cela, es preciso separar su estricto valor literario de la circunstancia favorable a la que antes aludía.

Cuando nuestro novelista publicó, en 1942, *La familia de Pascual Duarte,* el estado de nuestra literatura de ficción era el de un barco encallado. La imagen, ajustada y bella, pertenece a Juan Luis Alborg. Esto dicho así, de pronto, no sé si podrá parecer poco, pero debemos advertir que pretende significar muchísimo. Pues no se trataba sólo de que estuviera encallado el barco, sino que parecía imposible que nadie fuera capaz de echarlo a andar. Habían pasados tres años desde que terminara la guerra civil; pero, al parecer, no eran suficientes para que, ante la inexistencia de nuestra narrativa, se echaran al aire los lamentos. La desaparición de tantos hombres, el exilio y el silencio de otros, la necesidad indiscutible para todos, aun para los descentrados e inactuales, de adaptarse a las nuevas presiones del barómetro político-social, precisaban un tiempo de reposo y decantación que aún no había transcurrido con exceso.

Es en este momento de indiferencia, o mejor, de atonía y desconcierto general cuando aparece Camilo José Cela, hasta entonces poco menos que desconocido, con la citada novela *La familia de Pascual Duarte*. Y como acontece siempre, el barco no sólo se puso en movimiento, sino que empezó a navegar con viento favorable. Los españoles deseaban ver y tener una novela representativa y se agarraron, como símbolo de una posible y duradera bonanza, a la del joven escritor gallego.

Pero si entonces *La familia de Pascual Duarte* llenó de entusiasmo a los españoles, hoy nos extrañamos de que hiciera tanto furor. Si prescindiéramos hoy de aquel «oportunismo», la primera novela de Cela no pasaría de ser juzgada como mediocre y de escaso valor. Por eso, al hacer balance de la obra total de nuestro aspirante al premio Nobel, transcurridos ya más de treinta años desde que se publicara, «comienza a ser imprescindible separar los valores ocasionales y transitorios —no por eso menos importantes tampoco— de sus otras calidades más auténticas y duraderas».

La familia de Pascual Duarte en sí vale poco. A no ser que se le conceda importancia al modo de narrar violento, cínico y duro, poniendo en moda el llamado «tremendismo», sin que con ello queremos dar la paternidad del mismo —como lo hacen muchos— al novelista gallego.

La fórmula, vieja y nueva, de Cela hizo fortuna —escribe el citado Alborg— porque en el fondo parecía mostrar un camino, un horizonte a los escritores que por aquellos días andaban sacándole los puntos a la pluma. Adviértase que hablamos de más escritores que de lectores, porque el hallazgo preocupaba, efectivamente, mucho más a los primeros que a los segundos. La anécdota curiosa de que la novela en cuestión, en los primeros meses de su aparición, tuvo mil críticas y trescientos lectores o compradores es de suyo lo bastante significativa como para demostrar que interesaba sobre todo al escritor desconcertado, en trance de producir, y que fue esencialmente un fenómeno de literatos.

El escritor en ciernes, al leer el *Pascual Duarte,* creyó —por un espejismo explicable entonces— que, al fin, había aparecido la novela española que iba a agarrar el toro por los cuernos, el libro que se enfrentaba con la realidad, que decía las cosas con rudo atrevimiento, que rajaba una brecha por donde hasta entonces no se podía transitar; y cayeron en boba admiración, sin advertir la trampa tras la fachada aparatosa.

Porque la fórmula del *Pascual Duarte* —el juicio no es nuestro— consiste simplemente «en dar gato por liebre»: en servir picadillo de violencias —con vulgaridad de gacetilla en el fondo— como tajadas de transcendente realidad; en despachar como audacias sustantivas, como valentía de fondo, lo que no son otra cosa sino asperezas de superficie; en prodigar groserías, truculencias injustificadas, desplantes y efectismos tremendistas.

Hoy, el más benévolo de los críticos tendría que mostrarse severo con este libro, y no tanto por su violencia y por los crímenes que en él se cometen, cuanto por su truculencia e inverosimilitud de situaciones; por la carga excesiva que se pone en las escenas sin que haya motivo que lo justifique. Y esto, a pesar de que haya sido llevado al celuloide con bastante éxito y dirigida por Ricardo Franco.

Pabellón de reposo es un libro muy distinto al anterior. Los tuberculosos van desgranando su vida, tristes y sin remedio, en unas cartas. Aquí, como dirá el propio Cela, «no hay golpes, ni asesinatos, ni turbulentos amores». Aquí solamente se mueren los enfermos sin haber gozado de la vida. La novela transcurre en un tono triste, pero lleno de suavidad y de lirismo.

Más importancia que *Pabellón de reposo* tuvo, sin duda, *La colmena*. Pero digamos ya desde ahora que, con ser la más importante de cuantas ha publicado, y pese a los que la han tributado alabanzas desorbitadas, Cela no ha dado todo lo que tiene que dar de sí.

Porque si *La colmena* quiere resucitar la vieja e histórica picaresca española (aunque no la conozco, Cela ha escrito una novela titulada *Nuevas andanzas del Lazarillo de Tormes),* el citado anónimo «Lazarillo», el «Guzmán de Alfarache», «El Buscón», y el mismo «Sancho Panza» del Quijote se mostrarían ofendidos al querer comparar estos grandes personajes con los personajillos madrileños de la postguerra.

Si, por otra parte, se la quiere juzgar como novela sostenida y de garra, Cela nos ha demostrado que es incapaz de sostener la cuerda del personaje principal y «a fortiori» de los secundarios más allá de veinte páginas. Cela no puede con una novela de doscientas cincuenta páginas, en la que, desde el principio al fin, salgan los mismos y muy pocos personajes.

En lo que la propaganda acertó plenamente fue en decirnos que el mundo variopinto y multiforme de sus protagonistas —auténtica colmena de seres humanos—, es un mundo lleno de vida y colorido. Mundo auténtico, hecho de personajes y personajillos en el que cada uno deja su vida y se inventa fábulas, para decirlo con expresión del propio Cela. Ellos y su ambiente constituyen ese escenario del vivir diario, en el que cada uno ha de representar su papel, bueno o malo, agrio o dulce, desdichado o feliz, pero humano siempre y siempre verdadero.

La colmena significó, con todo, un gran paso en la vida literaria de nuestro novelista. De propósito no se encuentra en ella protagonista definido. Cuantos hombres y mujeres aparecen en ella juegan su papel en la vida, mayor o menor, pero en un plano de igualdad que recuerda mucho al autor de *Contrapunto*. Sólo que el gran Aldous Huxley no admite comparación —al menos hoy por hoy— con Cela. *Contrapunto* es una novela con su temática rabiosamente intelectual, con su densidad de ideas y problemas; mientras que *La colmena,* no pasa de ser una serie de cuentecillos triviales de la sociedad baja madrileña de la postguerra. Como técnica, *La colmena,* que pretende apresar un panorama de la vida española localizado en Madrid en los primeros años de la postguerra, me parece dotada de una ambición plausible, si bien podrá argüirse que también su «colmena» se limita a un reducido juego de pasiones —hambre de sexo y de pan— y a unos estratos tan sólo de la vida, mientras quedan fuera de su enfoque planos infinitos.

Discutida ha sido y comentada, en verdad, la obra en cuestión de nuestro ilustre escritor gallego, asentado como un «marahá» en Mallorca, si no es que ahora le da por venirse definitivamente a la capital de España para, así, asistir puntual a las sesiones del Senado.

Todos los críticos coinciden en que se trata de la obra más ambiciosa de Cela. Para algunos, creadora de escuela y de seguidores, es la novela que inauguró la novelística contemporánea española, la primera novela española de nuestro tiempo, testimonio de una época y unas circunstancias, exponente, además, del genio literario español. Observador, agudo y preciso, irónico y tierno, el autor ha reunido todas las virtudes y defectos de la picaresca nacional.

Sin embargo, sus personajes se escapan de la mano como uno de esos insectos que atrapamos por casualidad y que quieres conservar por unos instantes, sin darte cuenta de que, antes de que lo hayas pensado, ya se te ha escapado por entre los dedos. Es inútil intentar acercarte a él de nuevo, intimar en su vida, seguirlo por los distintos rumbos y avatares de la fortuna; no lo conseguiremos: el personaje se te escapa como una sombra, como una silueta difuminada.

Cela —se ha dicho— suelta de la mano a sus personajes lo más pronto que puede, porque su resuello novelístico no da para más... En la forma en que a *La colmena* le queda el traje, es evidente que, o le faltan pantalones, o le sobran piernas.

Cela tiene a su favor su mismo propósito al tiempo de escribir este libro, y las explicaciones que da de él en cada una de las distintas ediciones. Mi novela *La colmena,* primer libro de la serie «Caminos inciertos» —viene a decirnos— no es otra cosa que un pálido reflejo, una horrible sombra de la cotidiana, áspera, entrañable y dolorosa realidad. Esta novela mía no aspira a ser más —ni menos, ciertamente— que un trozo de vida narrado paso a paso, sin reticencias, sin extrañas tragedias, sin caridad, como la vida discurre. La vida es lo que vive en nosotros o fuera de nosotros. Nosotros no somos más que su vehículo, su excipiente, como dicen los boticarios.

Cela piensa que no se puede novelar de otro modo a como él lo hace. Si pensase lo contrario, cambiaría de oficio. Y a continuación nos confiesa: «Mi novela —por razones particulares— sale en la República Argentina. Los aires nuevos —nuevos para mí— creo que hacen bien a la letra impresa. Su arquitectura es compleja, a mí me costó mucho trabajo hacerla. Es claro que esta dificultad mía tanto pudo estribar en su complejidad, como en mi torpeza. Su acción discurre en Madrid —1942— y entre un torrente, o una colmena, de gentes que a veces son felices, y a veces no. Los ciento sesenta personajes que bullen —no corren— por sus páginas, me han traído durante cinco largos años por el camino de la amargura. Si acerté con ellos, o con ellos me equivoqué, es cosa que deberá decir el que leyere».

Desgarbado, irónico, escéptico, como de costumbre, Cela no sabe si su novela es realista, idealista, o naturalista, costumbrista, o lo que sea... Tampoco le preocupa demasiado. Que cada cual le ponga la etiqueta que quiera: «uno ya está hecho a todo».

Para la segunda edición preparó otra nota. En ella, ya no dirá, enfático y engolado, que hoy no se puede novelar —mejor o peor— que como él lo hace. En ella escribirá lo siguiente: «Sé bien que *La colmena* es un grito en el desierto; es posible que incluso un grito no demasiado estridente o desgarrador. En este punto jamás me hice vanas ilusiones. Pero, en todo caso, mi conciencia bien tranquila está».

Reconoce que se ha dicho de todo —bueno y malo— acerca de su libro; pero poco con sentido común. «Escuece darse cuenta que las gentes siguen pensando que la literatura, como el violín, por ejemplo, es un entretenimiento que, bien mirado, no hace daño a nadie. Y esta es una de las quiebras de la literatura.

De acuerdo, maestro. Pero un violín no suena lo mismo en manos de un Sarasate, por ejemplo, que en las de un aprendiz en el manejo de tan noble instrumento musical. Incluso puede llegar a «hacer daño» a los oídos gustadores de la buena música.

Y como si esto fuera poco, en el prologuillo de la tercera edición, Cela soltará otra de las suyas. Paradójico, dirá: «Quisiera desarrollar la idea de que el hombre sano no tiene ideas». (¿En qué quedamos, maestro?... ¿El hombre sano, tiene o no tiene ideas?... Porque, ¿cómo va usted a desarrollar la idea de que el hombre no tiene ideas, si usted mismo no posee ni siquiera esa fundamental del desarrollo? ¿O es que, al tener alguna, usted ya no es un hombre sano...?). A veces pienso —sigue nuestro novelista— que las ideas religiosas, morales, sociales, políticas, no son sino manifestaciones de un desequilibrio del sistema nervioso. Está todavía lejano el tiempo en que se sepa que el apóstol y el iluminado son carne de manicomio, insomne y temblorosa flor de debilidad. La historia, la indefectible historia, va a contrapelo de las ideas. O al margen de ellas. Para hacer historia se precisa no tener ideas; como para hacer dinero es necesario no tener escrúpulos. Las ideas y los escrúpulos —para el hombre acosado: aquel que llega a sonreír con el amargo rictus del triunfador— son una rémora. La historia es como la circulación de la sangre, o como la digestión de los alimentos. Las arterias y el estómago, por donde corre y en el que se cuece la substancia histórica, son de duro y frío pedernal. Las ideas son un atavismo —alguno se reconocerá—, jamás una cultura y menos aún una tradición. La cultura y la tradición del hombre, como la cultura y la tradición de la hiena o de la hormiga, pudieran orientarse sobre una rosa de tres solos vientos: comer, reproducirse y destruirse. La cultura y la tradición no son jamás ideológicas y sí, siempre, instintivas. La ley de la herencia —que es la más pasmosa ley de la biología, no está ajena a todo esto que aquí vengo diciendo. En este sentido, quizás admitiese que hay una cultura y una tradición de la sangre. Los biólogos, sagazmente, le llaman instinto. Quienes niegan o, al menos, relegan al instinto —los ideólogos— construyen su artilugio sobre la problemática existencia de lo que llaman el «hombre interior», olvidando la luminosa adivinación de Goethe: está fuera todo lo que está dentro. Algún día volveré sobre la idea de que las ideas son una enfermedad».

Genial, Cela, genial. Después de leer el párrafo anterior, uno piensa, sin poderlo evitar, en el pintor Dalí... ¿Nos encontraremos aquí en un caso semejante, sólo que trasladado al campo de la literatura? Porque no quedan ahí las «genialidades» y «agudezas» de nuestro escritor. Todavía en la última edición que yo conozco añadirá algo nuevo. Pero oigámoslo a él: «En este valle de lágrimas faltan dos cosas: salud para rebelarse y decencia para mantener la rebelión; honestamente y sin reticencias, con naturalidad y sin fingir extrañas tragedias, sin caridad, sin escrúpulos, sin insomnios (tal como los astros marchan o los escarabajos se hacen el amor). Todo lo demás es pacto y música de flauta».

Y nuestro escritor piensa que en uno de estos giros del inmediato mundo se ha quedado dentro «la colmena». Lo mismo hubiera podido acontecer lo contrario. Lo mismo, también, hubiera podido no haberse escrito por quien la escribió: otro lo hubiera hecho. O nadie.

El escritor puede llegar hasta el asesinato para redondear su libro; tan sólo se le exige que sea auténtico en su asesinato y no se deje arrastrar por las afables y doradas rémoras que la sociedad, como una ajada amante ya sin encantos, le brinda a cambio de que enmascare el latido de aquello que a su alrededor sucede. Nada importa nada, fuera de la verdad de cada cual. Y todavía menos que nada, debe importar la máscara de la verdad (aun la máscara de la verdad de cada cual).

El escritor es bestia de aguantes insospechados, animal de resistencias sin fin, capaz de dejarse la vida —y la reputación, y los amigos, y la familia, y demás confortables zarandajas— a cambio de un fajo de cuartillas en el que pueda adivinarse su minúscula verdad (que, a veces, coincide con la minúscula y absoluta libertad exigible al hombre).

Contra esto protesta el buen sentido. De las repetidas aclaraciones de Cela y de las mismas palabras con que va prolongando su novela se deduce su pretensión de haber abordado en su libro graves y ásperas realidades de nuestra vida. Y esta es una de las cosas que no debemos admitir. La pretensión de Cela, no sólo me parece digna de todo aplauso, sino mucho más todavía: es el único camino para que la literatura alcance su única dignificación. Nos parece bien que sigan escribiéndose novelas para diversión de ociosos o para mejor nutrir el bolsillo y la vanidad de cualquier especie de vivales. Pero la literatura como tal, que se estime en algo, no puede renunciar —sin prostituirse de la peor manera— a esas cartas que tiene en la mano, para tratar al menos de hacer oír su voz a propósito de temas infinitos sobre los que hay mucho que hablar.

Cela en *La colmena* —sigo el pensamiento de Alborg— ha llamado por su nombre, con un desenfado y una crudeza que nunca será bastante agradecida en nuestra charca, las cuatro cosas que se ha propuesto como objetivo de su libro.

«Es mucha la cantidad de agua que he tenido que echarle a la tinta para que ese reflejo y esa sombra no fueran demasiado violentos, excesivamente reales». Ha dicho el propio autor. Pero si no existen por este mundo de Dios más costras que las que Cela ha rascado, no sé si valdría la pena molestarse. Su bofetón a la gazmoñería ha sido estupendo; pero, ¿no hay problemas más hondos que el de ese poetilla que no come, o el de la hija de la familia bien que se acuesta con su novio, o el de la dueña del café que trata a coces a sus sirvientes, o el de la triste buscona a quien se le está acabando la parroquia, o el del guardia, o el sereno, o el tabernero aquel, o el de la larga cuadrilla de brigantes, todos de parecidas jetas, que aunque Cela los emplaza concretamente en una fecha y en una ciudad, podrían cambiar cómodamente de tiempo o de lugar sin variar su vida o sus costumbres?

El gran pecado de Cela y de cuantos le siguen por este camino es que haya querido colocarnos como sátira profunda y trascendente, como sarcasmo intencionado lo que son asperezas de superficie de fácil taracea y muy seguro efecto: groserías, astracanadas, impertinencias, zanganadas de todo jaez, mientras el mar de fondo queda sin tocar.

Y, entretanto, ahí están los personajillos de la novela: Doña Rosa, que va y viene por entre las mesas del café tropezando a los clientes con su tremendo trasero; el limpia, un grullo raquítico y entumecido, y que ha estado ahorrando durante un montón de años seis mil duros, los mismos que ha prestado a un señor que no se los va a pagar nunca; este señor es don Leonardo Meléndez, hombre culto, que denota saber muchas cosas, menos la más importante y necesaria en la vida: la de trabajar; don Jaime Arce, un hombre honrado a carta cabal, que se metió en un negocio donde le engañaron y se quedó sin un real; el joven poeta, melenudo, que siempre está evadido de la realidad y no advierte nada de lo que ocurre a su alrededor; don Roberto González, el contable que tiene que pedir a cuenta «tres duros»; el señor Ramón, llegado a Madrid a principio de siglo con las botas nuevas al hombro para no estropearlas y que ha conseguido hacerse con una buena panadería; el gitanillo que canta flamenco en la acera de enfrente para ganarse unas perras y poder malvivir; Pablo Alonso, el joven apuesto, con cierto aire deportivo de moderno hombre de negocios que tiene una querida que se llama Laurita, guapa ella, hija de una portera de la calle Lagasca; Martín, Ramón y la Filo...; Paco, Elvirita y la Petrita... Así, hasta doscientos... Todos mostrándonos sus lacras, sus vicios, su mal vivir... Pocos mostrándonos la belleza de la honradez y de la virtud...

Pasemos por alto al Cela de las *Historias de España,* folleto que consta de dos partes: la de los «ciegos» y la de los «tontos», muy característico y muy personal, en el que trata cruel y sádicamente a muchos hombres que pasan por la vida —lo mismo que el propio autor— desempeñando, mejor o peor, el papel que le ha trazado el variable destino.

Pasemos por alto, también, una serie de cuentos breves, como *El gallego y su cuadrilla, Baraja de invenciones, El molino de viento, Tobogán de hambrientos y Garito de hospicianos,* muchos de los cuales entran dentro de lo que Cela llama «apunte carpetovetónico» y que define de este modo: «...pudiera ser algo así como un agridulce bosquejo, entre caricatura y aguafuerte, narrado, dibujado o pintado, de un tipo o trozo

9

de vida peculiares de un determinado mundo: lo que los geógrafos llaman, casi poéticamente, la España árida».

Esperando este Cela auténtico llevamos mucho tiempo los gustadores de la buena narativa literaria. En 1969 sorprendió a sus lectores con *San Camilo 1936,* que por su grosor y sus muchas páginas se diría que iba a ser la novela anhelada en este relato de gran alcance sobre los hechos ocurridos en España el histórico 18 de julio de 1936, junto con las jornadas que le precedieron y las que siguieron inmediatamente después.

En realidad, es el Madrid de ese 18 de julio, festividad de San Camilo, lo que llegamos a conocer a través del prisma de la pequeña burguesía y, especialmente, de su subsuelo de vicios carnales, presentes en toda la narrativa de nuestro insigne gallego.

Volvemos las hojas del libro y, una vez más, como en *La colmena,* nos encontramos con un enjambre de «personajillos», una masa «anodina», «raquítica y enclenque», que vivió los primeros días de la guerra con escaso conocimiento de lo que ocurría y menos presumiendo que iba a durar nada menos que tres años, costándole a España «un millón de muertos».

Cela, a conciencia o sin quererlo, nos hace pensar en Baroja, en el genial Baroja de la trilogía madrileña *La busca, Mala hierba* y *Aurora roja,* que es la trilogía de la «lucha por la vida» y en la que se describen el ambiente y los tipos humanos de los suburbios madrileños de la primera década del siglo xx. Nos recuerda también, ya más lejano, pero de igual intención naturalista, a Zola, con sus veinte volúmenes que reúne en su obra capital *Los Rougon-Macquart,* en la que se describen los bajos fondos del París de finales del siglo pasado.

Cela, valiéndose esta vez de un interlocutor, que bien pudiera ser él mismo, el Cela de los veinte años, describe con el realismo más crudo los lupanares del Madrid de aquellos días inmediatos a la contienda. Aquellas gentes no merecen del autor ningún miramiento humano, pues no son ni siquiera «carne de horca»; son «carne de catequesis, carne de prostíbulo, carne de cañón», soldado desconocido que está entre el público.

La impresión que producen los hechos narrados es que esta masa estólida vive la estupidez de una guerra fratricida, sin tomar conciencia de lo que ocurre en el frente de batalla; una masa que es traída y llevada de un lado para otro como un fardo, como un ser inerme y vulgar.

Cela, narrador magnífico, vuelve aquí a defraudar como hombre de mente pensadora y de clara ideología. No la tiene. Narra y describe, pero nada más. Si acaso vemos en él una ideología netamente arreligiosa, tirando a lo que antes se decía «inmoral». Tampoco tiene inconveniente en reconocerlo: «Yo no tengo lo que se dice un espíritu muy religioso»; «luchemos contra los mitos que atenazan al hombre». Y esto, aunque en el epílogo de su obra haga una ambigua llamada a la fe en las virtudes teologales, en el amor, en la vida y en la muerte.

Lo sexual, sí; lo sexual ya recobra más interés en Cela. Y que conste que no me estoy refiriendo a sus últimos libros, como *Diccionario secreto, I...,* sino a lo sexual de *San Camilo 1936,* Hoy, con los destapes y desnudos revisteros y teatrales, ya nos reímos de estas cosas. Pero en 1936, hablar como habla Cela de las casas públicas de Madrid, de sus profesionales y clientes burgueses, tenía su interés y era negocio.

A este propósito, Díaz-Plaja dejó escrito en su día que el servicio a una «estética del carácter» lleva a Cela a «aflorar en la superficie todo cuanto atañe al inframundo de lo sexual, de lo abyecto, de lo excrementicio, con una obsesión que hace pensar en una curiosa necesidad psíquica de autoafirmación, por la que el escritor exhibe su insólita capacidad de expresar lo soez, lo brutal o lo escatológico, con una reiteración que anula, fatigosamente, el impacto que el escritor parece proponerse».

Cela, por ello, «se pasa» de nuevo y hace gala de un léxico que, si bien está en la calle, no está «tan bien» en letras impresas. Hay escalas de valores y valores estéticos que merecen el respeto de la expresión no sólo propia, sino también trascrita o repetida de otros.

Por lo demás, nuestro escritor ha hecho una buena novela y una novela bien escrita. «Su riqueza de lenguaje —dice a este propósito Tomás Zamarriego—, su agilidad, su colorido, su sentido del detalle, su sensibilidad para transmitirnos las sensaciones ópticas y olfativas son extraordinarias. Hay, además, una perfecta adecuación entre lo narrado y la forma de contarlo. La yuxtaposición de los miembros de una masa, la mezcolanza de sucesos y personas, el entrecruzamiento de los acontecimientos externos y la marcha vital de los hombres, están perfectamente transmitidos por una narración en la que se suceden sin discontinuidad, con intervalos breves, hechos históricos, momentos personales, anuncios de radio o de periódicos, observaciones detallistas de olores, de insectos, de objetos».

Más tarde, en 1973, Cela, que goza y sufre escribiendo, que jamás se hace trampa a sí mismo, que escribe porque siente la absoluta necesidad de escribir y, además, porque no sabe hacer otra cosa, publica *Oficio de tinieblas 5,* una obra extraña y rara. El propio autor, en el discurso de presentación de su nuevo libro, hizo afirmaciones contundentes sobre la literatura y el oficio del escritor. Para Cela, el oficio de escritor debe destacar sobre todo por su carácter patéticamente romántico, revelador de un concepto de escritor definido a través de modelos vitalistas, un viejísimo concepto que si en el romanticismo podía resultar auténtico, hoy tiene aires pretendidamente clasistas.

Si fuéramos a poner el título completo, tendríamos que pedir primeramente excusas a nuestros lectores, porque es el siguiente: *Oficio de tinieblas 5 o novela de tesis escrita para ser cantada por un coro de enfermos como adorno de la liturgia con que se celebra el triunfo de los bienaventurados y las circunstancias de bienaventuranza que se dicen: el suplicio de Santa Teodora, el martirio de San Venancio, el destierro de San Macario, soledad de San Hugo, cuyo tránsito tuvo lugar bajo una lluvia de abyectas sonrisas de gratitud y se conmemora el día 1.º de abril.*

Esta nueva obra de Cela que, para él, no es novela, sino «la purga de su corazón», tiene una forma de construcción que le hace, como digo, rara y extraña de por sí. La misma grafía y presentación del texto ya sorprende y hace que en muchos lectores despierte curiosidad, si bien luego lo dejan porque se sale de lo común y sus páginas, sin punto aparte alguno, llegan a cansar. A través de la palabra, Cela en este libro va creando un espacio textual casi ilimitado, donde cabe la historia de la humanidad y del individuo. Algo nuevo y distinto en la narrativa española. El texto se presenta ya gráficamente, a nivel de la página, dividido en fragmentos numerados, por lo general cortos y separados por espacios blancos, a los que el autor llama «mónadas». Esta fragmentación de la escritura en mónadas desempeña una función importante en el establecimiento del circuito comunicativo con el lector ya en el primer acercamiento al texto; es decir, su percepción visual. Es así como tiene la posibilidad de producir un texto ilimitado. Cada mónada —María Fernanda de Abreu lo explica muy bien— puede ser utilizada para invocar un aspecto distinto de la «purga» que es la vida; para referirse a un nuevo purgatorio (el Hombre considerado siempre como sujeto histórico); para cambiar el tono del grito; o para insistir obsesivamente en algunos temas.

Esta técnica discursiva genera una *frecuencia* de escritura que adquiere algunas ventajas características de la poética musical. Y de este modo, en su migración a través del espacio textual, las palabras o los núcleos temáticos, al ser utilizados como *tonos,* disponen potencialmente de una gama infinita de posibilidades combinatorias, de cambios de voces, de repetición de determinados movimientos, o de sonar en un solo desgarrador.

De este modo, el *corazón* crea un espacio de comunicación sin fronteras con el lector y puede, dentro de ese espacio, «purgar» ilimitada y sucesivamente todos los aspectos de la vida desde los grotescos y escatológicos, hasta los patéticamente tiernos, en «purgas» unas veces surrealistas y otras sarcásticas o agresivas.

Todavía Cela nos ofrecerá un libro más narrativo, con *La Catira*, relato de ambiente venezolano (en Venezuela se aplica esta palabra a una especie de yuca amarga), y que surgió como encargo recibido con ocasión de pronunciar una conferencia en Caracas. Se da en este libro, otra vez, el «tremendismo» y el humor negro, resaltando sobre todo el empleo de vocablos y modismos venezolanos.

En esta novela quizá más que en otras apreciamos que Cela tiene dificultades para hacer un análisis exhaustivo de sus personajes a lo largo del desarrollo de una obra larga. Quizá por ello se ha sentido atraído, desde tiempo atrás, por los libros de viajes, en los que realmente es un maestro. En estas obras —*Del Miño al Bidasoa, Primer viaje andaluz, Viaje al Pirineo de Lérida, Judíos, moros y cristianos, Viaje a la Alcarria*— Cela se nos presenta como un «vagabundo» por los caminos de España, «viajero» con su mochila y su bastón y su cuaderno de notas por las distintas regiones de nuestra patria.

El propio Cela asegura que ha intentado recorrer y tomar el pulso, paso a paso, con lentitud de enamorado caminante, cual otro Azorín, las tierras de España; si bien también pudiera ocurrir que tales «viajes» hayan constituido el pretexto para escribir un libro nuevo y lanzarlo rápidamente al mundo del éxito y de la fama.

De cuantos he leído, en este género suyos, *Viaje a la Alcarria* es el más jugoso y espontáneo de todos; el más cordial y acertado. *Judíos, moros y cristianos,* con haberme gustado mucho, por haber nacido en esas tierras que describe «paso a paso», es sin duda más flojo que el anterior. Cela se justifica diciendo que «los datos se olvidan con facilidad y, además, están apuntados en multitud de libros. Lo que el vagabundo imagina que podrá valer de algo al caminante de Castilla la Vieja es que le sirva, en vez del dato, el color; en lugar de la cita, el sabor; y a cambio de la ficha, el olor del país: de su cielo, de su tierra, de sus hombres y sus mujeres...».

Lo malo es que luego nos abrumará con esos datos que se olvidan pronto y en tal densidad, que no hay cristiano —ni moro ni judío— que los aguante.

Y este es nuestro flamante académico de la Lengua, el doctor «honoris causa» en la Universidad de Georgetown, el director de la revista «Papeles de Son Armandans» de Palma de Mallorca, que de joven intentó hacer carrera universitaria y no terminó ninguna. Tal vez podríamos decir que, al carecer su obra de personajes centrales, se ha reservado ese puesto para sí mismo. Porque esto es cierto: «la creación más afortunada que Cela ha conseguido a lo largo de sus escritos es la leyenda y la realidad de su propia persona; el único personaje verdadero trazado por su pluma es él».

Nadie le va a discutir, a estas alturas, ninguno de sus méritos por la riqueza de su léxico, por la propiedad y precisión con que emplea los adjetivos, por el dominio de la palabra, por la fuerza y expresividad de su lenguaje, por su intención y mordacidad, por su agudeza, en fin, y por su ingenio. Pero es tan petulante y desprecia tan olímpicamente cualquier opinión de los demás, que al crítico más benévolo se le hace antipático.

Los admiradores a ultranza le hacen más daño que beneficio. Un escritor nunca debe sentirse satisfecho por la obra conseguida; sino que, a pesar de los aplausos, debe pensar que está siempre comenzando en la línea de superación. Cela, que como escritor es indiscutible, como novelista sigue debiéndonos todavía esa obra que le confiere la supremacía que tan gallardamente se irroga. La puede dar, sin duda; pero tendrá que esforzarse muy mucho después de sus últimas aventuras, medio eróticas, medio picarescas, y después de esos repetidos libros de viajes que, con todas sus excelencias, producen el efecto de algo así como los «clowns» que salen para hacer tiempo mientras los números bomba del programa saltan a la pista.

MANUEL HALCON

Novelista de señorío y de raza

Una vez leímos en un gran rotativo madrileño que hoy día se hablaba mucho de la cultura andaluza. Y señalaba como matiz característico de la misma, entre otros, «un enorme potencial dormido y, como consecuencia, una entrañable unión con la Naturaleza. Andalucía es un gigantesco tesoro de inteligencia descansada, escribió José Nogales, uno de los muchos grandes escritores andaluces que nadie conoce. Porque, eso sí, la inteligencia descansada tiende a enroscarse en sí misma. Despeñaperros existe literariamente, y siempre han vivido en Sevilla escritores dedicados a escribir sólo de Sevilla, con una dulce, conmovedora, heroica tozudez.

Probablemente, esta quietud, este acopio de fuerzas, el ocio, el neoclasicismo andaluz, nos traen como regalo el goce, la comprensión de la Naturaleza. El ambiente solo envuelve totalmente a los que están quietos. Los andaluces sentimos en los poros el perfume, el peso, la densidad del aire como almíbar, y procuramos hacer los menores movimientos para no espantar la delicia. «La vida aquí no se vive, se respira», dijo Montherlant, de seguro una mañana de invierno, a caballo por el Aljarafe, el olor de las habas florecidas, el aire suave y transparente como un caramelo de menta. «El silbo delgado del aire fresco», apostillaba don Juan Valera en Cabra. En el fondo, toda la cultura andaluza lleva el peso de esta belleza a las espaldas. Quizá sea un castigo en nuestro tiempo, donde todos procuramos andar lo más limpios de equipaje, por si acaso; pero también es, sin duda, un privilegio, una distinción. Yo pienso en los dos últimos libros leídos con el aroma sólido colgado de las páginas: el libro de Anne Marie Cirié, donde Sevilla es como un embrujamiento enervante, y el libro de la duquesa de Medina Sidonia, donde oímos, de contrapunto a los poemas, un contrapunto de obsesión, el chasquido de las viejas palmeras de Sanlúcar batidas por el viento».

El articulista, que no es otro que José de las Cuevas, pasaba luego a fijarse más detenidamente en un andaluz, al que Pemán ha llamado «escritor aparte», y uno de los hombres más notables de la novelística contemporánea.

Manuel Halcón, en cuanto puede —lo ha dicho él mismo—, viene a Sevilla, a su campo, exactamente como su personaje Jesús. Enternece, verbigracia, los detalles mínimos de cómo Jesús monta en su caballo.

Los andaluces no pueden vivir sin el campo. Lo necesitan para reconstruirse... Pero ¡cuidado!, un campo como propiedad, una tierra como la de Lebrija, sin remilgos, sin concesiones, paridora, negra, antiquísima, «hecha bizcocho» por las cuchillas del tractor. Esta tierra clásica domina, trasmina los libros más cuidados, más «snobs». En *Los Dueñas,* el olivar de Fuente Lozana puede con Suiza. En el *Monólogo de una mujer fría,* «Los Gamitos» tienen tanta vida como Anita. En el último capítulo, los dos protagonistas han cerrado la puerta del cortijo. Pero fuera queda el «insumiso y hondo calor del campo». Nadie que no fuera andaluz, amén de un gran escritor de raza, podría haber dado la siguiente impresión del verano en el campo: «El campo abierto, la casa traspasada por corrientes ondulantes; el aire caldeado. Los pájaros dándose el pico y cantando que se las pelan en las ramas, en las vigas, en los mechinales...», desde luego, no se puede escribir mejor. Se cierran los ojos y sentimos la lámina de oro del verano en la sangre».

El estilo de Halcón es un estilo de señorío y de raza, un estilo absolutamente andaluz, honrado trabajador, de hombre sin prisas y, por tanto, conciso, elegante, con ritmo, y, por encima, y de cuando en cuando, una leve caricia, una pincelada agudísima para alegrarlo, para entonarlo. «En nuestro mundo de prosas apresuradas, de escritores que tijeretean su prosa a propósito para parecer nerviosos, la belleza clásica o andaluza, como queráis, del estilo de Manolo Halcón, es un hermoso regalo de Dios.

Por si fuera poco, como en toda novela magistral, Manuel Halcón crea la mujer y el mundo donde nada, la gacela y su paisaje. Un mundo fascinante, la verdad, por mucho que nos sintamos cercanos a las novelas de los buscadores de carbón...».

Julio Trenas nos dirá a este propósito que Halcón es escritor de prestigio reconocido, pluma actual y bien cortada, que practica el señorío más difícil de todos: el señorío artístico. Apartado de clanes y tertulias, seguro de sí mismo, Manuel Halcón nos da, de tiempo en tiempo, un nuevo libro. No es su caso el del creador que se obliga a sí mismo a producir periódicamente un título, resultado de volcadas horas de trabajo sobre las cuartillas y en muchas de las cuales estuviera ausente la inspiración. Halcón escribe cuando los personajes de sus obras, permanentes acompañantes íntimos, le obligan al alumbramiento literario.

Manuel Halcón es un hombre maduro. Conoció ya los avatares de la guerra civil española. Por lo que, aunque los mejores libros los haya escrito en la postguerra, no debe considerársele como perteneciente a esta generación.

Sin embargo, por su órbita literaria, puede andar perfectamente emparejado con los escritores de última hora.

Hay otro aspecto que, aparte la edad, le separa de los otros escritores a quienes acompaña cronológicamente en la gestación de sus libros, y es el haber estado al margen —con señorío entre ascético y displicentemente aristocrático— de todo el alboroto de premios, descubrimientos más o menos sensacionales y rivalidades de grupo, en el que —como en remolino inmisericorde— emergen y naufragan autores cada día.

Halcón, que escribe siempre sin prisas, que no es escritor profesional, que ha manejado siempre la pluma con parsimonia es, más bien, un humanista con curiosidad apuntada hacia todos los rumbos: el periodismo, la crónica, el ensayo, la biografía, el cuento y el relato novelesco. Y, como dice muy bien Juan Luis Alborg, no sabríamos decir, sin mucho pensar, hacia dónde ha disparado con mayor tino.

Este crítico literario nos dice que Halcón ha venido escribiendo aparte y sin prisa... Y la razón que apunta parece ser que «porque no tiene necesidad de dinero».

Esto mismo creemos que ocurre con otro gran señor y no menos gran escritor, que es Torcuato Luca de Tena.

Es muy probable que con la necesidad de publicar que empuja a muchos de sus colegas, Halcón tendría más libros en su haber; que no son demasiados habida cuenta del tiempo que lleva en ristre la pluma. Pero quizá también —continúa diciendo Alborg— no sean «suyos» de verdad, sino los libros que ha dado, y bien están en el limbo los demás.

Al escritor andaluz se le conocía ya por algunos libros de la calidad de *La gran borrachera* y *Recuerdos de Fernando Villalón*. Pero fue a partir de 1960 cuando consiguió el «Premio Nacional de Literatura» con su ya conocida y célebre novela *Monólogo de una mujer fría,* de la cual ya escribimos en otro lugar, y con la cual reactualizó su figura como autor de novelas.

Con este último libro citado, Halcón supo crear una mujer real e ideal —Anita Peñalver—; una mujer que pestañea y tiembla y vive. No parece sino que el gran andaluz tuviera un sexto sentido para descubrirnos el misterio femenino, propiedad de aquellos escritores que saben esperar y acechar «con paciencia felina».

Anita Peñalver está estudiada con lupa, y vista en gestos minúsculos, en esguinces: cómo fuma, cómo ordena las flores, cómo se alisa el pelo, se mira la arruga del cuello en el espejo. De este modo nos dio una de las mujeres más vivas y palpitantes que tenemos en nuestra literatura. Una mujer que todos conocemos a mitad de las páginas; una mujer que todos describimos desde la sonrisa a la manera de andar; una mujer españolísima que no tiene un solo punto de coincidencia con la nínfula de Nabokov, las amoralizadas muchachas de Françoise Sagan o las aventureras con complejo de Moravia. Produce bienestar —escribe ahora Julio Trenas— y sosiego contrastar el hecho literario de una mujer rotundamente mujer entre tanto tipo femenino sofisticado. Anita no se parece a nadie, como tampoco se parece a nadie, en lo literario, el novelista que le diera vida. De encontrar alguna antecedencia a Halcón como novelista, yo señalaría la de don Juan Valera, como éste, conocedor de la vida social de su tiempo, la que pinta con trazos precisos y magistrales.

Este Julio Trenas, en una conversación con el novelista, le arrancó la siguiente confesión respecto de las diferencias que existían entre sus primeros libros —*El hombre que espera*— y los que han seguido después de 1960: «¿diferencias...? Si acaso, la malicia en el estilo, en la manera de explicarse. El grano maduro de la experiencia. La edad. He tenido una línea muy seguida en cuanto a la manera de mirar a los personajes. En esto fui siempre igual. Puede decirse que aquí radica lo más obstinado de mi estilo. Quizá con el tiempo se haya acentuado más el sentido humorístico. Mi vida se baña en humor. Incluso cuando me enfado, el humor no me abandona del todo, no se asusta de mí. Ese inmenso bien le debo».

«Hoy me doy cuenta —sigue confesándose el escritor—, de que, al principio, como a lo largo de toda mi vida, todo ha sido cuestión de imán literario. Para dar con el libro antiguo en el estante de un librero, como para vender un mulo de desecho, como para darle veinte años de vida a un semanario. El imán literario ha sido el arma a mi servicio..., la brújula».

En esto decía mucha verdad. Ya un crítico de la talla del llorado M. Fernández Almagro nos dijo que con ser tan copiosa como variada (sinceramente, creemos que no sea tan copiosa) la obra de Manuel Halcón, todos los libros que la integran se pueden reducir a la unidad, entre otras razones, y aparte la primordial del estilo, por el siempre bien conseguido ambiente, respirado en *Recuerdos de Fernando Villalón,* exquisito cuadro de época, muy en su lugar: evocación de un poeta típicamente arraigado en la tradición campera y literaria de la Andalucía Baja, así como en *Aventuras de Juan Lucas,* novelado romance serraniego, y, por distintas razones, temáticas en *Los Dueñas,* donde adquieren plástica expresión, por hábil juego de lo dramático, lo satírico y lo pintoresco, próceres formas de vida, en trance de ser amortizadas.

Por lo que al persona central de *Monólogo de una mujer fría* se refiere, decía este mismo escritor: «Mujer muy mujer es esta Anita Peñalver, viuda que no vincula a su marido, siempre no más que respetado, recuerdo alguno de amor, y que descubre ese amor inédito cuando le llega la hora de caer... en blando, como nos adelanta el autor en inciso prefacio».

Y con Anita, Jesús, su personaje preferido. Porque «si Anita es la dueña de este libro, el verdadero protagonista es Jesús». Este personaje que ya nos era conocido por *Los Dueñas*. Jesús, galante, y señor hasta en el libro, haciéndose atrás para dejar paso a la mujer que llena con su fuerza femenina, humanística, con su buen dibujado carácter sus páginas. Jesús, que tiene un papel discreto, pero —a juicio de su autor— «de incesante actividad». Jesús, «hombre raro,» de misterioso atractivo que paradójicamente puede costearse el que lo tiene todo.

F. Almagro quiso reconocer al autor —«más que a Anita misma»— en varios capítulos de la obra, en los que nos lleva al campo y nos hace estremecer, juntamente con él, por un profundo sentimiento de la naturaleza.

Juan Luis Alborg sospecha que, tanto en *Los Dueñas,* como en el *Monólogo...*, hay un fondo de autobiografía: no en detalles concretos, pero sí en las grandes líneas de la narración.

En *Los Dueñas* suceden muchas cosas, quizá demasiadas para un libro reducido. En esta novela se recogen sucesos de una triple generación y peripecias múltiples en gran diversidad de escenarios (lo que es mucho equipaje para maleta tan exigua).

El análisis que hace de Sevilla y de la sociedad sevillana es perfecto y prodigioso. El autor aquí, lo mismo que en el *Monólogo...* conoce bien el terreno que pisa. Como que lo ha vivido personalmente y muchas horas. Los ataques, las fintas, los retrocesos, la defensa helada e irónica de las posiciones conquistadas han sido estudiadas —dice De las Cuevas— con precisión de vicesector.

Perfecto, asimismo, el ambiente y pulso de la ciudad sevillana, entre cuyas estampas cabe destacar la descripción que hace de la plaza de toros con la institución de los maestrantes.

Podríamos pensar que Halcón es el escritor aristocrático y de la aristocracia. De hecho, está metido de lleno en ella y así la analiza y critica con una sinceridad y autenticidad formidables. «Halcón retrata el mundo que conoce y en el que vive, y en esto no sólo llena a la perfección sus funciones de novelista, sino que, como hombre, es inatacablemente sincero. Lo que siempre hemos creído inaceptable, por el contrario, es la hipocresía de quienes, viviendo, a lo mejor, sin problemas y disfrutando de todas las ventajas de las clases acomodadas, escriben novelas de las clases bajas, no sé si por seguir lo que es exigencia y necesidad de los tiempos —pero algo de moda también—, o por cubrirse las espaldas pegando en un lado los gritos —como decía el poeta de la pampa— y poniendo en otro los huevos».

«Halcón pinta a las gentes que le son familiares y, en consecuencia, las describe muy bien: esto es lo que importa. Claro que al enfrentarnos con las páginas del *Monólogo* y un poco también con las de *Los Dueñas,* parece que nos hallamos a veces en un mundo distante y anacrónico, echamos de menos algo —o un mucho quizá— de la problemática social y vital de nuestros días; nos choca, a quienes la lucha por la vida nos enfrenta con otras realidades, la presencia de unas gentes que tratan de millones como de reales, y que tienen tiempo sobrado para consumirlo sutilizando sentimientos y cultivando su amor como una flor preciosa. Nos asombra, casi tanto como nos irrita, un mundo donde no parecen existir más gentes sin fortuna que los criados indispensables para servir a estos señores. Pero es una realidad que existe un mundo así; y el novelista lo describe sin hacerse demasiada cuestión de él».

Toda la obra de Halcón se halla empapada de dos amores que no puede ocultar: un amor, mejor diríamos, un sentido reverencial por el dinero, y un amor al campo.

El sentido de la riqueza que se advierte en la obra del andaluz no es el de la avaricia y ambición desbordadas; sino el reconocimiento, real y objetivo, de la importancia que tiene el dinero en la vida de los hombres. En lo cual todos, pobres y ricos, tenemos que convenir. A no ser que seamos unos hipócritas.

Alborg nos ha dado, en este aspecto, una imagen bellísima y de acuerdo con la ideología del escritor y novelista que nos ocupa: «Diríase que el novelista lo estima en el mismo sentido que a la semilla del cereal, porque sin ella no hay cosecha, que es tanto la gracia como la bendición del campo. Es el suyo un amor a la riqueza como fuerza motriz de la vida, y estimarla con este realista y sano sentido es como amar los frutos de que nos nutrimos o la fuerza o el calor del sol. Y así es como en toda su obra se siente palpitar este poder natural, casi telúrico, del dinero fecundo».

Y junto a este amor, su amor al campo y por las cosas del campo: las plantas, los animales, los elementos de la naturaleza... Un amor al campo menos lírico que humanamente goloso de su natural fecundidad. Porque lo que enamora a Halcón de la tierra «es verla parir con ojos de propietario: que él lo es. Pero sin codicias groseras. Sucede que hasta su goce lírico se instala no en la estática admiración, sino en el goce activo de su fuerza que es capaz de engendrar. Todo refleja la mirada y el tacto del dueño que mira a la par el provecho y la belleza; o, para ser más exactos, la misma belleza del provecho. «Era tan bello el paisaje —dice en una de sus narraciones— como importante la misión de aquellos montes, reteniendo el agua del embalse en la que se endulza toda la acritud legendaria de Sierra Morena».

Halcón nos resulta, así, un poco hedonista y un hombre de un utilitarismo sano y fecundo que, bien encauzado, puede ser necesario y provechoso a la sociedad.

La gran borrachera es otra de las novelas ambiciosas de Manuel Halcón, tan considerable en originalidad y bellezas parciales, como en notables defectos que debieran haberse evitado.

Otra vez el hombre andaluz y el tema y el campo andaluces. Otra vez el señorío andaluz, con todos los vicios de su casta y con el valor positivo de su gran sentimiento religioso, tan próximo al fanatismo y a la superstición, como se manifiesta en la Semana Grande andaluza.

Será Alvaro «el señorito sinvergüenza y religioso a la vez», muy típico, como se ve, de Andalucía, que, terminada la guerra civil y casado como está con Mercedes —una mujer de la que está enamorado Carlos, antagonista del primero— decide meterse en la Cartuja.

Y va pidiendo limosna por las plazas y calles y casas para poder reconstruirla. Pero pronto se da cuenta de que está equivocado, y regresa a casa para convertirse en esposo modelo.

Hasta aquí sería bella la novela y bien llevada por el tema y el estilo. Pero resulta que luego se nos convierte en folletín por arte de ese Carlos que, para vengarse de los desdenes de Mercedes, decide matar a Alvaro; pero se equivoca matando al ratero que minutos antes de la fiesta de sociedad lo había robado y vestido de su pobre sayal.

Para remate del folletín, unos hombres ocultos en la bodega, acusados injustamente de asesinato de un militar —éste galanteador también de Mercedes—, ven desde su escondite cómo Carlos oculta el cadáver del infeliz ratero.

Naturalmente, las cosas se ponen en claro y Carlos será autor de entrambos crímenes, pues resulta que el cadáver del militar está precisamente en aquella misma bodega.

Mucho mejores son los libros *Recuerdos de Fernando Villalón* y *Aventuras de Juan Lucas.*

El primero es una biografía del primo de Halcón, poeta de la Andalucía Baja y ganadero de toros bravos»; el mismo Fernando Villalón que en su libro de poemas *Andalucía Baja,* le había puesto esta sencilla dedicatoria que sonaba entonces —1927— a profecía, y que ahora se ha cumplido plenamente: «A Manolo Halcón Villalón-Daoíz, *el hombre que espera Sevilla* para que la redima de su incomprensible esterilidad en los campos de la novela. Su primo que lo quiere, admira y convencidamente lo «espera»...».

Pero no se trata de una simple biografía. Es más bien una evocación apasionada «de un hombre y su mundo circundante, de un ambiente, de una naturaleza, de unos personajes que llevaba el escritor en su alma y que ha volcado con sencillez desnuda y elemental. Como los tenía tan prendidos a sí y estaba tan seguro de su latido, los ha echado a vivir de un soplo afortunado. Creo que la figura de Fernando Villalón está a bastantes codos sobre muchos de los personajes creados por Halcón y, para nuestro gusto, ningún otro libro suyo le gana en interés...

Cuando se acerca al campo y nos habla de él, y se ocupa de los caballos de Fernando así como de sus cualidades de jinete, o de los toros de su ganadería, que eran su pasión, el escritor logra las páginas más bellas...

Las aventuras de Juan Lucas son recuerdos de una vida patriótica de los días negros, angustiosos y a la vez heroicos y gloriosos de España cuando fuera invadida por las tropas francesas y comenzaran a sufrir su primera derrota en Bailén.

Por esto puede considerarse el libro como una verdadera novela histórica, que nos hace pensar en seguida en los *Episodios* de Galdós, sin que queramos decir con ello que se le parezcan.

Un libro bello que nos trae la añoranza de aquellos días y de aquellas gentes y de aquel folklore que deja de ser barato para convertirse en arte de calidad gracias al arte literario y a la galanura de lenguaje y al primor de estilo que hay en Manuel Halcón.

El último de los libros que hemos leído de este escritor, el que fue esperado y devorado con avidez por los lectores de *Monólogo...* se titula *Desnudo pudor.*

Cuando apareció esta novela —1964— volvieron los críticos a ocuparse de Halcón y de su obra. Y se prodigaron las alabanzas; pero, para nuestro gusto, no tan merecidas como en el caso de *Monólogo...*

M. Fernández Almagro nos diría de *Desnudo pudor* que es de mayor complejidad y riqueza de elementos y matices que su anterior libro. Ella nos ofrece un quebrado panorama, ya que se conjugan toda suerte de planos: el psicológico, en primer término; el narrativo, el ambiental, el poético, e incluso el social; tanto por las formas de vida o costumbres que en la novela se reflejan, como por la vinculación de temas y tipos a la malagueña Costa del Sol, razón de todo lo demás.

Julio Trenas, citado ya en estas páginas, escribió entonces: «Halcón asombra a cada nueva obra suya con una frescura creacional rotunda y en quien, junto con el poder de fabulación, que es uno de sus grandes méritos, resplandece una modernidad de estilo tan resuelta y al día que sorprende y gana al lector, hablándole, con tono e impulso de su tiempo, de cosas que están a su alrededor, vivas y pungentes».

Y el gran escritor y publicista que es Carlos Luis Alvarez dirá: «La conformación o estructura mental que ha producido esta novela, y que produjo, también, el célebre *Monólogo de una mujer fría,* me atrae con fuerza desusada. Halcón es antropocéntrico, pero con la novedad cristiana, si se me permite esa fórmula paradojal, de que reconoce a la felicidad del hombre un límite claro: la felicidad de los demás.

A la trágica sentencia camusiana que dice que los hombres mueren y no son felices, Halcón opone, en nuestro parecer, otra más hermosa: los hombres viven y pueden alcanzar la felicidad. Y es curioso que mientras Camus simboliza en el sol (recordemos la escena en la playa, entre Mersault y el árabe, en *El extranjero)* la agresividad de los valores objetivos hacia el hombre (y en esa breve explicación, aparentemente absurda, va todo Camus, todo Kafka y todo Faulkner), Halcón da al sol un poder benéfico y alegre, porque permite que el hombre vea más claramente al hombre. La felicidad es posible sobre la tierra y el sol es bueno».

La acción está situada en la Costa del Sol, uno de cuyos más destacados pioneros será Mauro Osuna, protagonista de la obra.

Un trozo de plaza de esta maravillosa costa, cuando está sin explotar, podría parecerse a un paraíso inocente. Y aquí es donde parece que nos quiere llevar, con su fantasía meridional, Manuel Halcón.

Pero resulta que dicho paraíso va a perder pronto su inocencia para proporcionar al hombre bajo —el de los sentidos y pasiones— un vasto repertorio de goces. «En ese paraíso el semidesnudo es exhibición natural, y precisamente por eso el pudor no tiene prisa por manifestarse. Dijérase que espera su momento y es Elisa, mujer maravillosa, de concentrada inteligencia, grácil flor de privilegiado clima, quien hace percibir a Mauro, financiero y galanteador, la avasalladora seducción de la belleza física por singulares razones de púdico desnudo».

Desnudo pudor es una sátira brillante, divertida, humorística, nunca dura, a veces atrevida rayando con la inmoralidad, de la sociedad, ya no sólo andaluza, sino española y de tierra adentro, que se encuentra temporalmente en medio de un ambiente internacional, a la que, según frase del autor, la pesa la ropa y el dinero a juzgar por la prisa que tienen en quitársela y en gastarlo. Una sociedad que en medio de sus libertades, excentricidades y vicios, permite un punto de meditación... Al final, bien pensadas las cosas, parece que tiene razón aquella dama cuando dice que «no todo en la Costa está perdido».

No todo, pero sí casi todo. Porque el ambiente que se respira es de franca inmoralidad, aunque esa inmoralidad se encubra con dinero, fiestas, oscuridades, educación de clase, buenas maneras y hasta sus puntitos de religión...

Los personajes que desfilan por *Desnudo pudor* son magníficos; lo mismo que en libros anteriores.

Mauro, el citado Mauro Osuna, el joven emprendedor que rompe con la teoría de sus ascendientes que no es otra que el «no hacer»; un hombre que reina «con su dorada soltería» entre el elemento femenino desenvuelto de la Costa del Sol; un hombre que cae terrible y tremendamente enamorado, como jamás lo estuvo, de una mujer espiritual, mundana por obligación, bellísima por naturaleza, estricta por principio y, por añadidura, casada con su mejor amigo.

Mauro, tan distinto de su padre, el conservador, el que no puede por menos de rendirse a la evidencia de que su hijo vale mucho más que él, y que es mucho más práctico y más activo; más sincero también y también más independiente.

Mauro, un tanto engreído, que todo lo da por sabido, a pesar de hallarse en continuo plan de descubrimiento; Mauro, intuitivo y experimentado, que aprende en el libro abierto de la vida: en el libro que, si está cerrado, él acertará a abrirlo de nuevo; Mauro, el hombre que se da cuenta de que la gente necesita del sol porque la tierra, el planeta, se enfría, y las playas de arena de la península es la zona por la que enloquecerán los pueblos del Norte. Esto se lo debemos a una moda: al nudismo. «La gente quiere desnudarse —le dice a su padre— y esto sólo puede hacerse bajo el sol. Sólo en nuestra cuenca, bajo un sol que seca y tuesta. La gente ha descubierto que el tostado es el único traje que admite el desnudo...».

Mauro piensa, así, que aquella finca grande, heredada, pero pobre, esas tierras de «La Luz» van a ser la base de su negocio. El lo revalorizará todo, puesto que está en el corazón de la Costa del Sol. El será el pionero de la Costa del Sol.

Y, efectivamente, catorce años después, en la dehesa de «La Luz» surgió una ciudad satélite; tan bullente en su vida propia que en otros diez años podrá convertirse en cabeza de comarca.

Y el zahorí que lo vio claro fue este Mauro Osuna, especie de «don Juan» de los tiempos nuevos y de las nuevas modas sociales.

Mauro no es egoísta. Sabe agradecer lo que debe a sus padres: «más que dinero y bienestar, que nunca me dieron con la abundancia deseada, mi carácter abierto, la inteligencia suficiente para usar de él, el buen humor y la salud. Y un físico que no repugna a las mujeres y me sostiene en el deporte».

Pero no es feliz porque se ha hecho un lío en el amor desde que se ha enamorado perdidamente de una mujer tan bella como Elisa, mujer de su socio y amigo. ¡Ah, el paraíso este de la Costa del Sol, colmado de manzanas y de Evas propicias y de Adanes dispuestos a no perder ocasión...!

Y junto a Mauro, Elisa, la mujer adorada y bella; admirada y no tan querida por la alta sociedad; la mujer exquisita y religiosa, casada, contra su voluntad y por capricho de su madre Maruja —otra mujer que también tuvo que ver algo con el galán— con José, «José Juárez del Valle», el hombre «cilindro», siempre metido entre papeles, calculador, ambicioso, poco simpático en sociedad, profundamente enamorado de su mujer que no le corresponde, el cual terminará por echarse de amante a la secretaria más bonita de todas cuantas tiene en su oficina.

Junto a estos personajes centrales, esa sociedad que bulle, que consume sus días veraniegos en brillantes fiestas y en cenas caras, en infidelidades, en flirteos atrevidos, en juegos prohibidos, y hasta en negocios de drogas, si bien esta última ocupación la reservará el autor para extranjeros que han venido a la costa buscando el sol de España.

Personajes que van, naturalmente, por su lado, con el alegre bagaje de sus peripecias de playa, bar, sala de fiestas y alcoba, con física alegría y moral despreocupación; por lo menos, con moral subyacente, que alumbra a trechos, solamente a trechos y muy de tarde en tarde.

El amor parece llenarlo todo. Es algo así como el sol de estas playas. Pero lo mismo que acontece con el primero, que se oculta, y nos deja a oscuras y sin calor, y hasta, pasados unos meses, nos dará la espalda para marchar a calentar otras playas y otros lugares, lo mismo acontece con este amor que tiene poco de cristiano y sí bastante de infiel e inmoral.

La mejor lección moral parece que quiere correr por cuenta de los dos protagonistas principales: Mauro, que ha estado a punto de suicidarse llevado de aquel amor imposible, y que, reflexionando sobre sí mismo, vuelve a una lúcida y generosa espiritualidad. Y ha de ser en contacto con la desgracia ajena como se redime. Elisa, que no pierde nunca la cabeza, aunque su corazón está con Mauro y no con José. Ella no puede, ni debe tener un amante. Al mismo tiempo, rechaza la anulación de su matrimonio, según le indica su madre Maruja, que en esto la puede ayudar mucho, pues ella fue la causante de aquella boda...

Al final, se encuentran de nuevo los dos. ¿Conseguirán lo que les pide su corazón?... Eso ya no nos lo dice Halcón. Y es mejor que termine aquí la novela.

TORCUATO LUCA DE TENA

El novelista del doble paisaje: el interior del hombre, y el exterior de la geografía española

«EDAD PROHIBIDA» O LA FASE MAS DURA Y DIFICIL DE LA VIDA

Al bueno de Anastasio y al grupo de amigos y amigas les faltó fuelle. La frase se nos escapó al tiempo de terminar la lectura de *Edad prohibida,* magistral novela del Premio Nacional de Literatura, don Torcuato Luca de Tena.

Se trata de una obra escrita contra la corriente moderna, desmelenada y tremendista. Porque *Edad prohibida* es un libro clásico y moderno. Un libro bello, artístico, que sabe presentarnos el lado feo de las cosas y de la vida humana con una pureza de estilo y una elegancia de dicción que deseamos para otras muchas obras literarias últimamente premiadas.

Y eso, porque creemos con el prologuista de *Edad prohibida* que «es más difícil novelar huyendo del «feísmo», que sumergiéndose en él. Precisamente porque la categoría estética dominante no es la de la belleza, sino la de lo interesante, más los subterráneos que los alcázares de la personalidad. No siempre ha de ser así, no siempre será así. Una nueva forma de belleza espera, impaciente, escritores de raza que se atrevan a buscar inéditas veredas. También fatiga mucho la insistencia machacona de la geografía de lo subterráneo. Un poco de viento fresco, de aire puro, no está mal. La vida no es sólo triste y tediosa, sino abierta y generosa».

Don Torcuato Luca de Tena ha escrito su obra, tal vez la más completa, y sin duda la mejor de cuantas ha escrito, en un estilo que nos convence desde sus primeras páginas. Es la más ambiciosa de todas; y la de más ritmo, la de más sosegada tensión. «Las dotes de observación, el estudio de los personajes, la brillantez del estilo hacen de esta obra una novela ejemplar... Toda ella está tocada de un punto de ironía, que a la postre es la vertiente oculta de la ternura».

Pero, además de esto, como nos dirá el doctor López Ibor, *Edad prohibida* ha sido escrita «con cuidado, con mimo, con morosidad. Cada frase alude a una experiencia, real o imaginaria, pero entrañable... Es una novela diáfana en torno a un problema misterioso. Esa es su fuerza y su debilidad. La diafanidad de la novela alcanza al lenguaje: plástico, tremendamente plástico en el descubrimiento del mar, o de la mujer prostituida, o del amor ideal, o de la muerte del amigo; es decir, de todas las primeras experiencias que constituyen la adolescencia.

Seguramente que sin pretenderlo, Luca de Tena se muestra a lo largo del libro un gran sicólogo y fino observador de esa edad tan difícil, de la *adolescencia,* cuando los chicos han dejado de ser niños, y no aciertan a ser hombres todavía.

Hoy se escribe mucho sobre estos temas. Tal vez se escriba demasiado. Y en ocasiones, sin medir el alcance de las palabras impresas. Conviene, es verdad, que los chicos y las chicas sepan a su debido tiempo los orígenes de la vida y las leyes fundamentales por que se rige; pero resulta peligroso presentar páginas tan plásticas y tan al rojo vivo que, sin que digan nada a los mayores, dicen demasiado a los pequeños. De tal manera, que, escribiéndose un libro para las muchachas (un caso sería el folleto tan divulgado *Abranos la verdad),* lo han comprado o leído miles de chicos, a los que aún falta mucho tiempo para el primer rasurado.

Edad prohibida pudiera ser escabrosa también en este sentido. Por lo que, moralmente considerada, es más de utilidad y provecho para los mayores, que para los mismos adolescentes, de quienes trata, y cuyos personajes son unos muchachos: Anastasio, Enrique y Celia; Maribel, Javier y Andrés; Leopoldo, Adolfo, Ana Rosa y Charito.

¡Qué gran lección la de estos pequeños personajes: Anastasio, Enrique y Celia! Ninguno de los tres acertó plenamente en su vida.

Anastasio se quedó corto, por culpa de su madre, y suya también. Enrique se pasó, terminando en una cárcel. Y Celia, una chica bonita, con encantos físicos y morales, cometió en su vida la torpeza de tantas otras: siguiendo su capricho y vanidad, se equivocó en la elección del hombre que más le convenía.

Enrique es el prototipo del muchacho que trata de imponerse por la fuerza bruta a toda la cuadrilla de amigos y que, sin embargo, en el fondo se reconoce cobarde. Su amigo Leopoldo acertó plenamente, viéndole un día en que se encontraban todos de boda:

—«¡Hay que ver —dijo— el éxito que da en España tener fama de golfo!».

Hombres muy arrogantes...; pero luego, nada. «Sé sincero, Enrique —se decía a sí mismo—, aunque te fastidie oírlo, ¡tienes razón! ¿O acaso te crees capaz de hacer algo que merezca la pena?».

Trata de engañarse, y no lo consigue. Cuando ya está en la cárcel por el crimen horroroso que ha cometido, habla consigo mismo: «¿Por qué quiero yo ver el campo, eh? ¿Para qué voy a querer... ¡Bobadas!

¿Tengo yo motivos para estar triste? ¡No, padre! ¿Me ha salido algo mal en la vida? ¡No, padre! ¿He hecho siempre lo que me salía de las narices? ¡Sí, padre! ¡Pues entonces!».

Pero Enrique es cobarde. Le fastidia el estudio. Le fastidia su porvenir. Le fastidia su propia madre. Le fastidia todo. Por eso busca en su vida «sensaciones fuertes y extrañamente nuevas». Y como estas sensaciones no se encuentran en el cotidiano vivir, rompe con la monotonía del colegio, de la casa, de la cuadrilla, de las mismas muchachas que le admiran —y más que ninguna Celia, que termina por quererlo de verdad— por lo chicarrón, por lo fuerte y lo extraño que es, con su ribetes de artista, ya que pinta y toca la armónica de maravilla.

Enrique no quería enfrentarse con los problemas que presenta la vida. Huía del monólogo consigo mismo cuando se ponía serio el ambiente. No quería saber nada de cosas importantes.

—Nada de cosas importantes —dice a los amigos—. Juguemos a cosas sin importancia, que es lo bueno.

La vida —pensaba cobardemente— se vive una vez. Y es un crimen desperdiciar la juventud quemándose las cejas entre los libros.

Enrique es así un personaje auténtico, de una implacable realidad. «Incluso —escribe el gran siquiatra arriba citado— en esa reacción final, orgullosa y distante, cuando la vida le aprisiona y le demuestra que no se puede jugar con ella.

Pero si Enrique es un personaje auténtico y real, no lo es menos *Anastasio*. Ese hombre bueno, en quien se ceba la desgracia, fusilado su padre en Madrid, su madre en zona roja, teniendo que vivir con unos tíos de ésta, tan viejos y gruñones, que hacen termine por no quererlos.

Anastasio tiene un gran complejo. Se avergüenza, ya mayorcito, hasta de su pantalón bombacho, porque no puede llevar otro, y de su camisa sin planchar. Es una desgracia; pero el chico, apreciado en el colegio, podía haber hecho carrera. Justamente lo que esperaba Celia, una vez que ésta rompió con Enrique, que no quería estudiar. Anastasio pudo llegar, porque tenía talento, a ganar las oposiciones de Notarios, de Juez...; pero se quedó en Jefe de Prisiones. (¡Qué desilusión para su novia!). Porque su madre, machacona, necesitada de dinero, le echaba en cara cómo otros llevaban sus sueldos a casa y él seguía adelgazando y poniéndose tísico entre los libros. «Cualquiera de tus vecinos —le decía— gana más. Cecilio, sin ir más lejos, es tapicero y gana mucho más que tú como abogado! ¡Tanto aguantar, tanto esperar a que terminaras tu carrera, y ahora me traes esto!

Era la primera paga que le habían dado por trabajar media jornada en una oficina, para así poder seguir estudiando y preparando oposiciones.

Anastasio entró en la vida por medio de Enrique. Fue aquel día en que presenció la terrible escena de la playa, en que desnudaron a Javier y le escondieron la ropa.

—Oye tú, y de lo que has visto hoy, como si fueras ciego.

Desde aquel día, Enrique entró en su vida como un torbellino cegador. «Su personalidad era tan fuerte, su actividad tan incansable, su capacidad de influencia tan avasalladora, que durante amuchos años Anastasio, no habló, ni vio, ni opinó, si no era por boca, ojos e ideas de Enrique».

Algún día —Anastasio es un muchacho bueno— romperá con la cuadrilla, y tendrá pesares de no haberlo hecho antes. Trataban de llevarlo al pecado, pero ya era un hombre, y reaccionó valiente: se hubiera peleado con Leopoldo, ante una grosería que le oyó decir, de no haberlo sujetado.

Cuando llega el amor y no entiende una palabra, el P. Usoz (¡qué magnífico personaje este que pinta Luca de Tena!), profesor de Literatura, le explica: «Desde que el hombre nace, vive en un puro tránsito entre dos madres: la suya propia, de la que se va poco a poco desvinculando por ley de vida, y la que será un día madre de sus hijos, hacia la que tiende desde que alcanzó la pubertad. Te digo como Benavente en *Más fuerte que el amor:* «El alma de la mujer, ¿qué vale si dentro de ella no hay un alma de madre», o como Martínez Sierra en *Canción de cuna:* «...ya que toda mujer —porque Dios lo ha querido— dentro del corazón lleva un hijo dormido».

Y aquieta su ánimo; y hasta le recita unos versos:

¡Que aún tienes caliente el nido,
pajarillo volandero!

Muy bueno el consejo del P. Usoz: «Tienes una bendita enfermedad, hijo mío; una bendita enfermedad... «La primavera ha venido, nadie sabe cómo ha sido». Todo eso que sientes dentro de ti, es la buena tierra que se mueve porque se sabe en sazón para recibir las semillas. Pero, ¡ay de ti si lo que siembras no es bueno! Crecerá igual, ¡demontres!, que eso es lo malo a tu edad. Recibe lo que se le echa y cría igual lo santo que lo perverso. Aprovecha este momento, muchacho. Siembra ahora cosas buenas... Hazme caso: más adelante es ya tarde. El alma se endurece... Entre los riscos no crece el trigo. Acuérdate de la parábola...».

El mundo está poblado de Anastasios —afirma López Ibor—. Gracias a ellos es posible la vida en común; precisamente por su poquedad, o mejor, por su apocamiento, que les impide realizarse plenamente. Hay en Anastasio el presentimiento de que le falta un poco de Enrique, y en Enrique un poco de Anastasio... Ni uno, ni otro acertaron, uno por menos y otro por más. Así es la vida. Así es la realidad.

¿Acertarían al fin Anastasio y Celia, cuando pasados catorce años volvieron a encontrarse ante una taza de chocolate con nata —como en otra ocasión en que se hablaron cosas insustanciales—, ahora él un hombre famoso, y ella la mejor escopeta de España, en la finca paterna de «Las Mirillas?... Eso es secundario en la novela de Luca de Tena. El va más allá: quiere llegar al problema de la edad prohibida; quiere adentrarse —un poco irónico y un mucho sicólogo— por los misterios de la vida de un muchacho y experimentar, reflejar luego las reacciones ante el mundo que le rodea.

¡Qué páginas más bellas las que describen los juegos de la playa; la evasión del «cole»; la paliza que le proporcionan al chivato; los juegos de prendas en la oscuridad!

¡Y qué trágica, al fin, la vida de estos chicos! No podía suceder de otro modo, planteado como está el problema, con Enrique. Y Andrés, «el bueno», tenía que morir como un valiente en la trinchera. Y Javier se tenía que perder en las Américas como uno de tantos españoles que, incapaces de hacer nada en la patria, acuden allá en busca de fortuna. Y Leopoldo terminará —porque lo era de muchacho— por ser un vicioso redomado. Y Anastasio..., y Celia... Y Adolfo... Adolescencia, edad prohibida. ¿Por qué prohibida? Porque es la fase más dura y difícil de la vida. La llama que empieza a arder fogosa, tiene que contenerse y replegarse. Ha de saltarse a la otra orilla, renunciar a la ingenuidad, descubrir el régimen del mundo de los mayores, jugar a madurez en pleno verdor, y, sobre todo, descubrir, en esa lucha, en ese contraste, cuál es el secreto que le permitirá a uno vivir prohibiéndose a sí mismo lo que no debe ser vivido.

«LA MUJER DE OTRO»

Adolfo Muñoz Alonso ha dicho, en un bello artículo, lo siguiente: «Europa quiere volver, ha de volver, hemos de hacer que vuelva al sacramento armonioso de la palabra con la idea, al misterio del silencio sonoro de la emoción religiosa. Aunque alguno se escandalice, digámoslo: Europa es inconcebible sin fantasía verbal, sin el milagro de la fantasía gráfica. Europa se mantiene en una especie de arquitectura sostenida por ritmos misteriosos de palabras, entrecortadas por silencios de esperanza en pinceles, y de memorias de piedra. Es decir, fantasía triunfal estética sobre la razón reseca...».

«La Europa de mañana —sigue diciendo— si es europea, se recreará en una literatura que no será ciertamente la que suene después de la hora 25, sino de una literatura en la que la hora 25, sea una hora sin reloj que la cante, aunque otros relojes la cuenten y señalen. Una literatura católica en el auténtico y más noble sentido que el adjetivo «católico» imprime al sustantivo al que se aplica, transfigurándole».

Y como España ha de estar presente en esta nueva Europa literaria, desearíamos que los genuinos y auténticos escritores españoles de la actualidad fueran preparando el camino, no permitiendo sea ultrajado y traicionado nuestro mejor estilo por esa serie de novelas en las que, si hay algo de positivo, es lo negativo de las mismas y el olor a sentina que respiran.

Yo me atrevo a señalar a Torcuato Luca de Tena como uno de esos escritores cumbres de la actualidad. Cuando leímos y enjuiciamos *Edad prohibida,* tuvimos la satisfacción de recibir una carta del propio autor del libro agradeciéndonos aquella modesta colaboración a la crítica literaria de nuestros días con elogios que no merecemos.

Hoy hemos vuelto a leer otra obra del gran director de «Blanco y Negro» [1] y grande de España. Y de nuevo nos hemos encontrado con el artista genial de tipos humanos: con el Solana literario —permítasenos la frase— que llega, con su cincel, hasta el mínimo detalle, hasta el colorido insignificante, pero ajustado dentro de la obra inmensa que es fuerza brutal, ambicioso poder, asombroso y patético verismo.

La mujer de otro ha sido galardonada con el premio «Editorial Planeta 1961». Casi se esperaba su concesión. «Este año se ha presentado al concurso cierta novela —decía unas horas antes del escrutinio Ignacio Agustí— de un relieve extraordinario, la cual está en primera fila entre todo lo que llevo leído en cuantos premios literarios he intervenido como miembro y lector. Yo no sé si esa obra será la afortunada ganadora del año presente; me atrevo a esperar que sí, porque creo que la impresión que a mí me ha causado, será la misma que cause a mis compañeros».

Y a fe que acertaron los del jurado, dándole gusto a Agustí y consiguiendo con ello que Carmen Laforet —juez femenino del certamen— pudiera exclamar al fin: el ideal se ha cumplio. «El ideal del premio es que el Planeta de cada año sea una obra maestra».

---

[1] Cuando escribimos este ensayo, año de 1962, Torcuato Luca de Tena era director de la revista «Blanco y Negro».

¿Se ha conseguido?... Para nosotros, salvo ligeros atenuantes, plenamente. *La mujer de otro* sigue la misma línea de *Edad prohibida*. Distintos personajes; pero el mismo estudio acabadísimo en las dos. Las dos obras ambiciosas, de gran ritmo y sosegada tensión. Las dos huyendo del tremendismo de moda, y las dos bellísimas por la realidad observadora y plasticista de los tipos que menciona. En aquélla será un mundo adolescente que despierta a la vida. En ésta será el gran mundo de los mayores, con sus vicios y sus virtudes. Allí se llamarán Celia, Anastasio, Javier... Aquí será el comandante Moscoso, su hija Ana María y el pintor Andrés...

Alguien nos decía que tales personajes no se dan en la vida. Y nosotros le contestamos que, existan o no, son unos tipos tan humanos y están tan cerca de nosotros con sus miserias y sus grandezas, sus sueños y sus decepciones, sus triunfos y sus fracasos, que los sentimos a nuestro lado e incluso casi nos atrevemos a señalarlos, involuntariamente, con el dedo...

«La calidad humana de ese «todo un hombre» que es el comandante Moscoso; la luminosa simpatía de Pepa Turull; la gracia alada de Sor María José, la misionera portuguesa; la honrada simplicidad del sargento Petrirena, chocan y contrastan con los aguafuertes solanescos de María Tarrón, o del negro sacrílego de Isabel, Jesús Rodríguez, Akato Trinidad; de Elena, pusilánime, y de Matilde, dominadora. Y Enrique y Andrés y Alicia y Ana María, vértices del cuadrilátero —no triángulo— en que se apoya la acción; y los niños Alberto y Enrique —cuya personalidad ha sido descrita con mano maestra—; y el intendente Rolland y tantos otros personajes centrales o secundarios, no podrán ser fácilmente olvidados por quienes lean estas páginas».

El finísimo observador de *Edad prohibida* se muestra en *La mujer de otro* como el gran creador de los mejores personajes literarios de la actual novelística española. Ana María Moscoso, sobre todo, Ana María Moscoso, enamorada de la música y de la pintura. Intelectual y un poquito pedante por aquello de haber estudiado Filosofía y Letras. Ana María, bella, equilibrada y armoniosa; poco simpática en la Universidad, donde hasta su modo de vestir y de hablar lo tomaban como altivez. Ana María de pequeña había adorado a un hombre: a Alberto Moscoso, su padre. Su madre —la pusilánime Elena— y su abuela —la dominadora Matilde— nunca la comprendieron. Nunca la preguntaron nada. Nunca la premiaron con una sonrisa las bandas y medallas que cada curso se traía del colegio.

Su padre era distinto. Su padre se llamaba Alberto, como su hijo mayor, que se le parecía mucho en lo físico y en lo moral.

Alberto Moscoso era militar, lo que se dice un militar de una pieza. Hombre de pocas palabras —menos con su hija, con la que se convertía en un parlanchín de primera— huía del ruido de la ciudad siempre que podía. La vida de sociedad, las tertulias, las visitas, le producían un tedio y un aburrimiento insoportables.

Alberto Moscoso como militar español, tuvo una gran pasión: Africa. Africa le había enviciado como a otros ensucian y pierden las drogas, las mujeres o el alcohol. Era —lo confiesa él mismo— «un tarado del desierto».

Y este hombre es atrozmente engañado por un falso cariño, Elena, y por el egoísmo más refinado, Matilde; y se le arranca su ilusión, que es el mando del Protectorado, desterrándose voluntariamente y desertando del Ejército y del propio hogar.

Volverá al desierto, pero ya no en calidad de jefe, sino de un humilde servidor —con virtudes de mando— para ser testigo del sacrilegio más repugnante que pueda darse entre los humanos. La víctima, un ángel, del que se había enamorado —por ángel y por bueno— este gran tipo español. Cuando la Madre María José llegó a las Misiones como postulante, era casi una niña. Moscoso era un veterano en la región. ¡Qué mujer aquella! Al comandante se le hace muy cuesta arriba aquel hábito y aquella cofia azul en una criatura tan delicada, tan bella. Moscoso «no creía que hubiera vocación ni caridad que justificara que esa criatura dejara su casa, su país y sus padres para desborricar negros, deslendrar negros y extirpar dientes, amígdalas o apéndices de negros».

Y le asombraba verla siempre alegre como unas pascuas, lo mismo en el hospital, que en la escuela explicando geografía, que en la iglesia dirigiendo un coro, que en la cocina fregando los platos, que en la carretera conduciendo un «jeep»...

Y Moscoso, que ha terminado por admirar y adorar a la Madre María José, no llega a tiempo de liberarla de los salvajes que, tras asesinarla, violan su cadáver. Sólo le queda un momento de desesperación para acribillar a balazos al último negro que satisfizo su pasión en aquel ángel dormido cuando el bravo español sorprendió a la jauría dentro de la bodega.

Entre tanto, Ana María, que no era feliz con su marido, el gran financiero Enrique, se encuentra con Andrés, el compañero de la Universidad, el único amigo que tuvo, pintor él y con ganas de ganarse un puesto entre los del ramo.

Con Andrés, que ha casado con una mujer bella, pero simple y sin personalidad.

El drama se adivina. La novela cobra un gran interés; pero se adivina. Se adivina todo. Todo menos el final, si bien en Torcuato Luca de Tena no puede ser otro que el católico, aunque para ello tenga que echar mano de Pepa Turull y del mismo Alberto Moscoso que ha vuelto, pobre, herido, viejo y pordiosero del desierto africano.

Pepa Turull es un tipo de mujer castiza que puede darse, y sin duda se da, en el Madrid de nuestros días. Pocas personas mentían con tanto desparpajo, como Pepa Turull, mujer de Santiago, otro hombre aburguesado y enemigo de complicaciones. «Mentía por decir una gracia, por encontrar un tema de conversación, y por mil motivos más. Pero sus trolas tenían casi siempre una finalidad piadosa: hacer reír —¡es tan hermoso ver reír a quien sólo tiene motivos para llorar! —, dar tema de charla a quien no tiene nada que decir; llenar un hueco angustioso en un diálogo, iluminar con un rayo de esperanza lo que no tiene remedio, o mendigar favores para los demás. En estos casos sus embustes adquirían proporciones delirantes...».

Mas Pepa Turull era algo más que una embustera. Dios no le había concedido el don de los hijos; pero su corazón de madre se volcaría con los niños de Fermina. Su madre le diría siempre: «La señora Pepa te ayudará». El corazón de la Turull se la encogía al pensar en estos niños cada vez que cruzaba la loma y se enfrentaba con el tremendo espectáculo de las chabolas.

Y serán estos mismos niños y los pobres del suburbio los más eficaces amigos de nuestra dama cuando en el último instante tenga que echar mano de ellos, aunque sea para pinchar las ruedas del coche en que el pintor de marras se quiere llevar, huyendo hacia París, a su amiga Ana María, que, al fin, vencida, derrotada, inconsciente, sola y sin vivir viviendo, cae en brazos del amante, en aquel apartamento del barrio de San Calixto, donde por cruel irrisión de la vida, tiene sus almacenes Enrique.

Magnífica Pepa Turull sacando al viejo Moscoso de su antro en el que voluntariamente se había recluído. Esta mujer debía triunfar en toda la línea salvando a su mejor amiga, y librando de la desdicha eterna a dos matrimonios, que cambiando las parejas hubieran sido ideales.

Pero Ana María Moscoso, quisiéralo o no, estaba casada con Enrique y no con Andrés, al que adoró desde los primeros días de su juventud y ya en la Universidad. Y Andrés, quisiéralo o no, estaba unido para siempre a Alicia, la hija del industrial de Elgoibar, muy hecha a la medida del comerciante. ¡Paradojas que tiene la vida!

Ternura y emoción al mismo tiempo, en que el viejo pordiosero madrileño, saliendo por sus fueros de bravo militar, aporrea con todas sus fuerzas el rostro del amante de su hija, y tomando a ésta consigo la lleva aparte, mientras la recuerda los años en que juntos iban a pescar los domingos, haciendo rabiar a la abuela Matilde y a mamá Elena porque estaban celosillas de aquella total compenetración de padre e hija.

—Vamos, pequeña —le decía como en sus mejores tiempos—, que se nos va a hacer tarde. En casa se van a asustar si llega la noche y no hemos vuelto. Y no nos dejarán salir solos nunca más... Vamos, vamos pequeña..., no te retrases. Así me gusta, obediente como un buen soldado.

«El abrazo fue largo, apretado, tremendo. No hablaron, no se miraban, no se besaban. Los dedos del padre, buscando entre el pelo de las viejas trenzas, y el gozo del encuentro se fundía en un abrazo con el dolor antiguo».

«LA BRUJULA LOCA». A TRAVES DEL INGENUO CAMINO DE UN NIÑO, SE PALPA Y VIVE ESPAÑA

Creo que sea de Marcel Lobet la siguiente cita, e incluso que hayamos hecho alusión a la misma en algún otro de nuestros ensayos: «Desde el poema que el escriba egipcio grababa en un tiesto de cerámica, hasta la última novela de Mauriac, los hombres nunca han cesado de traducir por la palabra o por la escritura sus deseos, sus esperanzas, sus gozos y sus penas, su amargura y su felicidad, a fin de que otros hombres inclinándose sobre esos testimonios escrutaran su sentido profundo, y sacaran no solamente un placer de distracción o una delectación intelectual, sino también una enseñanza».

La frase de Lobet nos lleva a hacer una breve consideración sobre el humanismo en la literatura. Se dice que las generaciones actuales, zarandeadas por dos guerras ingentes, por convulsiones sociales y económicas, por el desquiciamiento de las ideas y los principios, busca desaforadamente un camino, exige un replanteamiento de los problemas y una nueva toma de posiciones.

«Por eso, una literatura de floreo, que esquive las punzantes realidades que nos agobian, y que escamotee los compromisos y las decisiones, se vuelve completamente insoportable. La literatura de pasatiempo se está quedando como los juguetes viejos que hacen reir».

Y esto es cierto, pero no de un modo taxativo. Es cierto que la novela actual, en la mayoría de los autores, es como una biografía de los hombres de hoy; cumpliéndose, así, lo que dejó escrito el cardenal Newman: que «en cierto sentido, la literatura es para la humanidad lo que una biografía es para una persona: su vida y sus recuerdos».

En la novela contemporánea se trata de reflejar, sobre todo, los rasgos de la vida presente, con sus lacras y sus valores; pero resaltando más las primeras que los segundos; con sus rasgos amargos e inquietudes, y también con alguna leve esperanza de orden, de paz y de armonía.

Pero decimos que no ocurre en todos los casos, ni menos en todos los autores. Hay dos novelistas en España —hay más, pero estos dos destacan a gran altura— que se han empeñado en ser excepción. Una excepción afortunada para cuantos gusten de una lectura de sabor clásico, de un estilo terso, suelto, a la vez que bien calculado, elegante y afortunado en imágenes; un estilo que nos recuerda a nuestros maestros que no pasan y que siguen viviendo en estos continuadores del bello decir en el idioma de Cervantes. Estos dos autores son Manuel Halcón y Torcuato Luca de Tena.

Del último de los citados nos cabe afirmar que su lectura —*Edad prohibida, La mujer de otro* y *La brújula loca*— nos quita, como por arte mágico, los sinsabores que hayamos podido sufrir leyendo ciertas novelas que olvidan hasta las leyes más elementales de la sintaxis.

Torcuato Luca de Tena, aparte otros valores —es un gran paisajista y un fino observador de la vida humana en su elemento joven— tiene esa particularidad: que se lee con fruición, con verdadero placer; lo mismo que leemos hasta regocijarnos un libro de picaresca española, o una novela ejemplar de Cervantes.

El propio Luca de Tena confesó un día que su «único propósito al escribir es el puro deleite de escribir». Y a fe que en ninguna de sus tres novelas citadas se cumple su deseo con más perfección que en *La brújula loca*. En ella se advierte el goce del autor en crear situaciones y tipos, describir escenarios y ambientes, penetrar en el interior de los espíritus, desnudar las almas y mostrarlas al exterior: pues siempre hay algo en ellas digno, cuando no de alabanza, al menos de admiración.

Ya en su día nos ocupamos de *Edad prohibida* y de *La mujer de otro*. Y fue de agradecer la carta que recibimos del autor de tan estupendas novelas; carta que guardamos como recuerdo de un gran escritor español dirigida a un modesto ensayista y crítico literario.

Ahora hemos de ocuparnos de su último libro: *La brújula loca*. Es una novela que sigue fielmente la línea que Luca de Tena se trazara en las anteriormente citadas. «Desde el ángulo visual en que nos sitúa *Edad prohibida* —ha escrito M. Fernández Almagro—, esta primera novela nos permite dominar el fragoso paisaje de la juventud de hoy, en la vertiente

11

afectada por problemas de tipo moral y social, mientras que en *La mujer de otro* —laureada con el «Planeta 1961»— el miradero se abre sobre el corazón mismo de los personajes, bajo el numen de una genuina ficción novelesca de variada tipología.

En esta tercera novela, los distintos elementos, sumariamente aludidos con referencia a las anteriores, no contrapuestos, pero sí diferentes, se equilibran, con sumo aplomo, dejando transparentar el choque, en el ánimo del autor, de lo temporal histórico y la perennidad de los caracteres, la observación de la realidad inmediata y una fértil capacidad imaginativa».

La línea seguida por nuestro escritor es una línea psicológico-histórica, con un estudio certero de las distintas edades de la vida. Ahora le toca el turno a la edad tan complicada y tan rica en matices del niño: una edad difícil en la que forzosamente se ha de mezclar lo fantástico con lo real; la crudeza de la vida con el encanto de un alma infantil, en este caso de un niño: Perico, que ha perdido toda su familia a causa de un bombardeo y que, sin pensarlo mucho —los niños observan, intuyen, y luego obran espontáneamente, como por instinto—, al estilo de Teresa de Jesús marchando a tierras de moros con su hermanito, se echa a andar por la rica y variada geografía de España — ¡qué gran paisajista es este Torcuato Luca de Tena!—, desde Santander a Madrid, donde se figura que tiene que estar su madre y sus hermanos.

La brújula loca es un relato maravilloso del mundo fantástico del niño —imaginación, poesía, realismo desbordado, otras veces contenido— que en su primera entrevista con la vida se encuentra con problemas más arduos y difíciles de lo que él se imagina, pero que, con tenacidad propia de quien ignora el peligro, los va superando hasta tocar su meta con la mano.

Además de esto, Luca de Tena escribe en un lenguaje tan puro y tan perfecto, que bien pudiera ser su obra hermana de la de Cervantes y valedera, por tanto, para el Premio Nacional de Literatura.

El propio autor nos asegura, al tiempo de dar las gracias a los que han colaborado en su obra, que, para llegar a la cima donde ha llegado con su novela, ha tenido que recorrer la montaña y convivir con los montañeses y aprenderse bien el lenguaje de los pastores y habitantes de «la tierruca».

Ha estudiado luego los caracteres, tan variados y tan distintos; los ha escogido y seleccionado; los ha dado luego un brillo y tono especial del que han salido favorecidos y los ha transplantado llenos de vida y color a su libro entrelazados armoniosamente con la vida de un niño, el pequeño Perico, aventurero y pordiosero por los campos de Castilla en plena guerra de 1936.

Este niño, tal como ha salido de la pluma de Luca de Tena, se nos antoja mitad ángel y mitad diablo; mitad príncipe de un cuento de hadas y mitad pordiosero o lazarillo de la picaresca española; realista y vivo como el hambre que tuvo que pasar; dotado de una memoria prodigiosa —«memorión» le llamará uno de sus mejores amigos— que todo lo retiene; cuenco prodigioso que todo lo recibe; en algunas ocasiones fuente o vaso que se desparrama de puro lleno; de una sensibilidad exquisita; y de unos valores morales, de un candor y de una simpatía y espontaneidad tan afables que cautiva apenas uno se encuentra con él.

La brújula loca tiene otros encantos y valores estéticos: a través del caminar de un niño, se palpa y vive a España, el paisaje español, la geografía de España. Una geografía que va del «Puerto Chico» de Santander y de la montaña, a la llanura palentina y rastrojeras de Valladolid cuando el otoño ha comenzado. El libro resulta, así, como un homenaje a Víctor de la Serna, el cual se hubiera gozado mucho con su lectura. Ya lo hace constar el propio autor cuando dice: «Y ya que andamos entre gratitudes quiero también citar a Víctor de la Serna, porque enseñó a toda una generación a amar a la geografía de su país; a buscar la substancia histórica y política, la entraña literaria, la gracia —negra o rosa— de esta España dulce y tremenda, en cada una de sus piedras, sus horizontes o el cruce de sus caminos».

¡Cuántas veces hemos contemplado la escena en el muelle de Santander! Pero ha de ser este fino pintor del paisaje el que nos la describa: «El malecón del puerto estaba circunvalado por un zócalo de gente menuda. Sentados en el borde, los pies colgantes en la vertical del agua y una caña entre las manos, la chiquillería hacía difíciles equilibrios para lograr introducir el hilo del que pendía el anzuelo entre el breve espacio que dejaban las barcas amarradas y la pared del muelle... El agua estaba verde como fondo de botella y, en algunas partes, la grasa de los barcos formaba círculos azules, amarillos, naranjas y malvas, en la superficie del mar...».

Ved cómo nos describe el descenso del ganado de la montaña al llano: «El espectáculo —nimbado de rústica grandeza— tenía algo de bíblico y majestuoso. Las reses que iban en punta cambiaban mágicamente de color apenas se arropaban en los chales vaporosos de la nube y desaparecían después en su misteriosa profundidad: cada pastor se situaba con su ganado al margen de la caravana y se sumaba más tarde a ella, según el puesto que le hubiese correspondido en el ceremonioso sorteo celebrado la víspera a la luz de las fogatas; vagaban los perros de punta a punta de su rebaño; reía la abuela los piropos y chistes con que la saludaban...».

Y ya en la meseta palentina: «¡Qué inmensidad la que desde allí se divisaba! La meseta palentina que ellos veían a través de los troncos de los árboles, se extendía a los pies de la sierra como un mar de infinita quietud. El hombre de la montaña que era Cosme, atisbó absorto la llanura en la raya misma en que las dos Españas —la del agua, la del pan— se miran las caras. A su espalda la cordillera Cantábrica. Al frente la sabana inmensurable, apenas arrugada, de la meseta. Detrás bosques, valles, praderíos, la España verde. Al frente, desnuda y sedienta, la España amarilla. Atrás la cresta, la hoya que quiebra la mirada. Delante la estricta geometría del horizonte donde la mirada no se quiebra...».

El prestigioso crítico literario y ya citado M. Fernández Almagro dejó escrito en su día: «Perico tiene mucho de angelical, dotado de ese encanto o simpatía que «ángel» se llama también. De ahí el atractivo con que hubo de ganar sus primeros amigos, Martín Pescador, el Frenillos o la guardesa Felisa, y, leguas adelante, en grave momento, la niña Mariuca, razón de tierno idilio».

Es decir, que Perico es todo un personaje. Nos recuerda a los que conocimos cuando leíamos a Tagore. La fábula —que fábula es y también cuento infantil la novela de Luca de Tena— comienza cuando este niño es sacado vivo de entre los escombros de su casa de veraneo en un barrio de Santander. Acaba de estallar la guerra española. El niño se ha quedado solo. Su casa «se ha roto». Sus padres y hermanos se han ido a Madrid... Todo esto se lo cuenta a su amigo el osito de trapo que también se ha salvado del atroz bombardeo.

El niño piensa en su madre. Tiene que darle cuenta de lo que ha ocurrido. A ella la primera —«en los ojos de tu madre / serás niño hasta el final»; rezan unos bellos versos de Foxá—; pero su madre estaba lejos y él allí entre los escombros de su casa de Santander, solito, con el oso de trapo y una estatuilla de la Virgen que ha sacado de entre las ruinas.

Ya se lo contará todo «mañana»... ¡MAÑANA!... palabra mágica que nunca llegará a su ser. MAÑANA, constante anhelo de un niño huérfano, con la que terminará el relato, cuando, después de mil aventuras y mil penalidades, haya logrado entrar en el Madrid rojo de Azaña, de la Pasionaria y de Largo Caballero...

Al niño querían llevarlo a Rusia con otros niños españoles en el barco «Odesa». Pero escapará y Martín Pescador, viejo lobo de mar, le ocultará en su «barquía» —la «Pilonga»—. A Martín Pescador se lo gana a las primeras de cambio. La ingenuidad, el amor, las zalamerías y el encanto que en todo momento derrocha Perico al exponer sus deseos de ir a

Madrid para reunirse con sus padres y hermanos, enredan y disipan la hosquedad y el desafío del pescador.

¡Qué gran tipo es este Martín Pescador! Nunca se había encogido su corazón ante una pelea con los hombres, con las olas del mar o con los bravos atunes... Ahora tiene que volverse de espaldas para que aquel chaval no le vea llorar... Conocía medio mundo, pero en ninguna parte había echado raíces; había ejercido diez o doce oficios y a ninguno le sacó el gusto; había enamorado a muchas mujeres, mas él a ninguna amó. Le gustaba enredarlas sin enredarse, conquistarlas sin ser conquistado... El despego que sentía por las mujeres no era más que la mitad del que profesaba por el género humano. Huía de la compañía de los hombres, porque no se fiaba de ellos. Amigos no tuvo más que uno y su amistad acabó a navajazos. «Los hombres —solía decir— si son inferiores te chupan la sangre, como una liendre; si son tus iguales son tus rivales, y si son más que tú, te aplastan»... Era religioso a su manera: «Coincidía con judíos, moros y cristianos en la existencia de un solo Dios, creador y anterior a todas las cosas; comulgaba con los hinduistas en una especie de panteísmo que le llevaba a creer, no ya en la omnipresencia de Dios en todas las partes, sino que todas las cosas creadas eran Dios mismo, que se manifestaba en ellas como se manifiestan los hombres en los gestos del rostro o el ademán de las manos...; era cristiano por el concepto que tenía de su dignidad de hombre y muy poco cristiano por su insolidaridad con el resto de los mortales».

Pero tenía un corazón que para sí quisieran muchos que se dicen cristianos. Por eso, pensar que Perico tenía puesta en juego su libertad, le irritaba hasta el paroxismo. No podía aceptar que aquella criatura pudiera ser enviada contra su voluntad a un país lejano como la Rusia, cual una cabeza más de ganado de un rebaño de crías humanas.

Martín Pescador hubo de pagar cara aquella defensa del niño; pero éste, una vez más, pudo escapar, y nosotros podemos, de este modo, seguir su aventura por los caminos de España con la obsesión de llegar a Madrid —brújula loca, pero fija la fe— y con un destino claro colgado de las estrellas.

Ahora será Frenillos, el rudo y analfabeto montañés, el que lo ocultará en lo más recóndito de la montaña. La figura del pequeño se agiganta a cada paso que da en su largo caminar buscando los suyos. Es un pequeño gigante que nos ha prendido la emoción e interés y al que seguiremos, sin poderlo remediar, hasta el fin.

«Con Perico, fija la fe, vivimos días intensos navegando por el Cantábrico y gozando con la pesca del atún a bordo de la «Pilonga»; días negros en la ciudad rezumando guerra; días felices en la covacha oscura de los picos de Europa; días cargados y tensos por la meseta palentina; días sinceros, retozones, en el convento de Tordesillas; días enigmáticos en las trincheras de la Ciudad Universitaria, a pocos pasos del fantasma gigante de Perico: MADRID».

La guardesa Felisa le acoge con ternura, «la ternura de quien no tiene unos hijos a quien poder fregotear». La guardesa se instaló dulcemente en el corazón de Perico. Pero aquella buena mujer, sin pretenderlo, reservaba una nueva emoción para el niño: la emoción de los celos. Todo ocurrió cuando llegaron los soldados de España a liberar al señor de la casona que llevaba meses encerrado y expuesto a mil peligros de los que ansiosos le buscaban porque era hombre principal en toda la Montaña. Ocurrió cuando vio venir a Alfonso, uno de los hijos de su amor, y se echó a su cuello llorando..., cuando distraída y por atender al coronel que había venido en persona a saludar y felicitar a su señor, se separó por unos instantes del niño... Perico, rabioso, llorando, recogió su cajita y su hatillo y se echó de nuevo a andar por caminos desconocidos, siempre camino de Madrid.

Y en compañía de «Trespatas», el perro fiel, irá en busca de... Mariuca, la niña que se convertirá en co-protagonista durante gran parte del relato. Mariuca quiere al nenuco para ella sola. Mariuca, candorosa, simple y sencilla, terminará por caer en la red engañosa que le tiende el niño y huirá con él burlando la vigilancia del buenazo y rudo Zapico, su hermano, real mozo y majo pastor de la montaña santanderina.

Y es que Perico «necesitaba suplir su orfandad con la invención de los adorables fantasmas que le llamaban imperiosamente desde Madrid; su radical soledad con el amor de todos y cada uno de los seres que le rodearan. Y esta necesidad de amor, del que había de ser en todo caso cuenco que recibe, y sólo en algunos, fuente que da, le hacía según las circunstancias cobarde, animoso, tierno, arisco, adulador, sumiso o rebelde. En la conquista —por etapas— de Mariuca, utilizó todas sus armas».

El idilio de los pequeños es una de las páginas más bellas de todo el libro. Torcuato Luca de Tena conoce a fondo, de un modo penetrante y sutil, la psicología del niño que, cogidos de la mano, van andando su camino, contándose, cada uno a su manera, lo que les parece el mundo, las cosas, la misma vida... Por tierras palentinas, «Trespatas» los hallará pidiendo limosna en Guardo; otro día, ejerciendo las más insólitas activi-dades, como vender castañas en la carretera, robar mazorcas en una huerta, comer en un albergue del Auxilio Social de Aguilar de Campoo, pelar patatas en una guarnición de Herrera de Pisuerga, o avanzar de la mano a las horas de sol, a paso lento, por el camino largo, bajo los álamos de bronce...

Otro día, inspirados seguramente que por el ángel de su guarda, embarcan en una barcaza del Canal de Castilla, que los lleva, en compañía de la buena Teresa, del simple Colás y del incomprensivo carretero, o barquero, hasta Tierra de Campos, hasta la provincia de Valladolid.

En Tordesillas, Perico volverá a encontrarse de nuevo solo, pues la Guardia Civil le ha robado su dulce compañera. Ya no volveremos a saber nada de Mariuca. El niño, como en los primeros días de soledad allá en Santander, desea morirse. Pero la brújula loca le lleva hasta el torno del convento de las Clarisas, y le invita a colarse en clausura. Sor Micaela será la encargada de cuidarle. Y estas páginas son de una belleza y de una hondura espiritual y de un sentido tan trascendente, que, para nuestro gusto, superan a las mismas del idilio anteriormente mencionado.

Al final de la aventura, Perico tropezará con este gran «insensato» de Catalino Riopérez-Pérez, cabo de legionarios, con cara «de cigüeña», que le guardará de las balas en la Ciudad Universitaria, y le dejará marchar un día camino de su casa, una casa que él no conoce, ni sabe en qué calle está, sino solamente que es en Madrid —su MADRID— donde le espera su madre con los brazos abiertos, si bien es posible que le regañe un poco porque «llega tarde»...

Y «con la brújula loca..., pero fija la fe», Perico vive los horrores del Madrid rojo, dejando siempre para el «mañana» el dar con su casa y con los suyos.

Y es así como la novela nos deja en «suspense» final, porque ya no sería posible matizar cuanto ocurre en la vida del pequeño.

Gran novela esta de Torcuato Luca de Tena: novela psicológica, sutil, graciosa, picaresca, de fino humor, llena de ternura, idílica y bella de estilo. Una novela que, por encima de todo, y después de haber resaltado su valor estético, de lengua y paisaje, nos lleva a un encuentro con el fabuloso mundo del niño, que sortea —dice muy bien un artículo en la revista teresiana— la desolación, el dolor, el peligro y que va buscando el amor, el amor a su madre, capaz de imantar una brújula desconcertada y aventurera y de mantener siempre fija la fe.

CARLOS ROJAS

El novelista de "Azaña"

I. EL AUTOR DE LA NOVELA

Se llama y es Carlos Rojas Vila; nacido en Barcelona el año 1928; en donde estudió el Bachillerato y se licenció en Filosofía y Letras. Doctor por la Universidad Central, de 1952 a 1954 será lector de español en la Universidad de Glasgow, en Escocia. Durante los años 1957 al 1960 explicará Literatura Española Contemporánea en el Rolling College, de Florida, y a partir de este momento, desempeñará la cátedra correspondiente a idéntica disciplina en la Universidad de Emory, Atlanta, en Georgia.

Carlos Rojas cuenta en su haber un buen número de obras en lengua castellana. Si no estamos mal informados, son exactamente nueve las novelas que lleva publicadas: *De barro y esperanza* (1957); *El futuro ha comenzado* (1958); *Las llaves del infierno* (1962); *La ternura del hombre invisible* (1963); *Adolfo Hitler está en mi casa* (1965); *Auto de fe* (1968); *Aquelarre* (1968) y *Azaña* (1973), Premio Planeta del mismo año.

Es autor, asimismo, de un relato en catalán: *Reis de Roma* (1966); *Diálogos para otra España* (1966). Un estudio sobre el «frustrado» espíritu de concordia nacional desde el siglo XVIII iniciará su obra como ensayista, obra que ha de continuar con *Por qué perdimos la guerra,* la cual no es otra cosa que el «testimonio» de cuarenta y un políticos que sostuvieron la causa republicana durante la guerra civil.

Al mismo tiempo que consigue el codiciado e importante Premio Planeta, publica *Diez figuras ante la guerra civil,* estudio histórico que incluye el examen de la confrontación personal con la guerra de diez figuras de la República, desde Manuel Azaña, hasta Diego Abad de Santillán, pasando por José Antonio Primo de Rivera.

Además de esta obra novelística y de ensayo, ha publicado cuatro volúmenes que contienen una antología crítica de la novela americana bajo el título de *Maestros norteamericanos.* Es autor, igualmente, de ediciones críticas sobre *Aldous Huxley, John Dos Passos y Edgar Allan Poe,* esta última publicada en 1970.

En 1965, Carlos Rojas publica en Estados Unidos *De Cela a Castillo*

Navarro, y al año siguiente *La España moderna vista y sentida por los españoles.* Con la citada obra *Auto de fe* consiguió el Premio Nacional de Literatura Miguel de Cervantes en 1968. Con su reciente novela *Azaña,* ha sido galardonado con el Premio Planeta 1973, según queda escrito arriba.

Resulta curioso que los españoles no hemos podido olvidar —después de tanto tiempo— el fantasma de nuestra guerra, aunque muchos no lleguemos a explicárnosla, tal vez porque éramos muy niños, o no habíamos nacido en aquel 1936. En busca de esta explicación debe andar Carlos Rojas estos últimos años, investigando en los testigos y actores de la misma, si bien con marcada preferencia hacia los del bando republicano. Y así resulta que la tremenda pregunta que pesa sobre nuestras conciencias —aun de los que no hicimos la guerra—, ¿por qué perdimos la guerra?, título del famoso libro de Abad de Santillán, escrito desde el destierro en 1940, y que serviría más tarde al propio Carlos Rojas, como hemos visto, para su grueso volumen en 1970, y que ampliaría recientemente con el también citado libro *Diez figuras ante la guerra civil.*

Carlos Rojas, autor de la novela *Azaña,* nos va a dejar unas declaraciones hechas para la revista «Indice», aún antes de que apareciera el libro, y en ellas nos dice que su libro supone ser la visión del que fue presidente de la República española y de su país por el propio don Manuel Azaña. En determinado momento de la obra, en un diálogo dialéctico y de lo más logrado de todo el libro, Azaña le dice a Negrín que alguien está escribiendo aquella entrevista entre los dos. Cuando Carlos Rojas vaya a poner fin a su novela confesará que ese «alguien» es él, y que de seguro está más de acuerdo con Negrín que con el protagonista de su novela.

Azaña supone ser la agonía de don Manuel y la evocación de sus últimos años con carácter crítico y obviamente retrospectivo. Desde el punto de vista estrictamente personal, una constante casi obsesiva de la obra de Rojas, nos asegura, es la reivindicación de «el otro». Preguntado si se trata de una novela histórica, contesta que no sólo no lo es, sino que es «antihistórica». Históricamente y en un libro de historia —continúa— traté ya antes la figura de don Manuel Azaña. Esta vez intenté meterme en la piel de un agonizante, exiliado y abandonado, porque, como diría Cristo, «exiliados y abandonados los somos todos en esta tierra». Por otra parte, creo que el objeto de la historia y de la literatura es común: la total experiencia humana. La primera lo presenta de un modo analítico, y la segunda, de un modo sintético. La diferencia, para Carlos Rojas, no puede estar más clara.

II. AZAÑA, PERSONAJE DE LA NOVELA Y PROTAGONISTA DE SI MISMO

Era don Manuel Azaña —escribe el ilustre historiador Ricardo de la Cierva— una personalidad compleja y profunda, bandera ya entonces, y todavía ahora, tantos años después, de todas las discordias, personaje sin duda interesantísimo y fuera de serie en la historia contemporánea española.

«Manuel Azaña era probablemente, en 1931, el único ministro del nuevo Gobierno republicano que tenía un conjunto articulado de ideas precisas sobre las finalidades del nuevo régimen», afirma, con razón, el primero de los comentaristas sobre Manuel Azaña, el profesor de Harvard, Juan Marichal. Sin embargo, el autorizado compilador de Azaña y teórico del liberalismo español parece imitar a su ídolo en la confusión de planos reales y planos ideales, que, en cambio, advierte con toda claridad un sucesor de don Manuel Azaña en la jefatura del Gobierno republicano (si bien en el exilio) y también distinguido exministro de la República, don Félix Gordón Ordás: «La admiración que tuve desde sus primeros ensayos históricos para el estilista —afirmaba en 1962 el político leonés—, aumentada después hacia sus dotes de orador portentoso y original, no pude tenerla durante la efímera vida de la República, para el hombre de Estado, que me pareció siempre vacilante, escéptico, apocado y falto de capacidad de acción, o sea, carente de las «condiciones» que yo creía indispensables en las horas iniciales del régimen republicano para haberlo hecho eficaz y realmente nuevo. Hablaba muy bien, pero actuaba muy mal, y en un jefe de Gobierno eso es inaceptable, porque es la esencia de su oficio».

Preguntado Carlos Rojas —en una entrevista que le hizo Concha Castroviejo— por el «por qué» de esta novela, por su tema, y sobre todo, por su protagonista, Azaña, contestó:

—Arranca de un estímulo. En principio debo mencionar un interés mío que había tenido una manifestación anterior en *Diez figuras ante la guerra civil,* ensayo de crítica histórica. Consideraba yo a estas figuras en una doble vertiente: confrontadas ante la guerra, y consigo mismas frente a la guerra. El libro se abría con Azaña. Después está la impresión que me produjo un párrafo de las *Antimemorias,* de Malraux.

(El párrafo, que encabeza la novela, dice así: «Pienso aún en España. El presidente Azaña, moribundo, en Andorra creo, decía: «¿Cómo se llama ese país, ya sabéis, ese país en el que yo era presidente de la República...?»)

Malraux estaba equivocado —sigue Carlos Rojas—; Azaña no murió en Andorra; pero la exactitud tiene aquí poca importancia, y el valor de la frase permanece, aunque no haya sido nunca pronunciada. Por mi parte, no he tratado de hacer una novela histórica. Existe, sin duda, una ambivalencia entre novela e historia en el sentido de que ambas abarcan la entera experiencia humana; pero la novela significa pasar de la aproximación analítica a la sintética. Entiendo que lo que hizo Joyse en su *Ulyses* es la alegoría del paso del hombre por el mundo. *Azaña* no es novela histórica, incluso puedo decir que uno de mis empeños al pensarla, después de aquel primer capítulo de *Diez figuras ante la guerra civil,* que me exigió un trabajo documental, fue el de olvidar datos para no permitir que los hechos se interpusieran en mi visión del personaje.

Ante la dificultad que entraña ese intento de introducirse en otra personalidad, Carlos Rojas no duda en contestar:

—Prefiero hablar primero de facilidades, y empiezo por la que encuentra un intelectual para meterse en la piel de otro intelectual. Yo he pensado en Azaña como en el intelectual que era, el hombre que, pese a su indudable arrogancia, creyó en la posibilidad de un hombre mejor y que tenía fe en ese hombre; he pensado en su sensibilidad (exquisita para el paisaje, sólo comparable a la de Miró o Azorín), en su ser moral, en su condición de intelectual frente a la historia de un pueblo; recuerdo su afirmación: «El Museo del Prado es más importante que la Monarquía y la República juntas». Repito que la dificultad se convirtió en tentación.

Más adelante nos dirá de su obra que contiene la larga rememoración de un moribundo que recorre el pasado, que va al encuentro de los hechos que protagonizó, sin recordar su nombre ni el del país en que ocurren, al que perteneció. Otra vertiente es la de las conversaciones de Azaña con monseñor Theas, el obispo de Montaubant, que habría de pasar después por un campo de exterminio nazi y que no aparece aquí con su propio nombre. No es fácil entrar a fondo en la cuestión. Azaña guardaba una nostalgia; la estética del culto católico había dejado honda huella en su sensibilidad. «¡Qué pena no poder asistir a esa hermosa ceremonia!», dijo cuando se celebraba la consagración de monseñor Theas en la catedral, que quedaba enfrente del hotel Du Midi, en que él vivía. La anécdota la contó su propia mujer a Cipriano Rivas Cherif. Y, en esa última vertiente, el problema es la entraña de estas conversaciones que se desarrollan día a día entre un moribundo librepensador y un obispo que, a su vez, me obligó a reinventarlo y que viene a ser una versión francesa de San Manuel Bueno.

Nuestro personaje, Azaña, enfermo ya de muerte, recibió en abril de 1940 de parte de Giral un manifiesto en el que se le pedía si estaba de acuerdo con la idea de los republicanos españoles exiliados en Méjico, presididos por Martínez Barrios, de fundar un Ateneo con el nombre de Nicolás Salmerón. Al parecer, nuestro personaje, Azaña, que no carecía de ironía, comentó: «pero, ¿quién es ese Nicolás Salmerón?».

A punto de terminar la tragedia española, en país extraño, Azaña ya no puede, o no quiere, acordarse de nada. Sé de cierto —se dirá— que presidí allí (en el país del que no recuerda el nombre) el Gobierno y el Estado. Lo sé con la certeza que presiento próxima la muerte, en la yedra de frío que me sube por las piernas, en el hueco amargo del pecho y en los ensueños que días enteros me nublan la razón. No alcanzo, sin embargo, a recordar el nombre de aquella tierra, la mía, aunque me escueza en la punta de la lengua, mitad vinagre y mitad mieles.

F. Trillo-Figueroa nos dice en la revista «Hechos y Dichos» que es posible que muchos españoles, al hacerse público el nombre de la novela premiada con el «Planeta 1973», se hayan preguntado: «Pero, ¿quién fue ese Azaña?». Y seguidamente nos traza una semblanza del mismo en la que destaca su preparación política en los días difíciles para la España que le tocó vivir y dirigir.

Quizá a muchos españoles nos pase lo que a don Manuel Azaña en su lecho de muerte: que no podemos, o no queremos saber el nombre de nuestro país, que es como decir su vida y su historia. Bien está así —escribirá el crítico citado—; el hombre es dueño de su destino, y por ello, tal vez al mismo tiempo, víctima del Destino, pero si no sabemos construir el primero, no maldigamos al segundo. Que por ahí va la tragedia de los políticos de la segunda República.

Estudiada ésta con perspectiva histórica, no cabe duda de que la figura de Azaña, pese a la crítica feroz que despertó en vida, sobresale, con mucho, entre los de aquellos con quienes compartió, o disputó, las tareas políticas. Cipriano Rivas, probablemente la persona que mejor conoció a Azaña, al recoger en un libro los rasgos biográficos de su cuñado y amigo en el exilio, lo titula con gran acierto *Retrato de un desconocido*. Desconocido para su más íntimo amigo, no lo habría de ser menos para sus contemporáneos. Desconocido vivió hasta los cincuenta y un años cuando, recién proclamada la República, es llamado a ocupar la cartera de Guerra en el primer Gobierno Provisional que preside el señor Alcalá Zamora.

¿Qué hizo, entonces, Azaña, en esos 51 años que Carlos Rojas no recoge, o simplemente esboza de pasada, en su novela? Sencillamente, formarse como no lo hiciera ninguno de los políticos que después, en los años de la República, por períodos más o menos largos de tiempo, tuvieron en sus manos los destinos de España. Juan Marichal, en su obra *La vocación de Manuel Azaña,* acierta al afirmar que en el político español «coincidieron las horas otoñales y las del éxito público, y podríamos mantener que esta coincidencia fue en gran medida el resultado de un plan estratégico. Había así deliberadamente retrasado hasta la madurez y la plena posesión de sí mismo, el despliegue de su capacidad creadora».

Azaña se prepara, y lo hace concienzudamente, desde su mocedad, para la política. Esta larga y afanosa preparación permite a los políticos de la segunda República contar con un hombre extraordinariamente capacitado para la vida pública y el Gobierno. Siendo prácticamente desconocido hasta el 14 de abril de 1931, en diciembre del mismo año Azaña será el jefe del Gobierno. Siete meses le han bastado para pasar del anonimato a la dirección de la política del país.

Un poco exagerado, a la verdad, nos parece este juicio que emite el citado Trillo-Figueroa. Porque igual habría que pensar, no tanto en la valía de Azaña, que no creemos excepcional, cuanto en la mediocridad de los adláteres. Pero sea de ello como sea, como advierte el mismo crítico y escritor, la moneda no deja de tener su reverso. Y es en este reverso donde, tal vez, sin darse cuenta, nos viene a dar la razón. Porque Azaña no puede contar nunca con un interlocutor válido, con alguien que le entienda, ni siquiera entre los políticos de sus filas. Por otra parte, su formación, después de los años de la Universidad, muy autodidacta, acaba por aislarle y hasta por hacerle huraño. Su conocimiento de los hombres, aprendido en los libros, unido a su propio temperamento y a los años de soledad, le hace distanciarse y hasta desconfiar de ellos.

Es cierto que ninguno de los políticos de la República pudo estar a su altura. Y hubiese podido ser el aglutinante de aquellos hombres que malamente se avenían entre sí. Podía y tenía cualidades como ninguno para serlo, y haber dado forma a aquella República que nadie sabía exactamente qué tenía que ser; pero en esto, quizá, estuviera la raíz de todos los males que vinieron, al fin, a dar al traste con el sistema.

Ninguno de los políticos de aquella República desorientada fue tan odiado, en parte por culpa propia, como lo fue Azaña; pero la verdad y la objetividad se van abriendo camino a través de la historia, y cuando el tiempo presta a las personas y a los acontecimientos su auténtico valor, ninguno deja la estela que está dejando don Manuel Azaña. Por lo menos de ningún político se está escribiendo tanto últimamente. Es curioso observar cómo a este hombre que fue condenado en vida, está siendo salvado por la historia. Tampoco es esto novedad, y lo mismo ha ocurrido con otros hombres importantes y caracterizados. La literatura oficial —siempre existente y siempre triunfalista— le exaltaba, partiendo de sus gestos, de sus discursos, de sus actitudes. Frente a ella se abría el fuego cruzado de la artillería más quemante. Azaña, ateneísta perseverante, contertulio del café Regina, funcionario del Ministerio de Justicia y escritor puntilloso y sin suerte —ha escrito José María Alfaro—, parecía un graduado en actitudes desdeñosas y despectivas. Su ascensión en las escalas del poder republicano, hacía más ostensible su archivo de menosprecios. Semejaban carreras paralelas, como estimuladas por un mutuo espoleo.

Manuel Azaña —incluso para no pocos de sus propios partidarios— llegó a encarnar una complicada y ambigua personalidad, fría, musgosa, autoritaria, contradictoria a la hora de los miedos y las exaltaciones, movida por recónditos rencores y susceptibilidades, del almacenador de complejos, del acorazado en una intimidad maltratada, convirtióse en moneda corriente para el encasillador español. Hasta se sostuvo, en susurros que alcanzaban la onda nacional, que el perspicaz estudio del doctor Marañón sobre Tiberio —al que subtituló: «Historia de un resentimiento»—, estaba en parte determinado por la contemplación de la trayectoria y el comportamiento del gerifalte republicano. No lo sé —sigue diciendo el crítico del periódico «ABC»—, y hasta supongo que debía tratarse de una manifestación más de la visión popularizada de Azaña. Pero cierto o no, era un síntoma de por dónde volaban las corrientes de la leyenda azañista.

Cuando comenzaron a conocerse sus memorias, no varió demasiado la imagen. Aun contando con lo que de justificativas suelen tener esta clase de confidencias, aparentemente elaboradas frente a uno mismo en presuntos arranques de sinceridad, el tono incisivo, ácido y acusatorio, confirmaba en gran parte la efigie que la gente se había forjado de Manuel Azaña. Si se piensa en las circunstancias en que fueron escritas, bajo una tremenda carga de tragedia, responsabilidad e incertidumbre, uno se estremece ante el cortante intelectualismo de las actitudes, los juicios y las reacciones. Incluso llega uno a plantearse las especiales —y casi negativas— cualidades de su vocación política. Sin pretenderlo, se ve uno sumergido en la adivinación del apasionante crucigrama de episodios, coyunturas y circunstancias que determinaron su ejercicio del poder, precisamente en situaciones de honda crisis y desgarrada gravedad de la vida española.

Manuel Azaña revive, desde su lecho de muerte, desnudo de protocolos, en el abandono del destierro y del poder perdido, acontecimientos y episodios de su existencia. El arranque del libro apunta hacia la tragedia íntima, constante, del vivir del protagonista. Personaje dual, Manuel Azaña confiesa cómo coexisten, en sucesivas y regateadas superposiciones, sus dos yos: «el hombre de la carne» y «el hombre del espíritu». Entre estas dos conciencias transitan las evocaciones, los alegatos y las disculpas del moribundo. El repaso de rememoraciones, casi siempre puntual, preciso, incluso minucioso, se detiene en puntos clave, en situaciones límite. Alternan, enlazados por los puentes brumosos de las reminiscencias, el 18 de julio; el paso a Francia, bajo los truenos de la derrota; el debate parlamentario sobre lo sucedido en Casas Viejas; la dimisión de la presidencia tras sus negativas a volver a Madrid, después del desastre de Cataluña; sus continuos desacuerdos con los hombres de la Generalidad y su delicada y peligrosa posición en Barcelona, durante la guerra; sus peleas con Negrín y la mayoría de sus colaboradores; su obsesión por las pinturas del Museo del Prado; su evidencia de asistir a un inexorable descenso hacia el abismo... «Del hombre del espíritu en mí —dirá en un largo soliloquio—, me escandaliza el desapego. Convive con el de la carne y juntos agonizan en este Hotel du Midi y en esta Francia donde todos me suponen un bandido. El de la carne desespera, obsesionado por nuestro abandono. En vano desvívese por explicarse el sino sarcástico que en ocho años me elevó al poder y a la presidencia para imponerme luego este calvario. El del espíritu encógese de hombros ante nuestra tragedia, y no se sonríe por antojársele majeza de jaque en tales circunstancias. El de la carne suplica a la noche la locura o aun la muerte, para librarse de la conciencia de este suplicio; del pánico salvaje que me escarabajea en el fondo del ánimo y me devora esperanza y recuerdos. El hombre del espíritu se entretiene casi a sus anchas. Regodéase incluso en los menudos eventos de esta vida desolada, cabe la eternidad...

En sus sabrosos y dialécticos diálogos con Negrín, hay un momento en que el hombre de la carne se eriza y grita antes que el del espíritu pueda atemperarle. Usted y yo no luchamos —le dirá—, a no ser con palabras, que no matan, aunque a veces sobreviven a los hombres. No imprimiré *La velada en Benicarló* (un diálogo, con personajes reales, de nombres imaginarios y entre los que se cuenta el propio Azaña) mientras sea presidente de la República, ni publicaré mis diarios sino a título póstumo. Muerto, sí me gustaría se difundiesen. No para transmitir mensajes, que yo no los tengo, sino para precisar mi patrimonio moral.

Cuando se sienta morir y en un diálogo con el obispo Pierre Marie Theas, le dice con toda claridad, quizá en el momento más sincero de toda su vida, cómo ha muerto ya en él el hombre de la carne, y sólo sobrevive el del espíritu, al que aterra la muerte. Y es entonces cuando pide la confesión, porque teme una eternidad de tinieblas y de desmemoria: el olvido y la ceguera por siempre jamás.

Carlos Rojas —escribirá nuevamente José María Alfaro— ha reconstruído los instantes capitales, buscando una interior autenticidad. Las *Memorias* de Azaña, sus escritos, sus discursos, la documentación de la época, los recuerdos de unos y otros, son aprovechados con minuciosidad y perspectivas de excusa en muchas ocasiones. Está claro que el personaje no ha sido reanimado para que practique su autoacusación. Pero el personaje se desborda, se subleva, procura campar por sus respetos. A lo largo del relato lo confirma más de una vez. Su despego de las cosas, de las gentes, de las situaciones, se manifiesta con un estremecimiento prolongado. Los angustiosos interrogantes de la vida, de la eternidad, de los por qués del hombre, de los asideros de una fe, rompen a veces sus oleajes contra los biseles del esteticismo. Ahí se producen las espumas de los desdenes, de las altiveces, de los despechos, de las apatías.

Todo esto lo vemos, de un modo especial, en los diálogos que mantiene con el obispo de Tarbes y Lourdes y con el célebre Negrín. Monseñor Theas le visitará en un momento en que el cuerpo de Azaña sufre agonías de muerte. El último ataque le ha baldado medio cuerpo, que ya ni siquiera siente y que le deja el habla ahogada. Su calvario se abrevia, pero no disminuye; mientras que su mente permanece lúcida, cruelmente lúcida y clara. Y es entonces cuando le dirá:

—El poder, ilustrísima, es morirse poco a poco en un cuarto del hotel de Montauban, que paga por caridad el embajador mejicano en Vichy, solo y abandonado de todos. El poder es acabar a merced de la limosna ajena, porque el Gobierno francés prohibe incluso a este criminal fallecer en la Embajada de Méjico. Si me sacan vivo del hotel, para llevarme a Vichy, me detendrán en la ambulancia. Si me sacan muerto, ignoro qué harán conmigo. En todo caso, esto es el poder.

Preguntado por el prelado qué fue lo que hizo Azaña con motivo de la guerra española y cuando ésta ya no tuvo remedio, le responde:

—Quise dimitir y no pude. Aún esperaba servirme de mi cargo para mediar en la matanza y obtener una paz por compromiso. Sufrir, sí; sufrí más aquella noche que en toda mi vida, incluidos estos días aquí, en Montauban.

Cuando después del desastre de Cataluña dimitió, ya empezaba su calvario en tierra extraña, sin poder recordar aquella otra de la que había sido la primera magistratura... Vendrán las despedidas, el abandono..., para quedarse en la estricta intimidad familiar y a solas con sus pensamientos. Tanto le daba, en el orden personal, vivir en un palacio como en una aldea.

Tiene certeza de su muerte. Cree en su muerte. La vio de cerca y muy próxima en el último ataque de la parálisis que avanzaba. Pero al sentirla tan cerca, la perdió el miedo. Fue una victoria que alcanzó el hombre del espíritu sobre la carne, según confesión propia. En realidad, Azaña se había ido muriendo un poco con cada víctima, sin que por ello se sintiera más inocente que los muertos o menos culpable que sus verdugos.

Si en los diálogos con el obispo aparece Azaña como resentido, escéptico, frustrado y lleno de complejos, en las conversaciones que mantiene con Negrín aparece, por encima de todo, el intelectual y dialéctico terrible, que no le pasa una. Recordará las frases de Antonio Machado, en aquella ocasión en que de ocultis le fue a visitar al hotel: «Pronto, para los estrategas, los políticos y los historiadores todo estará claro: habremos perdido la guerra. Humanamente hablando, yo no estoy tan seguro. Quizá la hemos ganado».

Y cuando su interlocutor le acuse de arrogante, le dirá:

—Yo no persigo un placer estético sino una razón política. Por lo demás, resulta dudoso que esté sólo en mi actitud. Si pudiese hablarle al pueblo y exponerle mi criterio, algo naturalmente vedado por razón de mi cargo, más gente de la que usted presume compartiría mi parecer.

Cuando Azaña cree que todo es una farsa, de la que pretende estar ausente Negrín, le acusa con una dialéctica terrible, para terminar con estas palabras: «A veces soñé que estos debates nuestros, a solas, no eran sino teatro, un drama representado por los dos ante la eternidad, donde usted repetía siempre: «Resistir es vencer», y yo replicaba: «Vencer es mentir». Y luego, en otro momento, se pone a juzgar a su irreconciliable enemigo. Está convencido de que cuando le dijo que le había detestado siempre y aborrecido como a nadie en el mundo, decía la verdad. Lo mismo que la decía cuando se ofrezca a llevarlo a Inglaterra. Porque Negrín era —en sentir de Azaña— un ser dostoievskiano: capaz de entregarse a las pasiones más dispares, a la vez y con igual sinceridad. Como diría de él otro de los jerifaltes de aquella malograda República, Besteiro, «Negrín es un Karamazov», aunque probablemente no supiera a ciencia cierta cuál de los hermanos de la famosa novela rusa.

El libro de Carlos Rojas —más, a nuestro juicio, libro de historia que novela propiamente dicha— me ha hecho pensar en el hombre político del que oímos hablar vagamente cuando niños. Del hombre que está convenció de que si se lanza a la guerra, la República queda cancelada; y si arma al pueblo, éste arrastrará a todos torrentera abajo. Pero, en caso de no hacerlo, vencerán los sublevados. Azaña es un político que cree con Maquiavelo que una rebelión es parecida a la tuberculosis: fácil de curar y difícil de diagnosticar cuando se incuba, difícil de curar y fácil de diagnosticar cuando ha estallado. Por eso se pregunta en aquellas primeras jornadas del levantamiento nacional: ¿No estaremos viviendo ellos y nosotros una ilusión colectiva, que llamamos victoria, donde paradójicamente nos matamos todos de veras? Y sabe muy bien que, gane quien gane, él ha perdido ya, porque no se triunfa sobre compatriotas.

Azaña, ante la pregunta que le hace Prieto sobre lo que va a hacer, contesta sin titubeos: permaneceré en el Gobierno hasta el fin. Obrar de otro modo sería una traición. Por otra parte, me tiene sin cuidado que los partidos se unan o no. En cuanto acabe la guerra, de cualquier modo que sea, si salvo el pellejo, tengo resuelto liquidar mi vida política para siempre. Me iré al país más lejano donde se hable nuestra lengua, porque no sé otra, y trataré de olvidarme de este matadero. A usted le aconsejo que haga lo mismo. Aquí no aprenderemos nunca a tratarnos como hermanos. Preferimos devorarnos como hienas.

Más adelante insiste en esta misma idea que le tortura hondamente en el alma: ¿por qué nacimos en esta tierra de odios, en tierra donde el precepto parece ser: odia a tu prójimo como a ti mismo; palabras éstas que se las oyó decir a Unamuno pocos días antes de la catástrofe. Azaña está seguro de que, en años venideros, variados los nombres de las cosas, esquilmados muchos conceptos, no comprenderán por qué nos batimos como lo hacemos. El país se repite porque su presente suele parecerse a su pasado. Vivir aquí es volver a ver y a hacer lo mismo. Dudo por otra parte de que después de este viaje, corto tal vez en el tiempo y eterno en las borrascas del alma, la razón y el seso de muchos hayan medrado.

Azaña sabía muy bien que la guerra la tenía perdida desde el principio él y los suyos. Así se lo hará ver a sus compañeros cuando ven que se les ponen feas las cosas: La guerra —dirá— no empeora, porque desde el principio la tuvimos perdida. Lástima de gente que morirá aún, antes de que nos decidamos a admitirlo.

Uno recuerda al personaje intelectual, que de muchacho se educó entre los frailes agustinos de El Escorial, y que, andando el tiempo escribirá un libro: *El jardín de los frailes,* donde recoge muchas de las anécdotas allí vividas con citas de religiosos cuya historia nos conecemos al detalle. Sinceramente, creo que Carlos Rojas exagera cuando compara a Azaña nada menos que con Azorín y Miró en la descripción del paisaje.

Pero lo que sí que es cierto es que amaba las cosas bellas y se gozaba, estéticamente, en la contemplación de la naturaleza. Del libro citado, como ejemplo, entresacamos este bello párrafo: «Renace el campo en El Escorial, y el acuerdo retórico de monasterio y paisaje se disipa. Desnudo en invierno, el campo no rebulle; la expresión del monasterio, plena y señera, atiende a corroborar lo que insinúa el contorno. Si el ánimo, penetrado de congojas en el monte, en el valle sumiso, en el húmedo robledo, se vuelve al monasterio, verá cómo las ordena, las clarifica, sacándolas de la maraña selvática del corazón natural, y las departe merced a la experiencia sazonada que lleva en sí el estilo. Quien esté solo, si su voluntad le pesa, o barrunte un vivir frustrado, o no espere ser más, mitiga el desengaño en midiéndolo por el patrón que brinda el monasterio. Todo en él aspira a ser eterno, y es ya impersonal, diría sobrehumano. No simpatiza, ni recrimina, ni conturba; formula sin ambages una verdad incompatible con la ironía. No es melancólico, aunque sus piedras amarillecen, porque nada echa de menos. No reticente, propone un sí o un no, sin medias tintas, a muerte o a vida, jamás un vivir muriendo, lánguido, ni muerte deleitosa o de buen sabor. Extirpa del corazón lo novelesco, de la paz del claustro el prestigio sentimental... Renace el campo: vuelve la Herrería a sonar, a brillar; enciéndense de luz los montes, y el monasterio padece; en la inquietud de la primavera, su rigor se quebranta».

También en la novela aparece nuestro personaje intelectual, literato y paisajista. Bellos paisajes que Carlos Rojas describe con maestría al tiempo que los hace propiedad de la pluma de Azaña. Ya en las primeras páginas del libro le encontramos camino de Francia, muy de madrugada, faltando aún una hora larga para el alba. La noche estaba oscura, de un negror oloroso a menta y setas. En lo alto brillaban los claros astros: cada constelación palpitante y como estampada. Al viento lo personifica como un hombre que cada anochecida sube por los Pirineos, desde Francia, se aboca por los peñascales, donde desmíganse las ruinas de un castillo, y se llega a ellos azuzándolos en su huída. La cumbre estará cubierta de hierba cenceña, donde florecen planteles de ajonjeras. Y cuando asome el sol, ellos, los que huyen, hallarán carlinas doradas, recién abiertas. Unos pasos más y pronto verán cómo amanece ya el primer pueblecito francés, en el regazo de los montes azulados, tiñéndose de naranja las casas diminutas, de tejados rojos, mientras que por el aire quieto sube delgado el humo de las chimeneas.

Recordando aquella mañana del 18 de julio de 1936 en que el jefe de su escolta, Segismundo Casado, trata de trasladarlo desde El Pardo al

Palacio de Oriente, nos describirá la bella amanecida, con frescor, tras una noche de agobio aún en los montes y con un sol que hace tiritar al aire de regocijo. La tierra calma parece exhausta, requemada por el verano. Da aroma la simiente caída de las brozas, abierta por la lluvia de hace dos días. Por encima de todo, gallea el perfume áspero de la jara. Mientras habla Casado, haciéndole ver que el señor presidente estará más seguro en Madrid, rompe en torno el sordo estridor del campo. Bicharracos invisibles, lo que brinca, lo que surca, lo que horada, elevan su infatigable nota sin voz, su clamor, terso preludio de una mañana prieta de vida. Las avispas vendimiarán temprano el parral, todavía verde. Los pájaros, careados a la fruta, se desbandan en arco, con zurrido de alas batientes. Un sentimiento de plenitud gozosa, de madrugada grande, invade el ambiente.

Este es, en fin, nuestro personaje que se presta de modo admirable a la biografía novelada, precisamente por ser él un escritor que nos ha dejado magníficamente plasmada en sus memorias su intensa vida interior, que es, justamente, lo que más interesa a Carlos Rojas y ahí es donde sitúa su punto de vista creador: partiendo del yo y llegando a la circunstancia, y no a la inversa, como suele hacer el historiador.

Al final, podríamos preguntarnos con el director de la revista «Reseña» por el verdadero personaje, por el verdadero Azaña. Pregunta inútil, puesto que ni leyendo sus memorias podemos estar seguros de haberlo alcanzado. Y si esto es así, ¿por qué no fingir un Azaña verosímil? A juicio de Antonio Blanc, Rojas lo ha pretendido barajando los documentos históricos con los ficticios, de forma que no se reconozcan y se acepten ambos con una misma fe literaria. De este modo evitaba que su obra fuera un producto híbrido de citas literales y de empastes de artificio y recuperara una cierta unidad artística.

¿Hasta qué punto lo ha conseguido? Dudamos mucho que sea plenamente, y es posible que no haya contentado ni a historiadores ni a los críticos literarios. Ante los primeros, Carlos Rojas, sin pretenderlo, ha podido corregir en muchos casos la plana al propio autor de los discursos y de las memorias, precisamente porque no trataba de hacer ni historia, ni novela histórica, como hemos visto arriba y escuchado de sus propios labios. Ante los segundos, la novela, Premio Planeta 1973, no acaba de llenar.

III. LA NOVELA «AZAÑA»

Por todo lo que llevamos escrito, vemos cómo Carlos Rojas es, sin duda alguna, persona cualificada para este intento de arrojar luz sobre la vida y la obra de este gran desconocido que se llamó don Manuel Azaña, presidente de una República de un país cuyo nombre no conseguía recordar cuando yacía, esperando la muerte, en un oscuro cuarto, de un oscuro hotel, de una oscura ciudad del sur de Francia y que hoy sería igualmente desconocida de no haber muerto en ella un hombre que fue en su tiempo famoso, pasó luego al olvido, y hoy ya se empieza a recordar.

Una obra como *Azaña* requiere una múltiple experiencia: la de novelista, ensayista, historiador, filósofo, biógrafo..., que de todo ello hay en este libro en buena dosis y bien administrada.

La novela, Premio Planeta 1973, salvo lo que se refiere a los lamentables y tristes sucesos de Casas Viejas y alguna que otra rememoranza de la primera estancia en París de Azaña y de sus ya lejanos recuerdos de El Escorial y de Alcalá de Henares, su patria chica, se ocupa de los recuerdos del moribundo de Montauban, que van desde el 18 de julio de 1936, cuando el presidente de la República, obligado por los acontecimientos y aconsejado por el comandante Casado, jefe de la escolta presidencial, abandona su residencia de El Pardo para trasladarse al Palacio de Oriente, sede oficial de la presidencia de la República, hasta su muerte, es decir, prácticamente, los años de la guerra.

De estos años de la guerra recoge Rojas en su novela los hitos más importantes en los que Azaña es protagonista, así como la explicación del presidente del por qué de sus actos y su conducta a lo largo de ciertas disquisiciones metafísicas que explican la filosofía personal de Azaña, en un lenguaje que, aun teniendo un fuerte sello personal, recuerda a veces, en su estilo, a Juan Ramón Jiménez y en su pensamiento a Unamuno, al que se cita en alguna ocasión a lo largo del libro.

Por los motivos que sean, siempre discutibles, el llamado Alzamiento Nacional del Ejército en Africa cogió desprevenido al presidente. Azaña tardará unas horas en captar la situación, pero cuando se da cuenta de que lo que ha estallado es una verdadera guerra civil, sabe que ésta está perdida desde el principio para la República. Intentará entonces llegar a una negociación de paz en la que se salve lo que puede ser salvado; pero en este intento nunca se sobrepasa en el ejercicio de sus funciones que le confiere la Constitución. El es el presidente y como tal actúa; cada cual será responsable de sus actos ante la historia.

La idea de Azaña es mantener la legalidad constitucional: es una voz que se pierde en el desierto por encima de las luchas políticas y las rencillas personales. No logrará convencer a nadie de que el bien de la República está por encima de las ideas y deseos de los grupos políticos que la forman; y cuando se convence de la esterilidad de su esfuerzo, se dedicará a pequeñas puntualizaciones de carácter protocolario. Casi todos respetan al presidente hasta el final, pero nadie le oyó desde el principio.

Nuestro protagonista es un hombre frío, hermético. Frente al apasionamiento de quienes le rodean, reacciona con serenidad. Quizá su secreto está en el diario que va confeccionando y donde vierte el desprecio que siente contra quienes le atacan. Desprecio en la pluma y amor en el corazón, que acabará matándolo.

La novela, como tal, alcanza sus puntos más altos al tiempo de desenvolverse cual una desgarrada crónica de los más profundos interrogantes y las más angustiosas torturas interiores del propio protagonista, que llega a exclamar, estremecido y sonambúlico, como dice José María Alfaro: «¿Será mi destino vivir siempre perseguido o endiosado?».

La obra nos ofrece, así, la tragedia de un hombre que ahora nos hace reflexionar y que muchos recordarán todavía aupado en el poder, derrotado y en el exilio, muerto en Francia después de, al parecer, arreglar sus cuentas con Dios. Un Azaña solitario, huraño, fugitivo, dirigente fracasado y pesimista. Un Azaña al que la frivolidad, la indisciplina y el partidismo de los suyos llevarán a un escepticismo radical. Un Azaña cobarde (el hombre de la carne) y a la vez, resignado, aunque indiferente, y con deseos de salvar a un pueblo y a una cultura (el hombre del espíritu; los cuadros del Museo del Prado). Es posible que, como apunta el crítico de la citada revista «Reseña» sea este segundo personaje el que se salva, fugitivo de la catástrofe republicana, ajeno al tiempo, de espaldas a la realidad, refugiado en sus memorias, ensimismado en sus recuerdos de infancia (Alcalá de Henares) y juventud (El Escorial)... Aunque, a decir verdad, no puede llamarse salvación al estoicismo evasivo de un hombre público, responsable supremo de un pueblo, que sucumbe a la tentación de Lucifer —es Carlos Rojas quien lo apunta refiriéndose al *Caín* de Byron—, del hombre de acción que se ensimisma y se vuelve un intelectual.

En cuanto a otros valores de la novela, creemos sinceramente que el «Premio Planeta» —siempre oportunista— le cae grande y que, a buen seguro, otras novelas del mismo autor, por ejemplo *Auto de fe,* vale mucho más que la que sin duda hará famoso al autor y le hará ganar mucho dinero. Por lo que estamos completamente de acuerdo con Antonio Blanch, el cual nos dice que si la difusión de esa figura trágica de Azaña nos parece interesante y aleccionadora, tenemos nuestras dudas sobre si el valor literario de esta novela merece una divulgación tan desproporcionada.

El Rojas novelista ha sido paralizado en parte —aunque él no lo crea así— por el historiador. Su relato se convierte con frecuencia en una crónica prolija en detalles y nombres, y la soltura y brillantez de su prosa se agarrota por una innecesaria fidelidad literal a los textos de las memorias. La admirable capacidad de fabulación —sigue diciendo el director de «Reseña»— que ha mostrado Rojas en otras ocasiones, apenas si actúa en esta nueva creación. Hay momentos en que parece va a entrar en ebullición el alambique novelesco, como cuando Azaña evoca el baile de máscaras en que se presentó él disfrazado de cardenal, o cuando los locos de Ciempozuelos se cruzan orgiásticamente con los engendros de Velázquez y Goya, o en los sueños del ex-presidente antes de morir anticipando su propio entierro; pero la inspiración se quiebra rápidamente y se queda en mero apunte. Es lástima que el autor no se haya atrevido esta vez a lanzarse por los mundos de la fantasía, explorados con tanto acierto otras veces, porque estamos convencidos de que un personaje de las dimensiones de Azaña y con su trágico destino, arrancado del cúmulo de datos y circunstancias documentales en que está todavía sepultado, y transfigurado por las luces mágicas de los sueños, las metamorfosis, las pesadillas, los monstruos y demás elementos fantásticos, hubiera dado a sentir de forma más profunda su propio drama de soledad, frustración y pesimismo, y en suma, nos hubiera dado su imagen más verdadera y universal. Pues ya enseñaba Aristóteles que la poesía es más filosófica que la historia.

No ha sido así. Y de verdad, que lo sentimos. Pero tal vez la explicación esté en unas breves líneas que a modo de apéndice inserta el propio Carlos Rojas en su libro. En cierto pasaje de esta novela, de cuyo título no puedo acordarme —dice su narrador— en términos más justos que los míos, que alguien toma su vida en el futuro como si fuese una realidad total y pergeña así el libro. Tal «alguien» —escribe Rojas—, supongo que seré yo, aunque no esté bien cierto de ello. En esta realidad absoluta caben naturalmente el estilo (que siempre es aquí «otro» hombre) de Manuel Azaña Díaz y de un servidor, de cuyo nombre no quiero acordarme. De hecho espigué diversos párrafos de las *Obras Completas* de Azaña y los incrusté casi palabra por palabra en mi narración. En otras ocasiones procedí a la inversa, por así decirlo, y le atribuí a él y de viva voz ideas y textos de otros libros míos. No me remuerde la conciencia por haberme tomado tamañas libertades. Si las junturas son lo bastante tenues para no desdecir la doble unidad de la novela, en contenido y expresión, me sentiré muy satisfecho, aunque en tal caso ignoro a ciencia cierta de quién fuera el mérito, de Azaña o mío... Si siempre se escribe en cierto modo el mismo libro —termina su apéndice Carlos Rojas—, cuando uno esfuérzase por hacerlo verazmente, también escríbese en tales casos un libro ajeno, porque de los demás, del tiempo y del mundo exterior provienen los elementos donde hila la creación su sueño. Concluida la obra, sólo basta revivirla, o recrearla. Esta, sin embargo, es tarea propia del lector, no del novelista, naturalmente. Cuando yo me encomendé, para bien o para mal, ahora ha terminado.

MERCEDES SALISACHS

Una sinfonía inacabada

Se ha dicho, y con verdad, que el escritor vive en un tiempo, en una sociedad, reflejando en su obra de forma personal el contenido de uno y de otra. El escritor es su vida y su obra, entre las que existe, consciente o inconscientemente, aunque quiera negarlo, un determinado paralelismo.

El escritor está inmerso en las circunstancias de su tiempo, pero con el ritmo propio de su vida; como un río está sujeto a las márgenes de las riberas que lo limitan. Unas veces supera estas riberas y hasta llega a sobrepasarlas, imponiendo lo que en el futuro pudieran ser sus nuevas orillas. Otras veces disminuye, con tremenda incapacidad, el ámbito en el que fluye, y aun discurre tranquila, serena y majestuosamente, haciendo que en sus aguas se reflejen en calma los paisajes por los que atraviesa, o su exaltación, postración y paz, que también son propias del ánimo del escritor.

Todos estamos comprometidos con nuestro tiempo; y el que no lo está es que ha renunciado a ser hombre, a sentir como tal. Quien se evade de los sufrimientos, de los quebraderos, de las dificultades de su hora, si tiene poder para elevarlos a la preocupación general y para encauzarlos hacia el logro de una solución adecuada y no lo hace, es un insolidario, un antisocial.

Al tiempo de desentrañar el sentido y contenido de una obra, ha de tenerse en cuenta si el autor refleja la realidad de los ambientes, de los hechos, de las pasiones en juego, tal y como son, o las ha visto con los anteojos previamente impuestos por la filiación a un «ismo». El autor puede reflejar el ambiente y los hechos con el mismo desapasionamiento con que el sociólogo estudia los hechos sociales. Pero el autor pone algo más. El retrato de la sociedad en la novela se llama realismo, naturalismo. El autor ve los hechos humanamente. El calor con que los relata, el ángulo de visión que elija, la exaltación o simpatía hacia un determinado personaje delatará las aficiones y las tendencias del mismo; y esto sin necesidad de compromiso, pues el escritor, hombre que juzga y valora, aunque no lo quiera, es siempre el amigo y consejero de alguno de sus personajes.

Lo dicho hasta aquí viene de perlas al tiempo de enjuiciar la obra de Mercedes Salisachs, una escritora que lleva ya bastantes novelas publicadas y que últimamente ha conseguido el Premio «Planeta 1975»; pero a fe que, de tiempo atrás, venía estudiando y madurando su obra. De Mercedes Salisachs conozco *Vendimia interrumpida* y también *La estación de las hojas amarillas.* Mas para llegar a estas dos importantes novelas, ha sido preciso pasar por *Primera mañana, última mañana, Carretera intermedia, Más allá de los railes, Una mujer llega al pueblo, Adán Helicóptero, Pasos conocidos...*

El eminente crítico literario Juan Luis Alborg ha dicho de nuestra novelista catalana que en su sostenida producción (cuando escribía esto, aún no había aparecido *La estación de las hojas amarillas),* nos define una personalidad. Sin embargo, yo creo que aún está por definirse claramente esta personalidad. Por lo que, recordando uno de sus libros, he puesto como subtítulo de este trabajo «una sinfonía inacabada».

Y ello, porque Mercedes Salisachs no ha precisado lo bastante su silueta de novelista. Mujer y escritora de su tiempo, se ha visto obligada a pagar tributo a uno de los «ismos» más socorridos de la actualidad: el realismo. Un realismo que le va a hacer traición, como más adelante veremos.

Ciertamente que desde el principio de su obra se ve una dirección clara, y no anda divagando en cada salida hacia vientos distintos de la rosa, como hacen tantos autores de nuestros días. Pero, a poco que nos detengamos en sus últimas novelas, nos daremos cuenta en seguida de que le ocurre lo que a las calles de algunos países árabes: siempre tienen una dirección clara y determinada, sabiendo siempre a dónde nos lleva, pero por estrecheces y tortuosidades, y hasta si nos apuran un poco, por verdaderos callejones sin salida.

Como acontece en casi todas las mujeres que salen buenas escritoras —Carmen Laforet, Ana María Matute, Elena Quiroga, Dolores Medio—, en Mercedes Salisachs sobresale, por encima de todo, el retrato psicológico de la mujer, la fina observación del ambiente, el detalle poético femenino del hogar y de la naturaleza, la delicadeza en las formas, la finura en el lenguaje.

José María Alfaro ha dejado escrito que Mercedes Salisachs ha partido para todas sus aventuras literarias de su feminidad. Su sensibilidad de mujer se hace presente, si valiera decirlo así, aún antes del principio: en esa adivinación del esfuezo creador previo, del montaje del ámbito narrativo en el que, de un modo u otro, va a exponer su desarrollo, el lote de realidades recién inventadas.

Lo femenino presenta el costado de lo sensible. Lo delicado, lo emotivo, lo tierno, hasta sus últimas enriquecedoras consecuencias, parecen asentarse en los dominios acotables de la mujer. También a ella diríase correderle la agudeza supremacía en el relampagueo de la intuición. Lo instintivo, asimismo, florece de modo más directo en el actuar de la hembra, cual si ésta anduviera más cercana a una espontánea acción de la naturaleza.

Este fenómeno le veremos claramente en *La gangrena,* en la que la mujer adquiere una importancia relevante. Hasta el punto de que la vida del protagonista —Carlos Hondero— se encuentra encadenada a ella, llámese Lolita, Alicia, Estrella o Serena. Pese a sus luchas o apetencias, Carlos Hondero —lo hemos de ver más adelante— no se escapa, ni por un solo instante, del círculo terminante y avasallador de la mujer. La novelista no renuncia en esto a su voluntad imperativa, y la patentiza a través del rosario femenino que elabora y deshace los días del protagonista. Después de todo, bajo distintas circunstancias —madre, esposa, hija, amante, aventura— el destino es la mujer. Tanto si se vislumbra o enciende una ilusión, como si se advierte y llega a una catástrofe, sin el soplo delicado, pasional y arrebatado de la mujer, no se mueve una sola hoja del árbol.

Por todo ello, creo sinceramente que el crítico de la revista «Reseña», Sergio Gómez Parra, no estuvo acertado, ni menos fue justo con el Premio «Planeta 1975». Porque, aparte de los fallos que pueda tener —*La Celestina* y *El Quijote* también los tienen—, fallos como su escasa originalidad, un poco tópica, su vuelta a un tema un tanto manido en los últimos tiempos de la novelística española, le niega incluso que pueda conocer —por el simple hecho de ser mujer— la psicología masculina, y lo que es peor todavía, se atreve a negar que *La gangrena* expresa con claridad la crónica viva de una etapa contemporánea española. Es más, ni siquiera le concede que los personajes femeninos estén bien trazados.

Pienso que para hacer esta crítica no necesitaba apelar a su «conciencia ética» y profesional. Porque tanto se puede pecar por un extremo, como por otro. Y el crítico aludido arremete sin piedad contra la novela, echándola toda ella por tierra, sin dejar nada sano en la misma; como si su talla fuera la de un «Clarín», el pequeño de estatura y gran crítico del realismo español.

Mercedes Salisachs, al fin mujer de su tiempo y de su ambiente, está pagando las consecuencias de esa crítica «realista», y de ese escribir «realista» de nuestros días, hasta llegar a hacerse traición a sí misma, ya que, cuando da rienda suelta y deja escapar su imaginación por la altura, escribe en vena poética, espiritual y armoniosa de estilo.

La primera novela de Mercedes Salisachs, *Primera mañana, última mañana,* apareció firmada con un seudónimo, el de «María Encín», ignorando los motivos que le movieron a ocultar su nombre. Es una novela extensa, ambiciosa, que nos recuerda mucho a Huxley, de tipo intelectual.

— 193

Su protagonista, Rómulo Doquimasia, es un personaje de gran complejidad psicológica, de exacerbada sensibilidad y de agudo sentido crítico. Un hombre apasionado por la pintura, que se casa, equivocadamente, con la hija de un rico industrial, fracasando rotundamente en medio de aquel ambiente burgués que no es precisamente el suyo. Insatisfecho, busca el amor en otras mujeres, y la calma de su espíritu en su filosofía escéptica, de la que desea hacerse portavoz en el mundo. Su esposa pretende declararlo loco y su suegra lo mata de un pistoletazo.

La etapa cronológica vivida por Doquimasia llena casi todo lo que llevamos de siglo; lo cual le sirve a nuestra novelista para trazarnos rasgos sociales de la época, hechos políticos, costumbres típicas y maneras de vivir de aquellos hombres de ayer, que fueron nuestros inmediatos predecesores.

Mercedes Salisachs regaló después a sus aficionados otro libro que quedó finalista en el «Planeta 1956». Se titulaba *Carretera intermedia;* una novela cosmopolita, «de ese tipo que se dio con tanta abundancia en la literatura de entreguerras, dentro y fuera de nuestro país».

Se trata de un relato ameno, muy bien escrito, de ritmo muy ágil, que hasta por sus mismas dimensiones —es novela corta— se lee de un solo tirón. Un libro demasiado «fácil» para entrar en la categoría de novela importante. Con todo, tenemos que apuntar que en esta novela se muestra su autora como una excelente narradora; lo que quizá explica la fecundidad y no tanto la calidad; las dotes envidiables para el género que cultiva, pero también el escaso valor de contenido.

En aquel mismo año 1956, Mercedes Salisachs consiguió uno de sus mayores éxitos en su vida literaria, con el Premio «Ciudad de Barcelona» para su novela *Una mujer llega al pueblo.*

Es un libro distinto de los anteriores. Una novela de ambiente rural, en el que aparecen al desnudo las más bajas y mezquinas pasiones, con un realismo crudo y escabroso. He aquí una mujer que llega al pueblo y se entrega a un señorito. Entre asustada y enloquecida, busca refugio entre los suyos al tiempo de dar a luz al fruto de torpes amores. Pero los suyos la rechazan y el pueblo entero la cierra las puertas. La mujer se oculta en una cueva, escenario otro tiempo de amores, y allí muere justamente al alumbrar una hermosa niña, sin otra asistencia que la de un pobre pescador que la amaba platónicamente.

Novela tan poco original, como muy sentimental. De tema repetido y hasta manido, que podía haberse salvado por el modo de su tratamiento. Pero nuestra novelista catalana se detiene en vulgaridades y se diluye en un amasijo de personajes y personajillos tópicos y de episodios secundarios, la mayoría de los cuales podían haberse suprimido.

Esto no obstante, la novela tiene sus momentos acertados: rasgos de feliz ironía, episodios bien construídos. Lo cual explica, sin duda, el éxito alcanzado dentro y fuera de la patria, ya que esta novela ha sido traducida a varios idiomas, aunque no sea tan buena como las anteriores, sino bastante peor que *Carretera intermedia* y aun que *Primera mañana, última mañana.*

Todavía veremos en este mismo año de 1956 otro libro de Mercedes Salisachs: *Más allá de los railes,* novela inquietante, extraña y con una originalidad que no veíamos en otras. De tema vigoroso y tenso, de gran fuerza dramática, de gran acierto en su realización, mediando un abismo entre este inquietante relato y la cansina imitación de tantas páginas de *Una mujer ha llegado al pueblo.*

Pero donde vemos mejor las dos direcciones seguidas por la escritora catalana: la imaginativa-creadora, y la de tipo más ceñido a la realidad, es en *Pasos conocidos,* también de la misma época a que nos venimos refiriendo. El libro, en su conjunto, es un acierto. Si algunas de sus páginas ofrecen un interés menor, la mayoría de los relatos son encantadores. Mercedes Salisachs revela hallarse aquí en posesión de una gran agilidad narrativa, de un delicioso estilo, ducho en el arte de sugerir sin vanas insistencias, de una fina ironía, y con mucha malicia en la aljaba.

En *Vendimia interrumpida,* está de vuelta del realismo descarnado y se introduce nuevamente por esos mundos literarios y esos temas deliciosos que, para nuestro gusto, van mejor a su ser de escritora. Cierto que se dan aspectos que guardan parecido con los reflejados en *Una mujer llega al pueblo;* pero no hay duda de que dista bastante de ella. Incluso por la temática; pues, mientras en las primeras novelas tocaba muy de cerca el recurso común y manido de «lo social», aquí se engolfa en un tema profundamente religioso; tema religioso que, por su ambición y profundidad, a lo largo, va a desbordar a la misma escritora, quedando un tanto malparada.

Sin renunciar a sus otras cualidades positivas —ambición intelectual, crudeza ejemplarizante, garra novelística—, en *Vendimia interrumpida* ofrece a la consideración del lector un tema que hace unos años podía escandalizar a fariseos mojigatos y hoy reviste ya menos importancia por haber perdido bastante actualidad: don Alejandro, un sacerdote al que jamás veremos ni oiremos sino a través de las referencias de los otros personajes, sigue ejerciendo con el recuerdo de su importante personalidad sacerdotal y humana influjo decisivo sobre el pueblo del que ha sido desterrado. Diego Ribalta, su sucesor, cuyas buenas intenciones no consiguen ocultar su torpeza, ha de enfrentarse con una comunidad hostil e intrigante. Solamente la «gracia» podrá decir la última palabra, ya que ninguno de los dos ha triunfado o fracasado: únicamente son instrumentos que han de servir a la continuidad de Dios. «La vid perdura, aunque el sarmiento muera».

Yo quiero hacer una confesión del todo personal: para que *Vendimia interrumpida* me gustase, tendría que desconocer por completo a Bernanos y a Graham Greene; desconocer, por lo menos, *Diario de un cura de aldea* y *El poder y la gloria*. Sin quererlo, me voy a estas dos grandes obras y, sin quererlo también, hago comparaciones...

A Mercedes Salisachs le ha faltado capacidad para ahondar en el problema y darle fuerza, consistencia y dureza al protagonista, o mejor, a los protagonistas, que son dos. No se trata tanto de «teología», cuanto de «humanidad». La autora no necesitaba mayores saberes. Lo que importaba para que la novela se pareciera a las citadas era sencillamente que estuviera encarnada en unos hombres de mucha mayor hondura y fuerza psicológica. Salisachs se diluye, como en otros de sus libros, en una inacabable rueda de personajillos, que tampoco valen por sí; como que pertenecen a la misma fauna pueblerina y vulgar. Sobran beatas, sacristanes, monaguillos... Sobran efectismos, y falta un padre Donisan.

La autora se enzarza con todo este numeroso mundo menudo porque, tal vez no se atreva, o no pueda sacarle todo el partido necesario a lo esencial. Y pienso que, cuando se pretende hacer algo serio, tiene que ser de veras, a todo evento y sin volver la vista a los lados, renunciando a meter en el equipaje cualquier especie de trivialidad. Se es, o no se es. Con la novelística, a estas alturas, ya no se debe jugar.

Pero entrémonos por *La estación de las hojas amarillas,* la mejor de cuantas escribiera Mercedes Salisachs hasta *La gangrena,* si es que ésta la supera. Probablemente en ninguna otra ha conseguido un dramatismo tan armonioso y una armonía tan patética. Es indudable que de todos los personajes salidos de su pluma, Pablo, ese muchacho rebosante de vida, es el que alcanza mayor altura espiritual. Tal es la fuerza trágica de su tenacidad frente a las incongruencias de ciertos sistemas de vida. Su simpatía, su juventud, su desbordante humanidad y su permanente posición de alerta ante el letargo de las mentes chatas y limitadas al apego material, sin más horizonte que el egoísmo y la soberbia, hacen de este personaje una verdadera creación literaria que el lector difícilmente podrá olvidar.

Y es que Mercedes Salisachs se mueve en este libro con más soltura que en ningún otro. Aquí es donde, aparte ese feliz alumbramiento de Pablo, aparece aquella sutil fibra del sondeo psicológico con el tenue hilo de la posible trasposición poética. Aquí trabaja nuestra novelista con elementos que se tiene bien conocidos por mujer y por observadora. Dos hermanas gemelas, llegadas ya a la edad otoñal —he ahí el por qué de «la estación de las hojas amarillas»—, se enfrentan con un problema común que trastorna sus vidas, las dos vidas, aunque las dos lo vean desde distinto plano. Una de ellas, Cecilia, al parecer la más desgraciada, nos lo va contando, desgarradora y cruel, incisiva y acusadora, como quien está convencida de que la desgracia que en todo momento ha ido sellando su vida se debe principalmente a su hermana, al carácter desquiciado y egoísta de Fela, a la que hace responsable de todo.

Cecilia, que habla siempre en primera persona, está dotada de una memoria prodigiosa, de una memoria fatal, que le irá recordando los días pasados, antes y después de la guerra, antes y después de conocer a Nicolás y a su hijo Pablo, antes y después de la muerte de sus padres.

Cecilia se encierra en sí misma y madura sus ideas, intentando dar su justo valor a las cosas. Y, terriblemente acusadora, como terriblemente fracasada, echará en cara a su hermana Fela, a la egoísta Fela Vandraite, el propio fracaso de su vida. «Hay que olvidar, Cecilia, hay que olvidar —reprochará el dicho de su hermana—; sin comprender que la gente normalmente constituída con lágrimas para llorar y pecho para ahogarse, no puede recurrir al olvido con la facilidad con que recurres tú. Para eso hay que tener el alma seca y carecer de lágrimas y pasar por la vida al modo tuyo, arrollándolo todo».

Cecilia reprochará a Fela su superficialidad, su coquetería, el daño que ha ido haciendo, a lo largo de su vida, a muchos amantes y amadores, a todos los hombres que la quisieron, no queriendo ella de verdad a ninguno, ni siquiera a su propio marido, Nicolás, el músico de origen judío, cristiano por su conversión al catolicismo, del que se enamoró Cecilia, pero que le fue arrebatado por su hermana, por parecerse más a ella, por congeniar mejor con su temperamento y manera de ser.

Cecilia lo recuerda todo. Tiene una memoria prodigiosa. Recuerda incluso los lloriqueos de su madre, y las borracheras de su padre, y las disputas habidas frecuentemente entre los dos. Soltera, desengañada, fracasada, rabiosa, con un complejo de edad y de soltería que le desnivela el sistema nervioso, acusa a todos. Pretende salvarse a sí misma juzgando a los demás, pero no lo consigue.

Por su parte, Fela, la mujer fustigada, sólo se ha preocupado de satisfacer sus caprichos y el apetito de la carne, avasallando principios, respetos humanos y prejuicios ajenos. Allá, en el aire, queda el interrogante sobre la conducta de entrambas hermanas: ¿Condenamos a Fela y salvamos a Cecilia?...

Quisiéramos salvarla; pero lo más que podemos hacer es compadecerla. Compadecerla oyéndola hablar a borbotones para dejar salir su queja contenida durante más de veinte años. Compadecerla cuando su amigo Rufo intenta amarla y no lo consigue por ser los dos «tan raros»...

Muchos son los personajes que desfilan por *La estación de las hojas amarillas*. Todos ellos bien caracterizados: el abuelo, para quien Dios es una disculpa de endiosamiento personal; Teresa, María Luisa y Rosa, las amigas de Fela, tres «esclavitas» suyas, tres bellezas de cartón coloreado, tres mujeres cuya hipocresía resulta peligrosa; Pedro, el fiel criado que nació para ser la sombra útil de un hombre inútil: el abuelo; Julia, la buena y servicial Julia, que tantas penas enjugara en aquellos difíciles días del «Madrid rojo», aun cuando ella misma estuviera más necesitada que ninguna otra de consuelo; Octavio, el hermano señorito, vicioso, clásico y chulo de la casta madrileña corrompida; y Ota, el primo Ota, Otavich durante la guerra, teniente del Ejército rojo, enamorado de Fela y nunca correspondido en su amor, a no ser aquellas veinticuatro horas pasadas en la pequeña isla meridional levantina.

«La más dolorosa e intensa prueba a que Cecilia se ve sometida por el enconado acoso de Fela —escribe Fernández Almagro— se cifra en el nombre de Pablo, el personaje de más relieve entre cuantos pueblan la novela, aparte, claro es, Cecilia: alto relieve, por el espíritu de Pablo, hijo de Nicolás, habido en anterior matrimonio, motivo o pretexto para profundo y decisivo choque de las dos hermanas. La madrastra lo rechaza. Cecilia pone en él la ilusión, el ansia última de su vida. ¿Amor de mujer?... ¿de amante?... ¿de madre frustrada?...».

Lo peor es que Cecilia cae en la cuenta, cumplidos los treinta años, de que es solamente una soltera. No hay peor cosa que los amigos nos perdonen nuestro mal humor debido «a la edad»... Esto no lo puede soportar Cecilia.

Intenta sobreponerse a sí misma viajando, siempre con Pablo, tan vinculado a ella hasta la enfermedad de su hermana, por la que le perdió para siempre. Pero la ciudad que visita, París, ya no es la ciudad que ella conoció antes de la guerra. Los reparos sociales habían desaparecido. Se había esfumado el veto para los comerciantes que se empeñaban en formar parte de los clubs renombrados; se habían abolido las diferencias en los colegios de pago, se habían ensanchado los derechos de admisión... La vida sexual había descorrido por fin su último velo. No había «boite» medianamente aceptable sin una sesión de «strip-tease», ni obra de teatro sin su salpicadura de pornografía. Una escritora-niña acababa de decretar que la virginidad era un estorbo y que había que acabar con ella aunque al día siguiente fuera preciso dar los buenos días a la tristeza, y la juventud acababa de lanzar su primer aplauso a la idea de la escritora-niña.

Aquel París era el París de la «náusea», del fin de «los sexos», del «absurdo», de los que vivían en la *rive gauche,* de las barbas, de las melenas casposas, de los existencialistas, de los que vestían de negro —pantalón estrecho y jersey ancho— para deslumbrar a los que todavía pretendían sobrevivir entre creaciones de Fath, Balenciaga, Dessé... sin llegar a un acuerdo concreto.

Hasta que el joven y hermoso Pablo, enamorado de la belleza y del bien, de la música y del amor casto, este último encarnado en una chica humilde, pero sin tacha alguna, Berta, muere por esos designios de Dios que nadie, sino El mismo, ha conocido hasta ahora. Con la muerte de Pablo, muere la razón del vivir de Cecilia. Mientras, Fela llora ahora sin consuelo.

¿Egoístas?... ¿Locas?... ¿Anormales, cada una en su estilo?... No lo sé. «Día tras día fui mendigando —dice Cecilia—, sin que nadie me oyera. Todos me veían pasar por su lado como si vieran un fantasma de mujer. Demasiado tarde. Se habían acostumbrado a mi virtud. No podían imaginarme de otro modo. No les interesaba».

«Dios gana siempre, Cecilia». Y ahí estuvo tu equivocación y la de tu hermana: en no quererlo ver a tiempo; tal vez, en no quererlo ver nunca.

Pero Mercedes Salisachs no se ha quedado en *La estación de las hojas amarillas.* Pienso que esa «sinfonía inacabada» del principio le va a ir perfeccionando, con los respetos que me merecen siempre los que han enjuiciado dura y negativamente *La gangrena.*

Nuestra ilustre novelista ya había quedado finalista —como hemos visto arriba— del Premio «Planeta» en dos ocasiones: la primera con *Carretera intermedia,* en 1955, cuando lo consiguiera Antonio Prieto con *Tres pisadas de hombre;* y la segunda el año 1973, tras haber llegado su *Adagio confidencial* a la última votación junto con el *Azaña* de Carlos Rojas. Incluso podemos decir que ya en el lejano 1952 se había presentado al codiciado premio de Lara con su primera novela, titulada precisamente *Primera mañana, última mañana,* la cual sería eliminada en la tercera votación del jurado.

Más fortuna, digamos mejor, más justa recompensa ha tenido cuando, amparando su identidad bajo el seudónimo de Carlos Hondero, se presentó al certamen con *La gangrena,* merecedora del «Planeta 1975».

La gangrena es, hoy por hoy, la novela más ambiciosa e importante de Mercedes Salisachs. Perteneciente a una familia de la alta burguesía catalana, con amplias ramificaciones en la vida política y financiera de la Ciudad Condal, al tiempo de ser entrevistada por los periodistas, con motivo del premio, mostró especial insistencia en declarar que su obra premiada no era una crítica incisiva a las fórmulas de la burguesía barcelonesa, ni a la histórica ni a la actual; sino que eran las mismas, y que su gangrena se refería al mal que acaba corroyendo a un hombre con una desmesurada ambición de dinero y de poder. «He querido dar a mi novela un mensaje —decía— aunque no sé si he conseguido este propósito; he pretendido decir algo importante, que me ha llevado mucho tiempo de trabajo y meditación, por encima de todo circunstancialismo que se pueda referir a unas formas de vida locales».

Sería la historia de un hombre —ya podemos escribir su nombre: Carlos Hondero— que cuenta los mismos años de la novelista catalana y que vive las peripecias íntimas de una familia de la burguesía barcelonesa.

Al tiempo de recorrer las páginas de este voluminoso libro, uno recuerda inevitablemente al malogrado Ignacio Agustí, con su saga de los *Rius,* gran lienzo épico del desarrollo de la alta burguesía en Cataluña; a José María Gironella, con su famosa trilogía comenzada con *Los cipreses creen en Dios,* una de las obras más acabadas sobre la temática de la guerra del 36.

Carlos Hondero, desde su Barcelona natal, vive una historia paradójica, cual era la vida española de aquel momento que se inició con la dictadura de Primo de Rivera, pasando por la experiencia trágica de la guerra civil y su llegada hasta nuestros días, o mejor, hasta los días en que se anunciaba un cambio y el horizonte español se vislumbraba más abierto y despejado.

La historia de este hombre que, de la nada, llega a ser todo un personaje, hombre de prestigio y de dinero, evoluciona al compás de unas complejas relaciones con su madre y con las distintas mujeres que salen al encuentro de su vida de adolescentes, joven y hombre maduro. Estas mujeres son Estrella, Lolita, Alicia, Carlota, Serena... Todas iguales, y todas distintas. Todas, al fin, mujeres.

Carlos Hondero personifica, en el encuadre de las cinco décadas de vida española por las que discurre su vida, el debatirse de la ambición, de las frustraciones, del ascenso, de las caídas de un hombre empeñado en su triunfo sobre la sociedad que lo circunscribe. Esa sociedad es la catalana, o mejor, la barcelonesa que bien se conoce la autora; por lo que su libro adquiere la categoría de crónica viva, dentro de la cual el protagonista desempeña, al compás de su tragedia interior, el papel de constatador de los cambios, evoluciones y derrumbamientos de un país, de una ciudad rica y financiera, de los ambientes social-burgueses en que se mueve.

Carlos Hondero es un producto de la guerra, sin descontar sus prolegómenos de crisis y violencias revolucionarias anteriores. Precisamente, de ahí arrancarán sus complejos psicológicos, la confusión de sus sentimientos, el desarbolamiento de su espíritu. Es posible que —como se dijo en su día— con la copiosa revelación confidencial que se instrumenta en *La gangrena,* nuestra ilustre escritora catalana decidió también componer otras *Confesiones de un hijo del siglo,* con su cortejo de contradicciones íntimas, heroísmos desvanecidos, conflictos éticos y agusanamientos corruptores. El alma se va gangrenando mientras la sociedad se pudre, perdida en hedonismos deletéreos.

Hondero, protagonista de *La gangrena,* se va destruyendo, como si la ruina se viera acelerada en función de su triunfo, de su goteo social, de su ascenso en la banca, en las altas esferas financieras de la Barcelona capitalista y burguesa. En el fondo, pienso que Mercedes Salisachs está acusando a la sociedad a que pertenece. Acusa y delata, simplemente. No se atreve a juzgar. Ni siquiera a condenar. Ella misma pertenece a ese vivir. Pero ahí está presente —nos dice a todos— y bien a las claras «la gangrena» corruptora de esta sociedad mía.

Y en torno a Carlos Hondero, en torno a esta «gangrena», los personajes del libro: la madre, triste, viuda, venida a menos, que no se cansa de decirle a su hijo: «Los tiempos están muy malos y hay que aprovechar todo lo que caiga. Por eso tú, cuando seas mayor, debes estudiar mucho; que algún día tendrás que devolverle a tu madre todo lo que está haciendo por ti».

Carlos Hondero, educado en esta infancia, no puede desasirse de ese complejo: de tener que vivir con una madre viuda, buena y trabajadora. Los domingos «le sabían a madre»; «toda la madre para él»... Hasta que llegue el día en que su sola presencia le resulte insufrible.

Con la madre, Paco, amigo de estudios, vago por naturaleza, chaparro y cabezota, con pelambrera tiesa y ojos huidizos, engreído y desconfiado. Paco, hermano de Lolita, la mujer de verdad amada y por esas cosas del destino y de diferencias de clase nunca conseguida. Paco, que un día le hará chantaje, volviéndose cínico, embustero e insoportable.

Carlos Hondero, pasados los años, recordará todas estas cosas. Como recordará las entrevistas —siempre vigiladas por miss Francia— con

Lolita y aquel noviazgo arbitrario e inmaduro. El amor verdadero llegó después, muchos después: cuando Lolita arrastraba su fracaso de mujer y él su horror de ser hombre.

Como recordará un día, cuando ya lo ha conseguido todo, pero cuando le corroe la «gangrena», que ser uno grande, «grande hombre», es tener las conciencia embotada, dominar el destino, dominar a las mujeres y meterse en la vorágine de la incoherencia, de la ética dirigida: aquella que avasalla y destruye.

Son varias las mujeres importantes que pasan por la vida de Hondero, además de la madre y de Lolita. Será Estrella, empleada del Banco donde él trabaja, pronta al amor chantajista y «carnada» de usureros y también de revolucionarios. Angelina, la que en un principio será solamente «la amiga de su madre», la que cobijó a los dos en su propia casa en tiempos de persecución, pero que luego se convertirá en la amante frustrada, vieja y desesperada. Paloma, una mujer producto de la guerra y que, cuando ésta era ya agua pasada, trata de recuperar los años perdidos, aun a costa de adulterios y de desintegraciones familiares. Alicia, hija de don Alberto, heredera de uno de los Bancos más importantes de Barcelona, esposa, al fin, de Carlos Hondero, sin que éste llegara nunca a ser su marido, según confesión propia. Alicia, la clásica niña de mimo, extraña, celosa, que se encierra en la soledad de su masía y en el estudio de pintura, mientras su esposo busca en otras mujeres lo que no encuentra en ella. Y así, hasta el desenlace fatal.

Y junto a todo esto —sociedad podrida y «gangrenada»— un rayo de luz, una esperanza (Dios está ausente de esta sociedad, aunque de vez en cuando escuchen los consejos del P. Celestino, y los matrimonios se hagan por la Iglesia, y los hijos hagan la primera comunión), una niña encantadora llamada Carlota que, como una paradoja más y cruel de la vida, quedará paralítica a consecuencia de una poliomelitis habida en su primera adolescencia. Carlota, que presenciará, asustada, las peleas de sus padres, el histerismo de su madre, las infidelidades de su padre, al que adora... Carlota, que, ya de mayor, se enterará el por qué su madre se ha tirado desde la torre de la masía contra la roca.

Al final del libro hay un frase que se clava en el alma del lector: «El maldito dinero lo consigue todo». Es la frase que repite Paco al tiempo de enterar a Carlos de que su nueva mujer, Serena, y Victoria, esposa del primero, se entienden entre sí.

Mercedes Salisachs, a fuerza de ir poniendo en claro conductas ruines, como la de Paco, y a fuerza de ir eliminando a personajes de su «crónica de sociedad», quiere asirse a la esperanza del amor auténtico y verdadero: el del principio, el de los jóvenes Carlos Hondero, simple empleado de Banco, y el de Lolita, la hija de la aristócrata y rica familia de los Moraldo. Pero tal vez sea ya tarde. En esa noche ya no hay estrellas:

—Hemos envejecido, separados, Lolita.

—Queda tan poco tiempo, Carlos...

XAVIER BENGUEREL

Novelista exiliado, burgués, con pujos de anarquista
fracasado

I. «EL CATALAN» Y LOS NOVELISTAS CATALANES HOY

Si mal no recuerdo, el día 15 de noviembre de 1975, salió publicado en el «Boletín Oficial del Estado» un Decreto-Ley que tenía el propósito de «regular el uso de las lenguas regionales españolas», que son patrimonio cultural de la nación y que, a partir de entonces, tendrían la consideración de lenguas nacionales, pudiendo ser utilizadas «por todos los medios de difusión de la palabra oral y escrita».

Desde aquel momento y hora, el vascuence, el gallego y el catalán —siempre teniendo en cuenta la oficialidad nacional del castellano— adquirirían carta de ciudadanía y pasaban a ser idiomas nacionales.

Pienso que más de un intelectual recordaría entonces a don Marcelino Menéndez Pelayo —defensor de estas culturas patrias, él tan castellano—, y comprendería perfectamente el problema, aceptándolo de buen grado.

El pueblo, ayudado por la canción popular, aceptó asimismo el hecho con naturalidad, no viendo enemigos donde no los hay, sino amigos que desean expresarse, dentro de una misma comunidad española, desde una lengua y cultura propias, patrimonio irrenunciable de su ser e idiosincrasia regional.

No hace todavía un año, con motivo de un ambicioso «Congreso de Cultura Catalana», Joseph María Puigjaner escribía lo siguiente: «La cultura catalana está necesitada de la convicción y del compromiso de todos los hombres y mujeres de los Países Catalanes. Pero está necesitada también del entorno en que se desenvuelve. Y este entorno es España y los españoles de habla castellana. El pasado de la cultura catalana debería ser objeto, por lo menos, de conocimiento y aprecio para los castellano-parlantes. Pero su presente y su futuro debería ser también objeto de estima, de preocupación y de solidaridad. Al pedir apoyo, quizá se está pidiendo demasiado, cuando lo único que habría que pedir sería, por ahora, no ingerencia y respeto. Dan miedo unas frases de José Luis L. Aranguren en el prólogo de la obra *Los intelectuales castellanos y Cataluña*. «Yo no sé —escribe— si mis amigos catalanes se dan cuenta de las enormes resistencias socio-políticas e incluso psíquicas que suscita su reivindicación. Casi cada castellano tiende a institucionalizar la hetero-determinada unidad de nación en el centralismo del Estado español».

Tal vez hoy no escribiría el gran pensador abulense las mismas expresiones que acabamos de leer al darse cuenta de que aquella necesaria invención de posibilidades de convivencia, aquella praxis socio-cultural que vaya disolviendo solidificados prejuicios se está consiguiendo, gracias a los intelectuales que eran objeto de temor. Y es posible que se esté cumpliendo ya, al menos en parte, el deseo del citado escritor Puigjaner cuando decía en el mismo artículo: «Cuando hayamos estrenado y disfrutado esta convivencia ya no habrá que celebrar ningún Congreso más de la Cultura Catalana. Entonces se empezará a saborear el olvido de la última dictadura».

Entretanto, ahí están, en lo que a narrativa se refiere, nuestros novelistas catalanes, de ayer y de hoy, acaparando los mejores y primeros premios literarios y, lo que es más importante, cultivando la novelística y escribiendo importantes obras tanto en su idioma nativo, como en castellano.

Aparte las figuras ya consagradas de José María Gironella, Bartolomé Soler, Carmen Laforet, Ana María Matute, Ignacio Agustí, Mercedes Salisachs, Sebastián Juan Arbó..., vale la pena conocer y ocuparnos de los recientes y flamantes Premios «Planeta 1974», otorgado a Xavier Benguerel por su novela *Icaria, Icaria...*, y el no menos discutido y polémico «Planeta 1976», concedido a Jorge Semprún por su novela *Autobiografía de Federico Sánchez*.

II. XAVIER BENGUEREL, EL HOMBRE

Nació en Barcelona el año 1905. Hoy está considerado como uno de los principales novelistas contemporáneos en lengua catalana. Su primer libro apareció en 1929. Al final de la guerra civil se exilió primeramente en Francia y luego, definitivamente, en Chile, hasta su regreso de nuevo a Barcelona el año 1954. Para aquella fecha llevaba ya publicadas una serie de obras entre las que cabe destacar *La familia Rouquier,* ganadora del Premio «Joanot Martorell». Al año siguiente de su nueva residencia en España, obtuvo uno de sus mayores éxitos literarios con la novela *El testamento,* de la que se han hecho varias ediciones tanto en catalán, como en castellano.

Xavier Benguerel es un veterano escritor catalán que en el largo exilio pudo conocer, allá en Chile, al desaparecido Pablo Neruda y a Salvador Allende. Una obra suya, escrita en catalán y titulada *Vençuts,* traducida al castellano con el tíulo *19 de julio,* nos habla de la guerra fratricida, de la derrota, de cuanto pasó en Cataluña y en toda España, en un tono de amargura ya trascendida, sin rencor alguno, pero también desilusionada. Es lo mismo que vamos a encontrar más adelante en *Icaria, Icaria...*

Xavier Benguerel confiesa, y no lo oculta, que escribe siempre en catalán porque piensa, sueña y ama en catalán. Al tiempo de traducir sus novelas al castellano, cuando lo hace él mismo, somete el texto a un nuevo proceso creador; corrige y añade algo porque sería absurdo acudir al expediente de una traducción literal. En este sentido, *Icaria, Icaria...* ha sido escrita de nuevo por el propio autor catalán.

Es posible que nuestro novelista, que cuenta ya más de setenta años, es posible que siga sin saber, exactamente, dónde está «Icaria». Pero también es posible que la haya encontrado en el sosiego personal, en el desasimiento de todo, en la soledad del escritor.

Benguerel es un hombre embanderado, y su literatura no se sustrae a esta condición. Por el contrario, si bien con coloraciones y matices, el anarquismo la determina, la imprime los vuelos y sus trabas. Claro que el camino recorrido desde *Suburbio* —de una fecha tan sintomática como 1936— hasta *Icaria...* es largo y de evidentes maduraciones. Sobre todo en lo que respecta a la técnica del narrador, la complejidad alcanzada ahonda los temas, los personajes, los planteamientos, las situaciones.

Como diría Fuster, en su *Literatura Catalana Contemporánea,* es otro exiliado, novelista burgués, que comienza su labor literaria en 1929 con la publicación de *Págines d'un adolescent,* labor que asienta definitivamente en 1934 con la publicación de dos novelas: *La vida d'Olga* y *El teu secret.* Desde entonces y hasta el «Planeta 1974», *Icaria, Icaria...,* dieciséis novelas atestiguan su nunca abandonada andadura narrativa, a excepción de sus primeros años en el exilio. Sus títulos más conocidos —al menos entre los amantes de la literatura catalana— son *Suburbi,* publicada en 1936; *L'home i el seu ángel,* de 1937; *Sense retorn,* de 1939; *La máscara,* que aparece publicada en 1947; *La familia Rouquier* y *El testament,* las dos de 1955 y la segunda traducida al castellano en «Planeta»; *El Fugitius, El viatge* y *L'intrus...;* hasta llegar a *Gorra de plat,* que fue traducida también al castellano en «Alfaguara», junto a *Els vencuts,* que se acerca ya al premio que nos va a ocupar luego.

Benguerel, en su temática, se interesa ante todo del hombre; pero más en su ser y existir que como anécdota a su paso por la tierra. Es cierto que no ahonda demasiado en las motivaciones vitales de sus personajes, pero sí los dota de una luminosa dignidad que les da pronto a conocer. En este aspecto, es el sentimiento religioso el que da casi siempre la pauta a la hora de trazar su forma de estar encuadrados en la sociedad que los rodea. La claridad que ese tipo de exposición concede a las historias que cuenta Benguerel, se ve realzada por la excelente construcción arquitectural de la narración, la cual posee, a veces, claro movimiento escénico, y en sus últimos libros una pronunciada preocupación por el enfrentamiento civil, por las causas y consecuencias que le llevaron al exilio.

III. «ICARIA, ICARIA...», PREMIO «PLANETA»

Al tiempo de presentar la novela *Icaria, Icaria...,* Xavier Benguerel dijo: «Yo tengo la palabra escrita. Para defenderme de mi timidez en esta hora y de emplear un idioma que, queriéndolo mucho, no es el mío». Después de escuchar a Pedro de Lorenzo en la presentación de su novela *Gran Café,* finalista al «Planeta 1974», nuestro escritor catalán volvió a decir que se sentía como un pobre, casi en los peldaños de una iglesia, esperando una pequeña limosna que la haga el público escuchándole. «Yo quisiera ahora tener la facilidad de palabra».

Con motivo de aquella presentación el editorialista literario de «ABC» escribía, refiriéndose a los dos ganadores, que ambos nacían de un largo silencio: el silencio español de los años cuarenta y el silencio del exilio y de la lengua. Dos escritores silenciosos, dos grandes minorías silenciosas por sí misma, a los que un premio concitaba, reunía y proclamaba. La lengua de fuego de un premio, fuego andaluz y catalán, se posa sobre estas cabezas y ambos rompen a hablar. Pedro de Lorenzo ha hecho de su obra un largo silencio, un extenso y sostenido silencio sobre las cosas y los hombres de España. Pedro de Lorenzo, en sus novelas, en sus libros de viajes, en sus ensayos, importa más por lo que no dice que por lo que dice. Ha hecho sus libros con lo no dicho de las cosas, y lo ha dejado sin decir, y ahí está, evidente en el silencio, silenciosa en la luz, la España de Extremadura, la España hermética de los años cuarenta, de sus años germinales.

Xavier Benguerel viene de otro silencio. Doblemente maldito, por catalán y por exiliado, ha hecho pasar su lenguaje recio, con calidad de algarrobo mediterráneo, al pedernal cortado del castellano. Con premios o sin ellos, la doble lejanía del exilio y la lengua viene acercándosenos, últimamente, en escritores como Villalonga, Carner, Espriú, Benguerel, tantos. Cataluña se dibuja sobre un Mediterráneo litográfico, vuelve a tener perfil de patria, gracias a la prosa y al verso de todos los escritores tan largamente silenciados. Cataluña, sí, era un silencio y Extremadura era otro silencio. Las regiones, las patrias, los silencios hablan un día por sus hombres más callados. No se puede seguir desoyendo a Extremadura en la prosa silente de Pedro de Lorenzo. No se puede seguir desoyendo a Cataluña en la prosa dura, caliente, de Xavier Benguerel.

De este modo, preguntado el primer ganador del «Planeta 1974» qué era su novela premiada, dijo que se trataba de un homenaje a Etienne Cabet, un comunista no violento, partidario acérrimo de la fraternidad humana; un homenaje, por supuesto, a Narciso Monturiol.

Preguntado, igualmente, si *Icaria, Icaria...* era una novela, su autor contestó que no exactamente; sino más bien una historia de amor y de fracaso. Dos historias que se engarzan: el viaje de los icarianos que salen del puerto de Havre en 1848 con Cabet en busca de la tierra prometida imposible, que bautizaron con el nombre de «Icaria», y la de los protagonistas del atentado anarco-sindicalista contra Martínez Anido en 1922. El protagonista busca los viejos ideales, y su historia es como una repetición de la aventura y la desilusión de Cabet. Solamente en julio de 1936 saldrá de su apatía, pero será ya para morir. Su tiempo, su actividad y su vida han pasado.

Por lo mismo y como advertimos en seguida, *Icaria, Icaria...* es una novela de tono pesimista. Se ha dicho que pudo crecer desde la angustia y la esperanza, pero se quedó sólo en lo primero. Xavier Benguerel ofrece el desarrollo y el final de dos historias en busca de una misma culminación, pero completamente disímiles en la estrategia. El lector puede decidirse por una o por otra, pero en último término, se ve abocado a una pared impenetrable que le impide llegar a creer no ya en la presente, pero ni siquiera en la futura existencia de «Icaria».

Con todo, tenemos que decir que el «Planeta 1974» relata una de las aventuras más apasionantes que el hombre haya podido emprender para intentar el establecimiento de la tan esperada «Ciudad Modélica» en una Nueva Jerusalén. Los aspectos históricos de Etienne Cabet, fundador del comunismo icariano y la contribución catalana en la quimérica empresa que agoniza en Tejas a mediados del siglo XIX, enlaza en un contrapunto de fábula con el movimiento anarco-sindicalista que tuvo lugar en un período de la anteguerra civil española y durante el Gobierno civil del general Martínez Anido, culminando con el fallido atentado del «túnel de Garraf» contra la familia real y el dictador Primo de Rivera.

Icaria, Icaria... es, así, la novela de un escritor de claro encuadramiento social y una novela en la cual las preocupaciones sociales se eslabonan con las tragedias y las catequesis ácratas. El escenario y la temática de las barriadas industriales aparecen en Xavier Benguerel desde el comienzo de su vida literaria y con las páginas de *Suburbio,* que prefigura el desarrollo posterior de toda su obra.

Por un lado, asistimos a una novela nostálgica y hasta romántica, con unos planos superpuestos y entretejidos que sirven para el tratamiento de una acción lejana, llena de nostalgias y también de frustraciones. Por otro, se constatan unos hechos históricos, conflictivos y tensos, que sirven para realzar el valor de sus protagonistas. Las alternativas de atentados y represiones cargan las tintas de la novela, «hasta arrancarla a los chafarrinones del folletín o a los relatos rápidos y de gran eficacia subversiva de Angel Samblancat, antecedentes legítimos de anchas zonas de la inspiración de Xavier Benguerel».

Todavía más: *Icaria, Icaria...,* no se reduce a una novela de chirriante dialéctica anarquista y de planes frustrados. Hay en ella un ensueño de anarquistas ilusionados, que buscan la fundación de un paraíso ácrata en tierras de Tejas. Estos hermanos libertarios, a los que Cabet conduce a la quimérica y desdichada aventura del ensayo de una experiencia comunista americana, aparecen cual unos sufridos iluminados. Cuando el protagonista —Clemente— lee en la cárcel Modelo la crónica de los sucesos utópicos icarianos, está sellando el drama de su destino interior, afectivo o emocional, a la par que su hado se conjuga con los albures de la desazonada, sangrante y angustiosa trayectoria de España.

Pienso que Etienne Cabet, el visionario socialista francés, escribe su *Viaje a Icaria* desde la base y en la misma línea en que Tomás Moro escribió su *Utopía.* Solamente que, a diferencia de esta última, en la construcción de la nueva ciudad, del «nuevo mundo», se suceden, unos tras otros, los más ruidosos fracasos, comenzando por el propio Cabet que resulta ser un hombre poseído, sin objetividad y bastante inconsciente, al que siguen unas gentes prendidas de su palabra, pero fatalmente enajenadas. Cuando después de las discusiones, discrepancias y rencillas que se adivinan muere el jefe de la expedición, no quedará nada de su intento, a no ser el desengaño más brutal en los pocos supervivientes y la desolación en todo lo que les rodea.

Cabet, el francés de Lyon, o quizá de Tolón, hijo de un tonelero, que no estaba hecho para combar duelas y ajustar aros, sino para organizar una sociedad ideal, sin policías, ni militares, ni gobernantes, ni jueces; ni propiedad, ni moneda; ni salarios, ni impuestos; ni compra, ni venta..., llevará a este fin desastroso al grupo de incautos e ilusionados que abandonarían Europa decididos a terminar con la opresión, la miseria y la ignorancia; decididos a cortar de raíz todos los vicios, todos los crímenes; a establecer la unión entre los hombres, la concordia, la paz, la caridad; en resumidas cuentas, a asegurar la felicidad de todos los hombres y de todos los pueblos sin excepción.

La llama del espíritu cabetiano resplandece de repente sobre la cabeza de los nuevos apóstoles de «Icaria», a los que se les ha apegado el estilo fogoso y ciertos gestos espirituales del maestro. Pero resulta que, pasado cierto tiempo, aquellos hombres estaban enfermos, agotados, abrasados, y no eran más que una extraviada caravana de vencidos y una empobrecida, alucinada legión de nómadas trastornados por el espejismo de un horizonte que recula a medida que avanzan.

Al quedarse solos ante la tierra prometida, miran a derecha e izquierda desolados. Tenían a su disposición cien mil acres de tierra inculta, dividida vergonzosamente; un paraje en que alternaban pinos, robles y otros árboles cuyos nombres ignoraban... ¿Era esta la libertad que el credo comunista había apalabrado?... ¿Era esta la paz icariana, predicada por Etienne Cabet?...

Tal vez tuviera razón uno de los personajes —Aurelio— cuando deseando cantar a todo el mundo el himno de la Gran Esperanza, les dice a sus compañeros: Si somos incapaces de crear una Icaria universal donde sea, es porque nos hemos convertido en miserables egoístas, en enemigos de nuestros hermanos.

Y otro día dirá, convencido, después del fracaso: Ya no lo pongo en duda: al hombre le hace falta su casa, su mujer, sus hijos, sus amigos; pero quién sabe si no necesita igual o más sus calles, sus árboles que ha visto nacer, el color de las estaciones, el gusto del aire de su tierra, yo diría hasta su barrio...

Es así como los hombres seguidores de Cabet descubren finalmente, pero demasiado tarde, que el sistema represivo, la explotación del hombre siguen vigentes al otro lado del Atlántico, y que su aventura no es sino un episodio más de la sempiterna sangría: la tierra que van buscando —Icaria— no es más que una tierra que pertenece a la Compañía Peters, porque «el mundo entero, claro, es tierra de las Compañías Peters: toda la tierra»; que todo es negocio con vistas a la plusvalía. En última instancia, la aventura se ha vuelto reaccionaria en virtud de los resultados, en virtud de los servicios prestados «a quienes creen que el comunismo es una utopía».

IV. CONCLUSION

Es evidente el mesianismo de la aventura narrada por Xavier Benguerel en su novela que le ganó el «Planeta 1974». Cabet es el nuevo dios, el enviado que va a rescatar a los hombres de la miseria y llevarles al Paraíso; su doctrina, recitada por uno cualquiera del grupo, es ya fuente de iluminación. El grupo, que se convierte en una masa enajenada, alienada, y donde nadie reflexiona ni piensa por cuenta propia. Todos obedecen al líder. Nadie se pregunta siquiera por la existencia de aquella isla, tierra prometida.

Cuando comprueban que Icaria no existe y que es inútil buscarla, caen en la cuenta de que si hay que construir un mundo fraterno donde no exista la represión de los más por los menos —«un mundo que todos tuviéramos que hacer, componer con nuestras propias manos»—, el peor camino será abandonar el propio país, dejándolo así a merced de logreros y traficantes; retirarse de la lucha para ir a buscar icarias inexistentes, sueños sin base científica, es de ilusos, de enajenados, o por lo menos de unos pobres alienados.

La novela de Benguerel tiene un contrapunto y que es un segundo camino a seguir en la búsqueda de lo que el grupo de Cabet no encuentra. Para el novelista catalán, Icaria no está al otro lado del mar, sino al otro lado del tiempo, después de la lucha tenaz de cada día; luego de que el combate haya dado su fruto y ya no sea necesario, estando todos unidos en una gran fraternidad.

Aquí la obra recobra nuevo ritmo y vigor, consiguiendo páginas verdaderamente emocionantes y sobrecogedoras en medio de la angustia y de la desolación.

El centro de la acción ya no ocurre en Tejas, sino en la España de la anteguerra, en la que asistimos a la vida diaria, la historia concreta, la realidad dramática de un atentado contra Martínez Anido; de unos pistoleros a sueldo de la policía y encargados de la represión de los sindicalistas; de unos hombres y mujeres que sufren y aman en su ciudad, entre sus amigos y en su propia casa, sobresaliendo Clemente Rovira, cabetiano por devoción, perseguido, encarcelado, destruído casi y que va a morir en el asalto al cuartel de las Atarazanas al día siguiente del golpe militar del 36.

El camino, por tanto, estará en la lucha dentro de la realidad, y no en utopías soñadas; en la estrategia calculada por la reflexión propia y también colectiva. Precisamente lo que falla aquí.

Clemente Rovira se convierte, así, de hecho y de derecho, en un cabetiano más al que han sacado de aquella expedición irreal y han colocado en la Barcelona de la anteguerra dispuesto a pegar tiros.

Por lo que, al término de la lectura de esta novela, nos quedamos un tanto confusos, ya que el problema de la búsqueda de Icaria —en uno y otro plano— queda sin resolver. Quizá la cosa no sea tan fácil. Pero pensar también que es imposible su consecución, que la «utopía» de Tomás Moro sigue y va a seguir siendo barrera infranqueable es, a juicio de algunos críticos, traicionar no sólo la vida esforzada de cabetianos y sindicalistas, sino de la misma novela.

JORGE SEMPRUN

O la rabia mal disimulada contra Santiago Carrillo

I. CARRILLO, MARCHAIS, BERLINGUER Y OTROS EN DESCUBIERTO

Un importante diario belga —«La Libre Belgique»— publicó una crónica de su corresponsal en Madrid, Christian Gallois, con el siguiente título: *Santiago Carrillo y el eurocomunismo, amenazados por un explosivo libro.* El agudo periodista analizaba el éxito conseguido en España por la novela de Jorge Semprún, Premio «Planeta 1976», con el título de *Autobiografía de Federico Sánchez,* y del efecto que causó dentro del Partido Comunista Español.

Christian Gallois hace una breve historia de los principios comunistas del autor y añade que el gran protagonista del libro, que se ha convertido en un «best seller» en España, es el Partido Comunista Español, dominado por su secretario general, Santiago Carrillo. Este último aparece como un padrino metódico, frío, calculador, astuto, oportunista y cínico, cualidades necesarias a quien, según Jorge Semprún, debía sacrificar numerosos militantes a su política personal. El otro protagonista del libro —en sentir del mismo periodista belga— es toda una generación destruída por el régimen anterior y equivocada por el Partido Comunista, que se ilusionaba con la caída de un régimen en pleno desarrollo.

Es más; el cronista aseguraba que, si bien el libro de Semprún no había llegado oficialmente a Bélgica, sí había sido comentado en los medios políticos de la OTAN, que se preocupaban del tema, y en ellos se decía que el señor Semprún había desenmascarado al eurocomunismo y con ello a Santiago Carrillo. La OTAN, alianza defensiva contra el comunismo, nunca ha creído en la nueva imagen comunista y la ha considerado como una táctica y estrategia nueva de un partido que, después de treinta años de fracaso en la conquista de Occidente, se había encontrado con una posibilidad de la mano de Santiago Carrillo. Posibilidad que ha permitido al líder comunista español el pronunciar una conferencia en los propios Estados Unidos.

Por si fuera poco, también en los primeros días del año 1978, y con motivo de celebrarse el Congreso del Partido Comunista Obrero Español, Enrique Líster afirmaba, respecto a la polémica que mantenían Jorge

Semprún y el señor Azcárate, que la trampa funcionaba por ambas partes. A juicio del viejo militar, elogiado recientemente por el general Vega Rodríguez, Semprún dice muchas verdades, las que le convienen y como le convienen. De hecho, ¿por qué el novelista no habla de febrero y marzo de 1962, que fue cuando comenzaron los problemas en el seno del PCE, y sí de 1964, que fue cuando el problema se desbordó?...

«Pero el papel de Azcárate —señaló luego Líster— es de lo más siniestro. Cuando Carrillo fue quitando posibles competidores, fue Azcárate su primer colaborador. E hizo las acusaciones contra Carmen de Pedro (mecanógrafa del Comité Central) y Monzón, a quienes acusó de agentes americanos. En mi libro *Basta,* que publiqué en 1971, denuncio crímenes que se han cometido en el seno del partido, y en algunos de esos crímenes no son ajenos Claudín ni Azcárate».

Por lo que terminaba Líster diciendo que cuando se ponen a polemizar Semprún y Azcárate, el juego está entre señoritos, si bien Semprún está prestando un mejor servicio.

La polémica continuó por bastante tiempo y las reacciones fueron las más encontradas y más extrañas, comenzando por la del propio Carrillo, el cual siendo preguntado sobre el libro de Semprún, respondió: «Ni lo he leído. Se publican tantas cosas y dispongo de tan poco tiempo, que tengo que seleccionar mucho y elegir sólo los libros verdaderamente interesantes».

Por su parte, Gregorio López Raimundo, tras afirmar igualmente que no había leído la novela, explicaba que era todo y sólo envidia hacia Carrillo. «La creatividad política de Carrillo —decía— no la tenemos ninguno de nosotros. Lo de Semprún y Claudín es pura rabia por la superioridad política, ideológica, moral e intelectual de Carrillo».

En la polémica intervino — ¡cómo no! — «Mundo Obrero». Y en él la pluma ágil de Vázquez Montalbán, el cual publicó un comentario sobre el libro de Semprún, interpretando su heterodoxia como fruto de la contraposición vital entre intelectuales y políticos. «La aparente contradicción entre la memoria de Federico Sánchez y la que acumulan hoy viejos y nuevos militantes —decía— sólo es una broma del tiempo. La memoria del político es, necesariamente, frágil. La del intelectual es poética. El político corrige su memoria cada mañana. El intelectual la recupera, esclavo de nostalgias y esperanzas».

A lo que contestó Fernando Soto: «A costa de que pienses que soy muy simple, creo que la *Autobiografía de Federico Sánchez* no es más que un montón de basura vertido sobre las más elevadas cimas de la dignidad humana».

La polémica la cerraba el propio Semprún contestando al citado Manuel Azcárate, destacado miembro del Comité Ejecutivo del Partido Comunista de España: «Seamos serios. El problema no consiste en saber si la propaganda franquista ha dicho o ha dejado de decir esto o aquello sobre el caso Grimau. El problema consiste en saber si se pueden rebatir, si se pueden demostrar que son falsas las afirmaciones que hago. Y no pueden rebatirse. No puede demostrarse que son falsas. Hay documentos y testigos para certificar lo que afirmo, para probar públicamente que existen, en efecto, zonas de sombra, incluso de delincuencia, en la conducta de numerosos dirigentes del Partido Comunista».

II. «MONTES PARTURIENT...»

Efectivamente, el último «Planeta» [1] fue escándalo y escandalosamente noticia en el mundo de las letras españolas. No lo entendemos, pero así fue. Manuel Barrios, finalista con su novela *Vida, pasión y muerte en Río Quemado,* denunció a los cuatro vientos un intento de soborno por parte de la editorial Manuel Lara. Declaró abiertamente —no sabemos con qué fines— que el premio había sido político y no se había mirado la calidad literaria de las novelas; añadiendo que, anteriormente a la concesión del mismo, trataron de sobornarle ofreciéndole medio millón de pesetas si se retiraba del pugilato, a lo que no quiso acceder.

Manuel Barrios dijo también que tres miembros del jurado le habían manifestado que le iban a votar, con lo que la victoria estaría asegurada. El escritor andaluz estaba seguro de alcanzar el galardón si lo que se pretendía era que el Premio «Planeta» tuviera finalidades literarias y no políticas, pues en este caso lo perdería. «Yo vengo a ganar —había dicho—, porque vengo a un premio literario y no a una confrontación política o a una competencia comercial, lo que no quiere decir que yo sea apolítico. El jurado va a juzgar una novela de calidad literaria contra una de interés político. Estoy confiado en el premio; si quedo finalista, me voy a quedar decepcionado».

Y daba la razón de su seguridad en el fallo: su obra, además de un fondo político, llevaba un mensaje de esperanza, necesario en estos momentos que nos toca vivir. Esta novela la venía pensando toda la vida, y la inició hace bastantes años; más tarde la rompió y la volvió a escribir, empezándola de nuevo, pero conservando cosas aprovechables.

---

[1] Este artículo apareció publicado en «Religión y Cultura», n.º 104, mayo-junio 1978.

Yo, pensando y reflexionando sobre todo esto, recordé los versos del poeta romano: «Parturient montes, nascetur ridiculus mus». Que en nuestro romance se traduce por otro refrán, muy de Sancho y del propio don Quijote: «Mucho ruido y pocas nueces».

Por lo que se refiere al protagonista principal, Jorge Semprún, sabemos que salió de España siendo todavía adolescente, y completó sus estudios y educación en Francia. Hasta tal punto, que su primera novela la escribió en francés. Una novela que alcanzó gran éxito, una vez traducida al castellano, y que lleva por título *El gran viaje*. Una novela —una más— que trata sobre la guerra mundial, y que le colocó en primera fila.

Esta gran periodista que es Josefina Carabias celebraba en una de sus sabrosas crónicas el que Jorge Semprún irrumpiera en España con la resonancia merecida, ya que se trata de un escritor al que habríamos podido perder y que sólo es apreciado por una cierta «élite» literaria. Y no del todo.

Y a renglón seguido nos daba una noticia de su vida que pocos, al parecer, conocen: que desciende directamente —Carabias opina que es nieto— de don Antonio Maura, «el estadista que pudo hacer variar el rumbo político de nuestro país si no se hubiera hecho contra él una especie de frente único, muy justificado por parte de las izquierdas, pero insensato, injusto y suicida por parte de las derechas».

Pues bien, Jorge Semprún Maura es un hombre y un nombre más que añadir a los muchos que salieron y siguen saliendo de esta familia. Pienso que esto fue escrito antes de leer *Autobiografía de Federico Sánchez;* de otro modo, mucho me temo que tan inteligente y fina periodista prodigara tales elogios al novelista como tal. Otra cosa sería desde el punto de vista político.

III. EL «PLANETA 1976»

Jorge Semprún dijo, a raíz de habérsele concedido tan preciado galardón, que era muy importante para él, puesto que suponía, por su parte, «una encantadísima aceptación de la actual situación española, lo cual no quiere decir que no haya críticas».

Se ha discutido y hasta especulado sobre la novela: si estaba o no terminada; incluso si se trataba de la misma que había entregado a «Seix Barral» para ser publicada en esta editorial. Lo cierto es que el premio supone para el autor una difusión muy importante, ya que en España solamente se conocía de él la citada novela *El gran viaje,* por la que se le concedió el Premio «Formentera». Semprún se presentó al «Planeta» bajo el pseudónimo de Juan García, llevando por título la novela premiada otro pseudónimo: «Testimonio», que más tarde sería sustituido por *Autobiografía de Federico Sánchez*.

Este nombre es el que utilizaba Jorge Semprún como consigna de guerra durante su época de permanencia en el Partido Comunista. Ahora, al tiempo de examinar la novela premiada, encontramos, por un lado, el desencanto mayor que se puede llevar un buen catador de literatura de valor y no la ha encontrado; y por otro, la sorpresa alucinante de un libro que ridiculiza hasta el infinito al Partido Comunista de España. Desde este último punto de vista, el que desee hacerse con una parte de la luz necesaria para desentrañar la intrincada complejidad del comunismo español y de sus escisiones y expulsiones, le recomendamos vivamente la *Autobiografía de Federico Sánchez*.

Como novela —no nos duelen prendas— deja mucho que desear. Como testimonio de lo que pudo ser en días pasados el PCE, con sus intrigas, sus rivalidades, sus eliminaciones y purgas, de todo cuanto no aparece y es ese «mundo por dentro», como testimonio de esto y más, es realmente estimulante y aleccionador. No entramos en la polémica, ni en la veracidad de cuanto se afirma y escribe en esta novela de Semprún. Solamente afirmamos que su lectura sorprende y alecciona.

Como novela, se hace lenta y hasta pesada; con digresiones y discursos que, en muchos casos, pudieran haberse suprimido, o al menos recortado; con párrafos largos que terminan por apagar aquel aliento emotivo que contiene algunas de sus páginas; con repetidos recuerdos y vueltas al pasado que entorpecen la acción del conjunto; con excesivas declaraciones, profusión de documentos, programas, textos intercalados y análisis políticos...

Claro está que si nos atenemos al contexto, Jorge Semprún manifiesta repetidas veces que no ha pretendido escribir una novela. Entonces, ¿qué?... ¿Acaso un material informe, falto de hilo narrativo, conductor de un tema, como él mismo da a entender?... ¿Y lo del Premio «Planeta»?... Esto es lo que ya no entendemos, y aquí sí que puede tener su punto de razón el finalista Manuel Barrios.

Porque es claro que, en definitiva, de lo que se trata es de un libro de «memorias», en el que lo novelesco se transforma en recuerdo. Se trata de una historia que transcurre entre 1953 y 1964, con pequeñas escapadas, o tiempos transcurridos en la infancia y también a los últimos días de la madurez.

Comparada *Le grand voyage* con *Autobiografía de Federico Sánchez*, sacamos la impresión de que Semprún está de vuelta de todo: de ideologías, de chantajes, de promesas incumplidas, de ambiciones de partido, de traiciones dentro del mismo, de purgas dolorosas, y aun de horas tristes que tuvo que pasar mientras militó en el PCE.

Nuestro escritor —recalco lo de «escritor» y no novelista—, está de vuelta de demagogias, de arrivismos y de oportunismos. Se nos ha convertido de hombre-líder y defensor acérrimo de una ideología comunista, en un hombre desengañado y escéptico que ha tomado la pluma para escribir «sus memorias» en un estilo sangrante y despiadado, arremetiendo contra la enajenación y el cinismo oportunista de otros.

En este sentido, el libro de Semprún nos parece la puñalada más certera y cruel que se le haya podido asestar hasta el presente al referido Partido Comunista Español y que hoy abandera Santiago Carrillo. Pocas obras como ésta donde se ponga de manifiesto la táctica y la estrategia del citado partido durante la etapa histórica señalada, en la que Semprún jugaba una baza importante hasta el día en que fue expulsado junto con Fernando Claudín y algunos otros camaradas.

Por lo demás, *Federico Sánchez* escribe su informe en primera y segunda persona, conteniendo páginas demoledoras y sarcásticas, de modo especial, cuando se refiere a los líderes como el citado Carrillo, Dolores Ibárruri, Enrique Líster, Rodríguez Marín, Eduardito García... hoy, como ayer, divididos entre sí; y también cuando se burla de la enseñanza e ironiza la actitud ideológica de Jesús Izcaray, siempre con afanes de gran escritor, y sin pasar de ser un mediocre intelectual comunistoide.

Al final de nuestro trabajo, volvemos a insistir en que ni entramos ni salimos en la verdad y sinceridad del protagonista de esta obra salvajemente aniquiladora. Pero, de ser sincero consigo mismo y con lo que escribe, Semprún se declara abiertamente enemigo del PCE y de sus actuales dirigentes, que deben ser eliminados.

Quedaría, así, flotando su ideología en medio de un marxismo revolucionario, pero sin alistamiento partidista. A su juicio, todo partido comunista que sigue segregando la baba stalinista y antidemocrática es el mayor engaño que se puede ofrecer a las masas y, por lo mismo, debe desaparecer.

¿Qué ha intentado Jorge Semprún?... Si buscó subir a la cima de la popularidad, a fe que lo está consiguiendo; si, en convivencia con los «domines» del Premio «Planeta», buscó, además, dinero y fama como escritor, creemos que uno y otra lo está ganando. Cosas de los «premios de Literatura»...

JOSE LUIS MARTIN DESCALZO

El novelista de "La frontera de Dios"

La figura literaria de José Luis Martín Descalzo se ha agigantado en alas de una fama merecida en los meses pasados [1].

Martín Descalzo, «el niño de la suerte», como le han dado en llamar sus amigos de «Incunable» o «el chaval con suerte», como se ha llamado él mismo, ha conseguido llegar a la cima a la edad en que otros comienzan los primeros pasos de la ascensión.

Porque este sacerdote, famoso en Valladolid, y ya sin duda alguna más allá de las fronteras, sólo cuenta 26 años de edad y cuatro de sacerdocio.

Nacido en un pueblo de la provincia de Toledo, en Madrilejos, y considerado como vallisoletano, tanto por sus ascendientes, que lo son cien por cien, como por su adopción y residencia, Descalzo sintió muy temprano la llamada de Dios que le quería para Sí; seguramente para que, andando el tiempo, fuera como el pionero mayor en esa reciente quinta sacerdotal de que nos habla Antonio Montero, y a la que pertenece este sacerdote, Lamberto Echevarría, José María Javierre, Piñero, Duarte y algunos pocos más.

Son, más o menos, los que formaban en Roma «Estría»; los que integran ahora la redacción de «Incunable» y los que hacen corro en las mesas redondas de PPC.

Tenía motivos más que sobrados esta «peña» sacerdotal para «sentirse vanidosos» —la expresión es de uno de ellos— y echar las campanas al vuelo por el triunfo conseguido por su entrañable compañero Descalzo.

José Luis es, ante todo, poeta. Y poeta de altura. Tal vez ni él mismo creyera que un día le iban a premiar una novela. Muy lejos en él de pensar, cuando ensayaba sus primeros versos en el Seminario de Astorga, y formaba parte luego de «Estría» y publicaba sus *Sonetos del alba,* que a sus 26 años, traicionando su vocación poética, se habría de pasar al enemigo, escribiendo nada menos que una novela fuerte, de tono mayor, en ninguna manera apta para menores.

Lo difícil para este sacerdote va ser, habiendo comenzado tan pronto, «resistir» y conservarse a la altura y dignidad literarias a que su

---

1 Este artículo apareció en la revista «Apostolado», n.º 171, abril 1957.

último premio le ha empinado. Confiamos mucho en su extraordinaria capacidad para el trabajo; en sus indiscutibles dotes de escritor y también en sus amigos; los que días pasados le han rendido y ofrecido homenaje de admiración y cariño, ocasionándole por fuerza bastantes quebraderos de cabeza; pues Descalzo, animoso, simpático, gran amigo de todos, no ha tenido más remedio que «sonreír» y cumplir.

Don José Luis Martín Descalzo es un cura valiente, temerario, un poco audaz. Y a fe que en sus escritos trata de demostrarlo, según confesión propia. Al decir el Premio «Nadal» de este año que «los escritores de hoy son unos cobardes y no se atreven a decir lo que tal vez piensen», nos asegura él que «intenta decirlo», aunque tenga que sufrir las consecuencias.

Sobre su labor sacerdotal, hoy no es hora —y creemos que nunca lo sea— de decir «a dónde llega» como quieren algunos que en su afán de ensalzar las cosas, lo echan todo a perder. Ya que en este aspecto, cabe decir solamente lo del Apóstol, que «ni el que planta, ni el que riega..., sino Dios que da el incremento». Pero sí diremos que se mueve mucho, y que trabaja infatigablemente en coloquios teatrales, en los púlpitos, en el Cine-Forum y en el confesionario, en un afán constante y cada día creciente de remoción espiritual, preocupándose por crear en las almas un estado de inquietud y tratando de aunar la religión y la cultura.

Como escritor, colabora en «El Norte de Castilla», y escribe artículos literarios en otras revistas, perteneciendo a la redación de «Incunable». Publica folletos en PPC —seguramente los más leídos de la colección— y explica literatura en el Seminario Diocesano de la ciudad donde reside.

Además del Premio «Nadal» —el de la consagración definitiva— lleva ganados otros dos premios literarios de rango nacional: el Premio «Insula 1952» que nos descubrió al verdadero poeta, y el «Naranco» de 1953, otorgado a su novela corta *Diálogos de cuatro muertos*.

Un cura se confiesa, con todo lo que digan, más que una novela es un librejo de carácter íntimo y personal que más bien que en el género mencionado de la novela, pudiera entrar en el de esa serie de libros que son «Ingenuas confesiones». Eso sí, tiene estilo. Y como por otra parte nos cuenta la vida íntima de un sacerdote desde que comienza su vida en el Seminario, resulta muy ameno.

Y ahora vamos con *La frontera de Dios*. El P. Lope Cilleruelo, en su artículo sobre «Literatura de frontera», publicado en las columnas de «Apostolado», decía que «la labor del actual novelista católico, es dura, profunda, angustiosa; pero también heroica, salvadora, generosa. Tiene sus riesgos que no cabe disimular; pero es una de las formas de apostolado más auténtica para promover la gloria de Dios, lejos de las puerilidades vanidosas y tontas de otros tiempos».

Hemos leído *La frontera de Dios,* y al terminar su lectura hubiéramos deseado que se cumplieran en ella los deseos del docto agustino. Mas mucho nos tememos que no se consigan. Tal vez porque en sí no sea más que —como ha dicho el mismo Descalzo— «un intento de novela católica».

Seguramente que ni el propio autor se encuentra satisfecho de su primera novela larga y seria. Técnica y literariamente está escrita con bastante descuido. Muy de prisa. Como si tuviera contados los días para presentarla al «Nadal». Y luego, que es a todas las luces tremendista y trágica. Los que hemos nacido en un pueblo de Castilla —de esta Castilla pobretona, pero noble y sufrida— sabemos que en él existe el clásico cacique y la beata bobalicona; el pícaro rufián y la mujer desvergonzada...; mas, sinceramente, no creemos que Torre —el pueblo donde se desarrollan las escenas de la novela— lo quieran para sí nuestros paisanos. Son demasiados «tarados» y demasiados «malones», y demasiadas «mujeres de mala vida».

Nosotros, creyendo sinceramente que se trata de un auténtico valor literario, esperamos grandes cosas de Martín Descalzo. Pero debe cuidar mucho el estilo y no dejarse llevar de influencias extrañas, pues posee talento y dotes más que sobradas para darnos algo muy suyo y personal. Lo que, sinceramente, no vemos en *La frontera de Dios.*

Que pueden esperarse cosas buenas de Descalzo, claramente se deja ver en esos personajes —los mejores, sin duda, de la novela—: Don Macario, Renato, el guardavías, don José Antonio y María Belén, aunque a excepción del pequeño ángel azul y deforme, ninguno nos convence del todo. Como no nos convence la obra en general, toda vez que apenas si se nos ofrece algo puro y bueno en contraposición a tanta carroña y «porquería» como nos ofrece el pueblo de Torre. Pero eso sí, los personajes hablan.

La frontera de Dios es dura, cruel y valiente. Fustiga con fuertes trallazos al catolicismo actual y hasta se mete con los curas... Muy bueno todo ello; pero que no debe ser leído por personas que carezcan de la suficiente formación religiosa para poder pensar que no todos los curas son como don Macario. Y desgraciadamente el pueblo español, en su gran mayoría, no está lo suficientemente preparado y mucho menos formado para ofrontar tales problemas.

De ello no tiene la culpa Descalzo; pero habrá que tener estas cosas en cuenta para que el libro no caiga en cualquier mano. Y nunca en las de menores.

Lo mejor de la novela, su ideal central: DIOS, Dios como personaje. Y sus figuras y símbolos. Justamente lo que no van a comprender la mayoría de los lectores: Renato —el renacido—, un tanto extraño y raro y misterioso, y mucho bíblico y profeta de la Antigua Ley. La lluvia; la ansiada lluvia que no llega, sino cuando Renato muere. La pipa del «tío Lucas», que se apaga y enciende según los momentos de fe y de esperanza, o de desesperación porque atraviesan los moradores de Torre. La pequeña María Belén... El mismo don Macario, el cura adocenado, que también plantea su problema al tiempo de morir (hay frases suyas que no admitimos tratando de elegir entre el cielo y el infierno porque son absurdos los que propone), y que se reconoce vacío de buenas obras y vacío de amor de Dios...

En fin, que a Martín Descalzo le espera una tarea ardua y difícil de depuración. Porque al que vale se le puede exigir, esperando no nos defraude en sus próximos escritos.

CARMEN MARTIN GAITE

Una novelista dotada de gran capacidad observadora

«ENTRE VISILLOS». UN CUADRO COSTUMBRISTA ESPAÑOL DE ACTUALIDAD

Felizmente, hace unos días cayó en nuestras manos un precioso cuento de Carmen Martín Gaite titulado *La gata* [1].

Este hermoso cuento, aparecido en «ABC» por el mes de julio, nos recordó a Gaite, muy fina y muy observadora, ensayando un cuento más largo de los que acostumbraba a escribir y presentarlo al Premio «Café Gijón», que se lo llevó de calle.

Aquel cuento largo y bastante fantasmal le animó a pasarse a la novela, larga también, y nos sacó *Entre visillos,* último Premio «Nadal».

Conocíamos a Gaite por *El balneario.* Y al leer *Entre visillos,* nos hemos sorprendido notando diferencias y cambios de posturas en la concepción de personajes. Tanto en uno como en otro libro, nos encontramos con una escritora dotada de una gran capacidad de observación. Observación que, como diría Fernández Almagro, no se proyecta simplemente sobre puntos superficiales, que acaso bastasen para crear ambiente, sino una observación penetrante, «esa observación hasta dar con el íntimo resorte de personas y cosas: virtud literaria que se nos muestra en *Entre visillos* a más alta y sostenida tensión.

Los personajes del Premio «Nadal» los vemos más cerca de nosotros que aquellos del Premio «Café Gijón». Son más humanos, más sinceros, más nobles y no tan fantasmales.

Nos dicen que es Salamanca, ciudad del Tormes, la escogida por la novelista para escenario de sus muchos personajes. Pero lo mismo pudiera ser la ciudad del Pisuerga, o cualquiera otra capital de provincia con pujos de gran ciudad, pues hay en la novela algo así como notas marginales que bien pudieran confundir al lector y hacerle pensar que no se trata de la antigua Atenas española. Y por ello Gaite, muy hábil y muy artista, ha borrado intencionada y cuidadosamente hasta el nombre de Salamanca, a pesar de que haya una juventud estudiante que pasea por la Plaza Mayor, eje en torno al cual gira toda la pequeña trama.

---

1 Este artículo fue publicado en la revista «Apostolado», en su número 187, agosto 1958.

La Plaza Mayor y los Soportales, por donde la gárrula, vocinglera estudiantina, arrastra su vida pletórica de optimismo unas veces, y otras como cansada de su escaso vivir. Un grupo de estudiantes, en número suficiente «para hacernos percibir la nueva hora universitaria», no tan edificante como nosotros deseamos, a juzgar por los personajes que se mueven continuamente en la novela.

Entre visillos es una novela sin grandes pretensiones y sin trama fundamental; sin graves problemas, y sin personajes centrales. Por lo que se presta poco a discusiones, estando en lo cierto Antonio Vilanova al afirmar que «ninguna de las novelas que han conquistado hasta ahora el preciado galardón (el Premio «Nadal»), es menos propicia a la polémica, la discusión y el escándalo que este pequeño retablo de la vida provinciana».

Carmen Martín Gaite no ha querido complicarse ni complicar su novela. Muchos personajes —quizá demasiados— sin protagonista en la acción. Capítulos sueltos, que empiezan con algo y terminan con nada o casi nada. Como ocurre en la vida y en la conversación de la mayor parte de las mujeres que van de Gertrú a la pequeña Tali, pasando por Mercedes, Isabel, Julia, Toñuca y Rosa.

Ni siquiera al profesor del Instituto, Pablo Klein, podemos llamarle personaje central. Eso sí, es un tipo bastante original. Y bastante raro también, que según viene en septiembre, se va por la Navidad, dejando indiferente, un par de corazones partidos.

De Pablo Klein diríamos, como hemos leído en una revista teresiana, que es «un tipo enlace», que recorre a zancadas el libro, prestando vida nueva a las viejas y rutinarias relaciones que enlazan desde siempre a los demás personajes.

Porque él, Pablo Klein, profesor de alemán, es lo que se dice un hombre «muerto», a pesar de su juventud. Llega a la cátedra como si no le importase ser profesor. Y habla a las muchachas como si no fuera joven. Pablo no tiene interés por nada. Ni siquiera por enamorar, porque lo hace sin emoción ni iniciativa propia. Le salva de su modorra los momentos que pasa con Natalia, el personaje más simpático y, sin duda el mejor trazado por la pluma de la señora Ferlosio.

Porque los diálogos con Elvira, que algunos críticos han elogiado, nosotros los encontramos duros, y no todo lo nobles que pudiéramos esperar de un caballero al parecer tan grave. Al menos que se contradiga y deje de ser lo que era.

Pablo Klein llega a la ciudad y despierta la atención. Pero luego es el propio profesor quien huye de este mundo que le rodea. Huye de sí mismo y de los amores que suscita. «Pablo o la evasión —escribe Almagro— pudiéramos decir». En el fondo, nunca tuvo otro plan que escapar de lo que fuese. Hasta del tiempo que tenía por delante y del que guardaba, filosóficamente, en su recorrido. Creímos que iba a reencontrarse en Salamanca, y en el lento tornasol de la narración descubrimos el matiz de su inquietud: «Pasamos por el sitio donde había estado con Elvira, y también vi el canalillo que había atravesado con Rosa, una tarde que salimos en barca. Me hacía gracia tener recuerdos de escenas de la ciudad, y que me tapasen la otra imagen que traía a la llegada, hecha de mis años de infancia».

Tali, sí, Tali, la pequeña y simpática adolescente, que ha dejado de ser niña y no encaja a ser mujer, nos convence más. Tali, «grácil estudiantilla de Bachillerato», ha inspirado a nuestra novelista páginas de fina belleza, las más finas y bellas de toda la novela.

Fue un acierto hacerle hablar a la propia muchacha, pues nos parece ver y escuchar en ella a otras tantas adolescentes que estudian en el Instituto o en otro colegio cualquiera. En ocasiones —aquellas en que se atreve a hablarle a la cara a su padre, como no lo hacen sus hermanas mayores— nos parece a la pequeña e inteligente Ana Frank, de la que en otro tiempo escribimos otro artículo.

Es ingenua hasta en el prematuro enamorarse del frío e indiferente profesor, que la verá, en despedida, desde la ventanilla del tren, clavados los pies en el andén y los ojos empapados en lágrimas, sin contestarle siquiera a la angustiada pregunta: «Vuelve usted después de las vacaciones, ¿verdad?... A ver si no vuelve».

Carmen Martín Gaite se ha fijado detenidamente en la juventud. Y como mujer, en la femenina. «El chico» queda desdibujado; queda «entre visillos». Ni Emilio, ni Jont, ni el mismo Pablo pesan en el libro lo que una de las mujeres reseñadas.

Son «chicas» —así suena en el lenguaje moderno la joven— de distintas caras. De familias bien, como se dice hoy. Jóvenes en las que bulle una ilusión, una emoción, un deseo, un sueño, un porvenir. Y casi todas pensando en un novio rico... Unas como Mercedes, que se nos va volviendo tipo «paranoico», porque se da cuenta que nadie se fija en ella, y que es ya vieja y está gastada. Otras tan indescifrables como Elvira, extraña criatura, brusca y excéntrica, queriendo muchas cosas, grandes cosas y sin saber a punto fijo lo que quiere. Con un luto que lleva contra su voluntad y con un novio, Emilio, al que hace vivir una novela y con el que se casará, sin quererlo, ante la indiferencia del amigo, de Pablo, el profesor, que se le escapa y a quien últimamente adora.

No faltan las chicas «piadosas», como Julia, dispuesta a obedecer a su confesor; pero consentidora de torpes familiaridades con el novio, que reprueba su propia conciencia, por temor a perderlo y quedarse de insigne solterona, ya que va para los veintiséis.

Gaite ha sabido captar magistralmente la conversación frecuente de estas muchachas modernas, superficiales, que no nos llenan: «Oye, qué mueble bizantino —se dicen, comentando la apostura de un joven que se cruza—; está un rato bien el tío»...

Ha captado asimismo, aunque no fuera ese su intento, sino de una manera indirecta, el «gamberrismo» del hampa de nuestra juventud masculina: Vamos afuera —dijo con una risita—. Hay que bailar. Tenemos a las chicas muy solas.

—Vete tú, para mí las niñas esta noche están de más. Ya me doy por cumplido. Hay que hacerse desear.

—Sí, oye. Se empalaga uno un poco. Vienen demasiado bien puestas. Te dan complejo de que las vas a arrugar.

—Niñas de celofán.

—¡Niñas de las narices! Para su padre. Las que están de miedo este año son las casadas. ¿Te has fijado, Ernesto?

—Venga, si empezáis así...

Y el capítulo DOCE —así, con letras, como lo hace la autora— es un retrato magnífico, pero deprimente, de ese mundillo del guateque y de la frivolidad, tanto en hembras como en varones. Varones que parecen hembras y hembras que parecen varones.

Es uno de los aciertos de la novela: la captación de ambiente y de personajes. Pero a nosotros nos da mucho que pensar la fisonomía de tales personajes. ¿Es que no existe otra juventud en España?... ¿O es que la novelística española, sin confesarse atea, se ha pasado al bando acatólico, pues solamente nos refleja el ambiente feo de la calle, de la sociedad, de la familia, de la juventud, de la vida, en fin, de nuestro pueblo?

Por lo demás, *Entre visillos* tiene su gracia y su ternura femenina. Despierta interés y se lee con agrado. Sin ser una gran novela —pues encontramos en ella lagunas y a punto estuvo de terminar en rosa—, tiene sus bellezas y sus encantos de colorido. Es humana y amable. Con su folklore y su tipismo que avaloran el escrito; y aquí y allá pinceladas maestras de la vida actual, tal como la vivimos o la viven los hombres de nuestras ciudades.

Bajo su aspecto literario, está escrita con estilo suelto y ágil, con diálogos vivos —el de Elvira y Pablo, sobre todo, orilla el río—, con descripciones acertadas de lugares y rincones queridos. Prosa sencilla, a veces poética, y lenguaje coloquial, que nos recuerda mucho aquel otro, limpio y terso, de *El Jarama*.

Una novela lograda para el fin que se proponía la autora. Una buena novela, pero, como diría un reconocido crítico literario, «en tono menor».

Una novela que se ha salvado de la polémica porque, a nuestro modo de ver, Carmen Martín Gaite no buscaba la lucha, sino la satisfacción de regalar al mundo literario un cuadro costumbrista español de actualidad.

ANA MARIA MATUTE

Un mundo propio, con imágenes impresionantes y
de gran colorido

PRIMERA MEMORIA

Cuando, en mi juventud, recién ordenado de sacerdote, comencé a tomarle gusto a la literatura española, fui tomando buena memoria de aquellas figuras que se revelaban con el Premio «Nadal». Sabía muy poco entonces de premios literarios y de concesiones honoríficas. Y el «Nadal» me parecía una cosa importante, habiendo comenzado dentro de unos cauces de dignidad y seriedad como para concebir grandes esperanzas en él.

Han pasado varios años [1]; he seguido leyendo los codiciados galardones. ¿Será que cuando uno es joven, es más indulgente también?... ¿O será que ha perdido mérito y prestigio este famoso premio —uno de los más importantes que se conceden en nuestra patria—, de tal manera, que hoy me encuentro decepcionado?

«¿Qué pasa con el «Nadal»? Se preguntaba no ha mucho J. M. Vivanco. Pregunta que se la han hecho la mayoría de cuantos han seguido con algún interés su concesión.

La sorpresa no viene por el mero hecho de que se le haya concedido nuevamente a una mujer. Esto no podía sorprender a nadie, ya que viene siendo lo corriente en éste y otros premios literarios desde que nuestras queridas enemigas se aprendieron y decidieron utilizar el escogido repertorio de tacos que hasta entonces parecía haber sido exclusiva del sexo fuerte y perdieron el miedo a las situaciones escabrosas de la vida, de tal modo, que cuando no las conocían las inventaban.

La sorpresa tampoco pudo venir del hecho de que fuera precisamente Ana María Matute la galardonada. Es una escritora esta que, desde que se presentó en 1947, con su novela *Los Abel,* al Premio «Eugenio Nadal», ha venido conquistando lauros, méritos y trofeos, haciéndose famosa, tal vez la más famosa e importante entre las mujeres que escriben actualmente en España.

No. No creo que Ana María Matute se dedique a coleccionar premios —según afirmaba el crítico arriba citado—, como se entrega el maniático a coleccionar cajas de cerillas. Ana María Matute tiene talento

---

1 Este artículo apareció publicado en «Apostolado», n.º 208, mayo 1960.

narrativo, y es una de las figuras más representativas e interesantes de la joven novelística española.

Sin embargo, hay algo que sí nos ha sorprendido a todos: Se juega mucho el jurado del «Nadal» ante propios y extraños, mucho de capacidad, autoridad y prestigio. Y es sorprendente que este jurado supiera que era ella, Ana María Matute, la ganadora, a pesar de haberse presentado con seudónimo masculino; el que, según se ha dicho, estuviera concedido mucho antes de la última votación, hasta el punto de tenerse preparado el ramo de flores y constituir una verdadera farsa la tradicional cena de la noche de Reyes; el que la novela premiada, *Primera memoria,* la tuviera ya contratada con Ediciones Destino e incluso cobrada la autora, según ha revelado Joaquín Grau en el diario «Pueblo»...; todo esto sí que es sorprendente y ha levantado la natural polvareda, que nos gustaría ver disipada para que resplandeciera la verdad.

Llegó a mis manos *Primera memoria.* Y la he leído con cierta detención y estudio, según es costumbre mía.

Ana María Matute ofrece un mundo distinto al de otros escritores. Ella tiene un mundo propio que expresa en imágenes impresionantes y de gran colorido.

Cuando apareció *Pequeño teatro,* apareció asimismo un mundo peculiar de muñecos donde la autora se mueve segura y deliciosamente. Cuando hizo su entrada en el mundo de las letras *Los hijos muertos,* entró también la técnica americana, describiendo familias y personajes actuales o recién idos «con ritmo cuidado de estilo y de excelente composición». Tendencia, pues, hacia la sugerencia, y tendencia hacia el realismo fotográfico. Para decirlo con palabras de Carlos Campoy, desde el fondo de las obras de Ana María Matute «surge ya con claridad el contorno bien preciso de su personalidad. Una personalidad madurada con notable prontitud que resulta la vinculación de sus sentimientos a la realidad de su época y a la diversidad de su horizonte».

En *Primera memoria,* Ana María Matute describe, como en otras obras suyas anteriores, sobre todo en la citada novela *Los hijos muertos,* una realidad muy íntima y muy dura, de muchachos desorientados, los cuales se mueven en un escenario propicio y que completa el drama fuerte, según el propósito de la autora.

Sin negar el valor que tiene, *Primera memoria* me ha desagradado. Prefiero a la Ana María Matute de *Fiesta al Noroeste,* delicioso libro que se ganó el Premio «Café Gijón». Es una novela pesimista, de angustia y desesperanza. Diríase que los personajes principales, ante el encuentro de la vida, tratan de huir de ella, refugiándose en una infancia ya desgraciadamente perdida. Mas como tampoco hallan en las personas mayores lo que ellos esperan, hay un choque tremendo con la realidad que les destroza para siempre.

Porque Matia —la pequeña protagonista de catorce años— y su primo Borja, al final quedan deshechos, destrozados, rotos en el cuerpo y más rotos en el alma.

Lamento sentir en contra, pero esto no es aleccionador para la juventud. La juventud debe terminar de otro modo la fatal experiencia de esa edad tan difícil en que se ha dejado de ser niños y no se ha empezado a ser hombres todavía.

¿Quiere ser Matia la propia autora: que nos describe aquellos días primeros de la guerra civil española, ella en retaguardia y en zona segura, y otros parientes y amigos en el frente o en zona roja...?

Bien puede serlo, toda vez que Ana María Matute nació en 1926; edad para guardar ingratos recuerdos de aquella hora borrascosa. Leyendo *Primera memoria,* han acudido a mi mente hombres que aparecían al borde de las carreteras con un tiro en la nuca; mujeres rapadas a navaja, o con minúscula coleta china, mal disimulada y oculta por el negro pañuelo, señal de luto por el marido que le han matado.

Matia se halla desconcertada, porque no encuentra ya nada de agradable entre sus amigos, que han dejado como ella de ser niños; ni entre los mayores —doña Práxedes, la abuela, tía Emilia, Jorge, Antonia, Malene—, personajes incompletos y aun mezquinos. Doña Práxedes es la terrible abuela de pelo blanco, en ola encrespada sobre la frente, que le daba cierto aire colérico.

¡Pobre Matia...! Hela ahí, vagando por el mundo, que se le presenta lleno de problemas, sin fe, sin horizontes, sin ilusiones, sin saber a dónde camina con paso tan inseguro. Una muchacha que llegó a hacerse viciosa sin saber que el robar cigarrillos, licores o dinero, era pecado para el alma y veneno para el cuerpo no maduro. Vivía con tía Emilia y Borja, aburrida y en soledad, «en el silencio de aquel rincón de la isla, en el perdido punto en el mundo que era la casa de la abuela».

Los hombres están en el frente. En casa manda la abuela. La abuela de la que Matia nunca esperó nada. Soportó su trato, como soportó sus rezos a «un Dios de su exclusiva invención y pertenencia», sus represiones y castigos. Era una niña díscola y hubo de ser expulsada del colegio. Claro que Borja, su primo, con el que debe convivir, es un hipócrita redomado. Borja, ante la abuela, anda muy ceremonioso y besucón. Luego, solos, cuando tratan de huir de su vigilancia siendo sorprendidos, no repara en exclamar:

¡Ya nos vio la bestia...!

Borja es un gran farsante. Por eso, aunque no le quede más remedio que seguirle, Matia prefiere a Manuel. Pero Manuel es un intruso allí. No es legítimo. A su padre —el supuesto— le encontraron un día los tres pequeños muerto en la playa con un tiro en la sien. El verdadero, el que llegó a descubrir Matia unos días después, vivía en Son Major, y se llamaba Jorge, el don Juan de aquella isla perdida.

No hay en *Primera memoria* argumento entrelazado. Esto es lo frecuente entre la novelística actual. Pero se sigue la trama y su relato nos comunica «de manera vivida y angustiada, la instabilidad espiritual de una adolescencia abrumada por los ecos lejanos de la guerra y la constatación directa e inmediata de los movimientos de odio, de insolidaridad brutal, que la lucha provoca en la retaguardia».

—Me parece muy mal lo que os han hecho —dice Matia a su amigo Manuel—; lo que os están haciendo en este pueblo, y todos los que viven en él, cobardes y asquerosos... Asquerosos hasta vomitar. Los odio.

Matia sabe de palabras gruesas. Las ha aprendido de sus amigos. Es moda también entre los escritores:

—¡Si la abuela me viese...! (con Manuel). Muchas veces me escapo a esta hora... sobre todo si Borja se marcha al naranjal. ¡Son unos puercos, no me quieren llevar con ellos!

Hay un momento desconcertante en la vida de Matia. Es terrible este despertar inseguro y sin saber lo que se es.

—¿Qué clase de monstruo soy ahora —se pregunta la niña—, qué clase de monstruo que ya no tengo mi niñez y no soy, de ninguna manera, una mujer?

Pero Matia sigue su camino en la vida, que le va mostrando día a día, experiencias deprimentes.

Un día, apostada detrás de la puerta, escucha a la abuela que decía:

—Sabes, Emilia, con estos muchachos hay que ser indulgentes. No han conocido buenos tiempos: esta ruina, la guerra... ¡Todo se está volviendo raro a nuestro alrededor!

Y Matia, con su primo Borja, se nos pierde de nuevo en un colegio, al que decide, por fin, llevárseles doña Práxedes. Pero a fe que no cambiarán mucho. Borja, además de hipócrita, se va pareciendo mucho a Jorge. Se ensaña con los que tiene en sus manos, como se ensaña el lobo con el cordero. Borja es cruel con su prima Matia, a la que llega a amenazar si no le sigue. Y la infeliz exclama una y otra vez:

—Le seguí. Le seguiré en todo. Empezaba a comprender al Chino (el joven preceptor que les daba clase y ocultaba a la abuela sus picardías).

Si el Chino vivía aterrorizado por este lagarto, ¿cómo no lo voy a estar yo, tonta charlatana, necia de mí?

Y aquí termina nuestra novela. El lector juzgará si tenía razón al principio que me había desagradado. Ana María Matute la dejó ahí estampada, para darnos testimonio, una vez más, de su gran plasticidad, de su descripción sugestiva, de su indiscutible talento narrativo.

Matia acaba también iniciándose «en la oscura vida de los mayores», experimentando un dolor hasta entonces ignorado.

VICENTE SOTO
y
FRANCISCO GARCIA PAVON

El Nadal salvado del naufragio

«LA ZANCADA»

No hace mucho tiempo [1] tuve la oportunidad y la gran suerte de escuchar una magnífica conferencia sobre «La novela contemporánea ante las nuevas corrientes narrativas». Era en la ciudad de Zaragoza y el conferenciante se llamaba Miguel Delibes, hombre que sabe lo que se trae entre manos sobre el particular y que nos dijo entre otras cosas que la novela hasta hace unos lustros fue divertimento de la clase pudiente, y que hoy ha sido desbordada por la televisión y también por el cine.

Desbancada en su función de esparcimiento, ha evocado a una disyuntiva: o transformarse o morir. Habrá, pues, que buscar su fuerza atractiva en otra dirección que no sea el divertimento. Así accedemos a la novela intelectualizada. Surge entonces la novela de ideas o problemas de fondo; la novela de sugerencias o problemas de forma; y la de problemas de forma y fondo. Deja de ser diversión y se convierte en trabajo, en esfuerzo.

El lector de la segunda mitad del siglo XIX —sigue diciendo el novelista vallisoletano— exige a la novela un hombre, un paisaje y una acción que insertos en un tiempo, nos darán una historia o una novela. Pero bien entendido que los nuevos ensayos de transformación de la narrativa no deben desbordar la esencia de la novela. La vida, núcleo de la novela, no se agota en la intelectualidad.

Que las técnicas, como vehículo de exposición, no son antiguas o modernas, sino eficaces o ineficaces. La importancia de la novela radicará en el *qué* se dice, no en el *cómo* se dice. Este, por sí solo, nunca podrá darnos una novela. Inventar *un cómo* se dice, sin tener *un qué* decir es antinatural. Buscar fórmulas de expresión, para luego no expresar nada, es absurdo.

Ante este panorama, tanto en Europa como en América se lucha por abrir nuevos caminos a la novela. Y el novelista citado se preguntaba al llegar a este punto: ¿en qué forma ha participado España? ¿No estaremos haciendo arqueología novelística? España, es verdad, no ha perma-

---

1   Fue el año 1968, y en el Instituto de Cultura «Fernando el Católico».

necido dormida en estos días de indagaciones. La evolución de la novela aquí no se ha detenido, aunque no se hayan dado excesivas audacias, España no se ha dejado ganar por la fiebre delirante de la originalidad. La exploración española, en el campo de la narrativa, ha sido corta y alicorta. Lo que se explica, entre otras razones, porque el novelista español necesita contar con un destinatario; y en España se está comenzando a leer ahora.

Otras razones apuntaba Delibes; como la de que el país tiene planteados graves problemas y urgentes problemas: absentismo rural, analfabetismo, fanatismo, etc.; y la novela debe cumplir con un deber social sin renunciar por ello a aspiraciones estéticas, pero sin que haya lugar todavía para el preciosismo. Además que la forma de vida española, extrovertida, no puede hallar un cauce expresivo más adecuado que en el realismo.

Abundando en estas mismas ideas Mariano Baquero Goyanes, en su libro *Proceso de la novela actual,* señala una fecha decisiva —la de 1920— con relación al revolucionario sesgo que la novela ha tomado en nuestro siglo. Tan revolucionario, que hizo creer entonces a muchos críticos y lectores en la decadencia de la novela, género en el que parecía irse cumpliendo lo que Wladimir Weidlé llamó bellamente «el crepúsculo de los mundos imaginarios».

Hoy, mediado ya el siglo que, según tan funestos augurios, había de caracterizarse por la desaparición de la novela del mapa de los géneros literarios, cabe examinar con más tranquilidad el hecho y tratar de explicar, en lo posible, el por qué de la zozobra surgida en torno al destino de un género cuya vida no nos parece ya tan amenazada como pudo creerse hacia 1920.

Fueron los grandes novelistas de la segunda mitad del siglo pasado los que, con sus obras, hicieron pensar, por comparación y por contraste, a los críticos de comienzos del siglo actual que la novela estaba en crisis. Y lo queramos o no, de una forma o de otra, Dickens, Stendhal, Balzac, Flaubert, Manzoni, Dostoievski, Tolstoi, Galdós y Clarín, admirados o protestados, siguen influyendo y gravitando como modelos a seguir o a rechazar en las últimas generaciones de novelistas.

El anticlasicismo de la novela de nuestro siglo —escribe el citado Baquero Goyanes— es uno de los factores que quizá puedan ayudarnos a entender las discusiones surgidas en torno a su crisis o decadencia. No olvidemos que para las sensibilidades neoclásicas rezagadas sólo locura y degeneración había en el teatro romántico, desligado de toda suerte de trabas y construído con técnica y expresiones distintas a las que hasta entonces habían dominado a manera de normas absolutas.

Nuestro Ortega, que sabía y entendía mucho de estas sutilezas, en un magnífico estudio, publicado en 1925, titulado *Ideas sobre la novela,* sentaría la tesis de que la novela había sido en principio el arte de narrar; más tarde, el arte de describir; y, finalmente, el arte de presentar. Y este aspecto es fácilmente perceptible en la novelística actual europea y americana, presentativa hasta el grado máximo, como podemos comprobar hojeando simplemente la obra existencial de Sartre, o la de Faulkner, la cual —en sentir del autor últimamente citado— no se contenta ya con el simple presentar, sino que, avanzando y complicándose, supone un ocultar, o un presentar ocultando; lo que exige por parte del lector más atención y más tensión también que la entrañada en la simple novela presentativa.

Esa técnica de presentar «ocultando» permite a Faulkner crear obras tan intensas como la célebre novela *Santuario,* cuyo núcleo argumental —una horrible y sádica violación— solo muy lentamente va siendo revelado a través de muy escasas y fugaces alusiones, que el lector ha de captar en lectura siempre vigilante.

Y bien; volviendo a nuestra novela —la novela actual española—, ¿en qué momento se encuentra? ¿Es bueno o malo el momento actual de nuestra novelística? Sinceramente, tenemos que confesar que la novela es un género tan ancho y protegido, tan vital y tan complejo, que admite las más diversas manipulaciones. Indudablemente, hay interés por la novela y se escriben muchas en España; pero no creemos que todas ellas reflejen la sociedad en que han sido escritas. Y ello, porque el marco de la postguerra, las inhibiciones de carácter psicológico y las limitaciones de carácter institucional han impedido una interpretación libre. Como recientemente ha dicho un ilustre catedrático español, «el criterio del novelista estaba contaminado por la enfermedad mortal propia de las tecnocracias».

Seguramente que sin las limitaciones apuntadas se podría contar en España con otro tipo de novela que el que actualmente nos ofrecen los autores narrativos. Porque precisamente una de las características de las sociedades semidesarrolladas, como es España, es su gran fuerza creadora y la capacidad para especular sobre las cualidades sin las limitaciones imaginarias que impone el mercado de la abundancia.

Con todo, hemos de confesar que se advierte en la generación más joven un deseo, y hasta una realidad, de modificar algunas de las circunstancias que condicionaron la producción literaria española de la postguerra.

«Esta especie de deshielo progresivo —escribe ahora Eugenio G. de Nora—, esta tentativa de incorporarse a los movimientos realmente vivos de la cultura (que hemos podido observar con más o menos vigor incluso en figuras de la promoción de la guerra como Cela, Gironella, Torrente Ballester, Delibes, Suárez Carreño, etc.), coinciden ahora, desde 1950 aproximadamente, con la formación de la personalidad y el acceso a la conciencia y a la expresión de nuevas promociones. Irrumpen en la vida y en la literatura, en efecto, inteligencias notablemente desligadas de las aporías mentales que los recientes conflictos planteaban, hombres cuyas ideas tratan de contrastarse, cada vez con menos prejuicios, en la vida de cada día, en la experiencia concreta de todos».

Consecuencia de todo ello es el enfrentamiento de esta generación joven de novelistas con la realidad española. La realidad se identifica ahora con los problemas del hombre del campo, de la industria, del suburbanismo, del inmovilismo provinciano... Esta temática social encontrará en las técnicas conductistas su mejor tratamiento por la elementalidad de los personajes que constituyen los grupos sociales carentes de conciencia reflexiva. El tratamiento conductista es, pues, connatural al sentido sociológico del tema. Su empleo da paso a la fuerza testimonial que lleva en sí una situación, en la mayoría de las ocasiones, brutal. Como dice Goytisolo: «todo procedimiento novelesco perfecto deja de ser un procedimiento para convertirse en la expresión de una concepción inédita del hombre y del mundo».

Dicho esto así, podría parecer que España pasa por uno de sus mejores momentos literarios en el género narrativo. Esta afirmación, pronunciada y escrita, me parece un tanto gratuita. Fijémonos en nuestro trabajo de hoy en el tan codiciado y decantado Premio «Nadal». Examinemos los últimos y veamos cuáles son sus méritos y cuáles sus deméritos.

Es cierto que el «Nadal» ha dado a conocer a novelistas de la postguerra, los cuales, hasta el momento, siguen siendo los mejores. Cierto también que se han premiado algunas obras —pienso en la novela *El Jarama*, de Rafael Sánchez Ferlosio— que harán época y que han complacido hasta a los más exigentes. Pero, a fuer de sinceros, tenemos que declarar que esas obras son las menos y que, en cambio, abunda la mediocridad; hasta el punto de que si el «Nadal» español fuera exponente y como barómetro de nuestra novelística actual, ésta no pasaría de ese tono medio, tirando más hacia abajo que hacia arriba en el buen hacer del género narrativo.

No es este el momento de estudiar las causas del por qué tantos premios «nadales» pasan sin pena ni gloria por el campo de nuestra literatura, aunque hayan sido acogidos benévolamente por la crítica y por los lectores. Aparte de que algunos de estos motivos —los crematísticos y los propagandísticos, por ejemplo— los conoce todo el mundo, y todo el mundo sabe que son consecuencia de la sociedad materialista y nuevamente aburguesada en que vivimos.

Creo que nos está ocurriendo —en lo que a la novela se refiere— lo que ya ocurrió en la segunda mitad del xix con el género lírico. Entonces España contaba con dos geniales epígonos del romanticismo, auténticos poetas líricos y cuyos nombres hoy todos admiran: Gustavo Adolfo Bécquer y Rosalía de Castro. Pues bien, la gran mayoría de los lectores de entonces —la minoría burguesa, que era la que leía algo— desconoció casi por completo a estos dos poetas, en tanto que los salones de la alta sociedad y las tertulias de amigos y de amigas se hacían lenguas y recitaban las «Doloras» de Campoamor, a los versos retóricos y altisonantes, sonoros y perfectos en la forma, de Núñez de Arce.

Y digo que algo de esto nos debe estar ocurriendo con la novela, porque, de vez en cuando, aparece como excepción una que podemos llamar buena, escrita con buen gusto, buena técnica, estilo inmejorable y gramática digna de Cervantes. Una novela que, además, lleva su «mensaje» y su «testimonio» —como ahora se dice— a la sociedad española para la que ha sido escrita. Y sin embargo, apenas es conocida.

En cambio, surgen bastantes que no pasan de la mediocridad citada y se venden por entregas. Tal vez sea por efecto de la propaganda; tal vez sea esto lo que precisamente se busque: que la novela se venda, aunque sea mala...

Yo he leído los últimos «Nadal», y tiempo atrás me ocupé de algunos de ellos, según iban apareciendo. Y, como todo en este mundo, tienen sus defectos y también sus virtudes. Una de estas virtudes y no la menor es la de descubrirnos un autor desconocido. Tal ocurre con Vicence Soto y su novela *La zancada,* premiada y con merecimiento propio.

Digamos, de entrada, que este Premio «Nadal 1966» es una buena novela. Clásica y moderna a la vez; de equilibrado estilo, y también objetiva. Novela que es un lujo literario por su forma y por su desarrollo; un estudio magistral de los dolores y gozos, de las esperanzas y emociones; de los defectos y virtudes de una familia provinciana y acomodada; novela que podemos llamar —lo mismo que otros llaman a otras del género «social»— de familia, y que nos invita a reflexionar seriamente sobre lo que influye el ambiente familiar en la educación de un muchacho en ese momento decisivo y difícil que es el paso de la infancia a la primera juventud.

La zancada es obra —queda dicho arriba— de Vicente Soto; un hombre, para nosotros al menos, hasta ahora poco menos que desconocido. Y es ahora cuando nos enteramos de que es paisano de Blasco Ibáñez y que nació en Valencia el año 1919. Sabemos, asimismo, que es licenciado en Derecho y que, desde 1954, reside en Londres al lado de su esposa y dos hijos.

Vicente Soto, que no ha perdido las buenas esencias del idioma de Cervantes, es periodista y se dedica a hacer traducciones. Pensamos que esto, al mismo tiempo que le da no pequeñas satisfacciones, le permite vivir desahogadamente en la ciudad del Támesis.

Otra de las aficiones artísticas del «Nadal 1966» es el teatro infantil, para el que ha escrito algunas obras y conseguido algunos premios; como, por ejemplo, el Premio «Lope de Rueda», con su obra *Rosalinda,* a la que siguió *Leonor.*

Es autor también de *Vidas humildes, cuentos humildes,* publicada en 1948, y que desconocemos.

Por fin, el gran salto en su vida literaria: El Premio «Nadal 1966», con su citada novela *La zancada.*

«Sólo un hombre excepcional —escribe José Luis Martín Abril—; sólo un excepcional escritor, sólo un hombre iluminado por la grandeza de la melancolía, por la belleza del tiempo y de las horas, por el silencio de las cosas viejas, puede escribir este libro: *La zancada.* Ya habrá descansado plenamente Vicente Soto. Mucho tenía que decir al mundo y mucho dice en esta narración que ha de figurar entre las más destacadas del momento».

La zancada presenta la vida de un niño en ese paso difícil —lo hemos dicho ya— que va de la niñez a la adolescencia; momento un tanto descuidado por los padres y educadores, que tal vez se limitan a exclamar, notando en el chico algo raro: «¡Cómo está creciendo este chico!»; o también: «¡qué mala cara tiene este chico!».

Este niño se llama Gabriel —«Gabrielito»—, el cual vive en un caserón, herencia de sus mayores, con sus padres, abuela, tíos y prima-hermana, hija de estos últimos.

Inmediatamente que comenzamos la lectura en aquel caserón de Alcidia, pueblo situado entre Valencia y Cuenca, en la «Castilla levantina», un pedazo de Valencia adentrándose en Castilla —para algunos Utiel en el mapa de España—, tierra sana y fría; tierra limpia, de caza y rebollones, nos damos cuenta de que, sin ocurrir grandes cosas, ocurren cosas importantes.

Comenzando por el mismo pueblo, Alcidia, hace suponer que allí vive algún tonto; «porque un pueblo sin tonto es como un pueblo sin campanario». Alcidia, que se nos antoja un pueblo pretencioso, al fin. Porque «no tenía la promiscuidad actual, pero eso mismo hacía posible la existencia de una sociedad repolluda que medía las alhajas como las salchichas, por su peso, y cuya única razón de existir era reír compasivamente del vecino».

Y en Alcidia el viejo caserón, lleno de recuerdos y de historias de la «belle epoque», y que nos da la sensación de vivir un poco «a la antigua», con aquellos curiosos personajes, cada uno de los cuales podría ser muy bien protagonista de la escena por lo magníficamente que están caracterizados.

Son los personajes que vamos a ir conociendo a través del niño Gabriel, el cual, un día cualquiera —el último que transcurre en la narración— ha de dar el salto —«la zancada»— de la niñez a la adolescencia, después de haber asistido con ojos inocentes y preguntones y con alma que se está abriendo al beso de la vida, a escenas familiares que, por su crudeza y realismo, se le han de grabar hondamente en la suya; mucho más hondamente que la raya que grabara el perro del niño —«Lobo»— en aquel jardín familiar.

Este pequeño mundo de *La zancada* —una familia de la clase media acomodada de los años 1920—, el pequeño mundo y sorprendente mundo del niño Gabriel, el pequeño mundo de los hombres y las mujeres que viven en el viejo caserón de Alcidia, en hábil y sencilla fusión narrativa, se nos va describiendo con esa rara «difícil-facilidad», de la que pocos autores pueden decirse maestros.

Vicente Soto lo es en este libro y él nos ha convencido plenamente.

El mundo de *La zancada* penetra con fuerza y, al mismo tiempo, con dolor en nuestra alma. Parece como que estamos viendo allí a nuestros padres y a nuestros abuelos. Nos traslada a una generación —o dos— anteriores a la nuestra, y en seguida nos percatamos de que también ella tenía lacras y defectos gordos que ocultaban, o trataban de ocultar a la sociedad con una vana hipocresía; cosa en lo que hoy —¡gracias a Dios!— hemos ganado.

—«Mamá y la tía Matilde se besaron con la notaria, la boticaria, la coronela. Mamá sonreía forzadamente. La tía y sus distinguidas amistades hablaban por los codos y decían: «Dichosos los ojos» y «¿Yo?... Usted, usted que no se deja ver»; pero todas sabían que todo era mentira y que los ojos no experimentaban ninguna dicha, y luego se amenazaban recíprocamente con promesas de visitas y unas a otras se valoraban los vestidos con mirada resabiada...».

De nuestro amigo y buen escritor José Luis Martín Abril son las siguientes palabras, que transcribimos por parecernos acertadas: «Inmediatamente *La zancada* nos vence. Nos percatamos en seguida de que es conmovedora la grave historia de la tradición que se nos ofrece con poesía y amor. En el pueblo, un caserón... Y en el caserón, la abuela; es decir, el árbol viejo y seco; los tíos, la prima, el perro, los padres de Gabriel, que es quien, ya de mayor, desde Inglaterra, recuerda y relata. Los amigos, los parientes, las fuerzas vivas del pueblo. Todo pasa, como el tiempo, ante la mirada de un muchacho desigual que ve de cerca la vida de los mayores. La vida cómoda, materialista en ocasiones, que se va rompiendo dentro del caserón. Impresionantes evocaciones del escritor, quien, con elegante anarquía, a veces nos lleva hasta la habitación inglesa desde la que escribe. Pero regresa en seguida al niño que contempla virtudes y pecados, adulterios y renunciaciones, intentando ser también protagonista de las esperanzas y dolores. Y el adolescente escucha las palabras de los mayores, se curte en ellas, se apasiona con las horas de la casa y sufre al no comprender del todo las tolerancias familiares que se producen ante los inadmisibles intercambios de amor.

La vida sigue, la vida de todos los componentes de la organización familiar, y en este continuar aumentan las inquietudes y se estabilizan los momentos bellísimos de paz. Los fundamentos de la historia se hacen esperar, pues el escritor coloca abundantes preámbulos a los hechos más destacados. Pero la definición de caracteres es magistral; como igualmente la exposición de recuerdos, de vivencias, de luchas y de profundidades el alma. Ironía a veces, que parece que, de tan depurada que es, no es ironía, sino más bien brisa de ironía...».

Por lo que vamos viendo, Vicente Soto se presenta como un magnífico escultor de personajes. Ocurren muchas cosas en el corto espacio de cuatro meses —del otoño a la primavera— y desfilan muchas personas por un escenario tan reducido como el caserón de Alcidia: caracteres ricos, minuciosamente pintados; posando ante la pluma primero, y en acción y dinamismo después... El menor detalle, la menor oscilación de la ceja, es importante como exteriorización de un dato psíquico o de un conflicto interior.

Y quien capta estos pequeños, pero importantes, incidentes es Gabriel; el niño que nos los va a contar cuando sea mayor; en lo cual se traiciona un poco a sí mismo el autor y no se parece a otros novelistas que nos ofrecen sus relatos con lenguaje de niño, pero con filosofía y pensando en mayor.

Aquí ocurre al revés: es el hombre maduro que recuerda lo que le ocurrió de niño y lo cuenta ahora a su modo, perdiendo, así, ingenuidad y gracia la narración. Porque esto «no es la autobiografía de un niño —se apresura a decirnos el propio autor—, sino, entre otras cosas, lo que de un niño cuenta un hombre que a estas alturas tiene tan poco que ver con aquél como tú, lector».

Pero aquí le sale al paso el crítico de la revista «Reseña»:

«Me perdona Vicente Soto —escribe— si afirmo que aquí se equivoca. El que lee *La zancada* observa fácilmente que Gabrielito tiene mucho que ver con el autor. Incluso se podría sospechar que *La zancada* es fruto de una nostalgia, de la nostalgia de Vicente Soto por Gabrielito, o quizás de la supervivencia actual de aquella infancia en el hombre que «a estas alturas» sigue condicionado por aquello, por los menos después de haberlo escrito. No quiero decir que cada uno de los episodios sea autobiográfico, sobre todo si por autobiográfico se entiende exposición exacta de los datos personales pasados. En literatura la autobiografía no precisa exactitud histórica, y quizás el encubrimiento simbólico o escénico de los hechos sea literariamente más verídico que la narración exacta de los mismos. Toda obra literaria es, pues, en cierto sentido autobiográfica. *La zancada* también. Eliot afirma que el artista es más primitivo y más civilizado que sus contemporáneos, y el mismo pensamiento lo expresa Jung al decir que el artista está en comunicación directa con su subconsciente, y por lo tanto con su infancia. Quizás esta sea una de las fuentes de su inspiración».

Tal vez lo mejor de *La zancada* sea lo que apuntamos al principio y que coincide con el crítico últimamente citado: el equilibrio de su estilo, la objetividad de la trama y de los personajes; la vida misma, durante unos pocos meses, tan llena de intrascendencias para concluir en algo tan inesperadamente importante, como es la misma «zancada».

Cuando Gabrielito cruza simbólicamente la raya que su perro «Lobo» ha trazado en el jardín, la cruzan con él cada una de las pequeñas incidencias del caserón: las riñas familiares entre sus padres y sus tíos; sus primeros amores con su prima China; los celos ante Paco; las conversaciones íntimas y sugerentes con su perro —¿acaso el personaje más inteligente de toda la novela?—, la silueta frágil y misteriosa de la abuela...

Otra de las grandes virtudes del libro es la valoración que hace Vicente Soto del tiempo. Hasta el punto de que para algunos críticos —Guillermo Díaz Plaja, por ejemplo— es el verdadero protagonista del relato. «No, el tiempo no pasa en realidad por los árboles viejos. Por eso dan ese descanso especial; le cobijan a uno del tiempo».

Todo ocurre «en corto tiempo». El presente es un niño que parece como que está perdiendo su tiempo o, mejor, «haciendo su tiempo». Todos los personajes quedan como delimitados por un número de citas a corto plazo. Los incidentes se miden por el tiempo. El tiempo pesa tremendamente en las personas y en las cosas. Incluso llega a doler en la novela «el acabamiento de un vacío detrás de los cristales, viendo llover y llover». Es el tiempo factor aglutinante y cohesivo desde la perspectiva histórica.

«La coordenada temporal —leemos en una revista teresiana—, importantísima, hace que *La zancada* no sea una novela de denuncia ni una novela social. Por el contrario, la reduce a sus propios límites: la expresión de un retazo existencial individual y colectivo, expresión también de un modo de evocar en la adolescencia, intemporal y, por ello, doblemente interesante».

Y algo que flota en el ambiente: la familia y la importancia que tiene en la educación de un niño el ambiente familiar que respira.

Vicente Soto no saca conclusión alguna moralizante. Quizá tampoco lo intentara, o no entrara en su propósito narrativo. Pero nosotros podemos decir que la familia de la casona de Alcidia contribuye decididamente en «la zancada» final del muchacho, en el salto que pega de la infancia a la primera juventud.

Por lo que dice bien Mercedes Gómez del Manzano cuando afirma que esta novela es un libro de especial interés para padres y educadores. ¡Tremendo despertar de un alma, en este caso doloroso despertar, a los problemas de la vida, del amor y del pecado!

Gabrielito se va estudiando a sí mismo y va estudiando a los demás. Hay momentos en que parece que es el más inteligente de todos, el que más sabe de toda aquella familia. Se estudia su mundo interior a través de los incidentes externos. Las inconsecuencias e infidelidades de su tío, en las que están implicadas su madre y una chica que presta servicio en la casa; los deslices, frívolos primero y trascendentes después, de su prima China en sus relaciones con Paco, el hijo del administrador; la falta de carácter en su padre; la simpleza de la tía Matilde; la presencia casi mítica de la abuela... todo ello va urgiendo la trama.

La abuela... Doña Clarita... Que era «como una ramita de leña: seca, ligera». Y fuerte. Su autoridad antigua pesaba sobre todo el mundo, y no sólo dentro de la familia, sino también entre cuantos la trataban del pueblo. La abuela parecía alimentarse de sal y de aire. Sólo en fechas señaladas, como Nochebuena y Navidad, se sentaba con nosotros a la mesa. Hacía de su habitación oratorio y refectorio.

La abuela Clarita, que había tenido con el abuelo de bastón de mando y muchas medallas tres hijas: Elvira, Elisa y Matilde. La primera, muy frágil, vivió poco. Elisa, la madre de Gabrielito, era un sol. Matilde no era un sol.

Aquella mujer era toda una institución y se fundía y armonizaba admirablemente con el caserón que «estaba en una puerta del pueblo, sobre el altozano en que empieza el camino de la estación»; y que era un bloque ocre y macizo, al que daban cierta esbeltez una torreta central y el palomar contiguo a ésta... El edificio, de gruesos muros y techos altos, era resonante y evocador. Olía a semillas y pienso y, al mismo tiempo, a libros viejos. Y en su nobleza imponente la ausencia de panoplias y escudos parecía obedecer a un olvido imperdonable...».

Y en la casa, el salón. Un salón que imponía. Estaba lleno de un frío que persistía en cualquier época del año. Era largo y penumbroso y tenía un piso de iglesia, con baldosas blancas y baldosas negras. Inmensos tapices negros, rojos y dorados, de guerreros impasibles montados en caballos impasibles y cebados, pisoteando dragones, cubrían casi la totalidad de la pared izquierda...

El niño Gabriel presenciará, escondido en este salón, muchas de las libertades de su prima China —su primer amor— con su novio Paco.

¡Pobre Gabrielito!... No había tenido amigos hasta bien entrada la adolescencia. «Yo fui un chico solitario —dirá—, sumido en la gran aventura metafísica de perder el tiempo o, más exactamente, de fabricar mi tiempo. Una extraña inapetencia me hacía rechazar los seres demasiado rotundos, los que no se prestaban a ser reinventados por mí».

Gabriel tenía sus caprichos. Le encantaba el desván. Porque éste olía a viejo, a madera, a papeles y a libros viejos. Porque entraba el aire por mil rendijas hablando a golpes y el cielo se clareaba por la desvencijada puerta que daba al palomar. Porque, además, allí, en dos grandes estantes, dormían muchos de los libros del abuelo.

En el desván contaba con dos amigos, si bien éstos eran esquivos y de cuidado. Eran la araña «Ra» y el ratón «Milenio». Pero su verdadera ilusión, su media vida, era el perro, su perro «Lobo». Este era entrañable. Nunca, por su candor especial, acabó de entender su papel de perro. No cazaba, no guardaba, yo creo que ni olía. Como perro, ha tenido que ser lo más inhábil de toda la historia perruna... Dos veces seguidas escalaron unos rateros la tapia del huerto y le robaron la manta que tenía en su caseta. Y la segunda vez le pusieron un lazo verde al cuello: había estado jugando con los rateros...

Pero «Lobo» era único. ¿Por qué habría de saber él que aquéllos eran ladrones? Lo único que sabía era jugar: Jugaba con todo el mundo:

lo mismo con los gorriones, que con los gatos, que con las personas. «Lobo» era el amigo inocente y grandote de Gabrielito; el confidente de sus penas y de sus alegrías; el consejo a su modo, y el que advertía de los peligros al muchacho. Era simpático, burrote y bueno como el pan. Puro sin impurezas humanas, sin saberlo, claro; generoso sin esperar recompensas, valiente sin esforzarse y humilde como la hierbecilla que vive con que no la pisen.

Cuando Gabrielito no llegue a comprender la equívoca conducta del tío, «Lobo» le dirá —siempre a su modo— lo que aquello significa. «Lobo» era un buen filósofo, a su modo, claro. Porque el tío era un hombre esencialmente falso; con una imagen aparente, equívoca para los demás, y una imagen real falsa en sí misma. Quizá en todo ello no hubiese más que el resentimiento del hombre de origen modesto, en cuya entraña, no tan infrecuente, el efecto suplanta a la causa para siempre; el resentimiento de ese especial pobre que puede llegar a hacer dinero, pero no a dejar de ser resentido. Lo cual carece de arreglo... Además que era un fisgón y un envidioso. Era también un vago, pero un vago inferior, sin reposo, con la inactividad turbada por el tejemaneje de su ambición. y era un cínico, pero un cínico inferior, sin la timidez necesaria para ser un gran cínico. Tan vago y cínico era, que su cuñado —el padre de Gabrielito— no le aguantará y al final arremeterá contra él, dándole de bofetadas hasta hartarse, y después de haber pronunciado la palabrota más gruesa —la única— que observamos en toda la novela.

Pero resulta que el padre tenía también sus grandes fallos. Era cantante retirado de la escena. De talla corta, pechazo, patillas bajas, melena ondulada, chalina casi siempre, casi siempre chaqueta de pana negra. Aire de artista. Era abogado; ex-opositor a Notarías y corredor de Comercio. El título de Derecho lo guardaba lo mismo que se guarda un salchichón, enrollado y colgado del techo. Conoció a la que iba a ser su esposa y madre de Gabrielito, Elisa, en Alcidia, en una función benéfica organizada por «el Levita», es decir, por el administrador de su abuela y padre de Paco, rival de Gabriel en los amores con su prima China.

Esta China, de pelo tan negro como su padre, y espeso y lustroso como un gato negro; ojos tan grises como su padre, pero largos y ligeramente oblicuos y con chispitas negras en torno a las pupilas. China, la señorita pueblerina que, apenas se hizo mujer, empezó a jugar con fuego y entretener más de la cuenta a los dos muchachos citados, encontrando la satisfacción en Paco, y la inquietud y la aventura en su primo Gabriel.

China era hija de la tía Matilde, la muy simple...

Gabriel era hijo de Elisa, hermana de Matilde; y era en sentir del niño, de su propio hijo, «en esencia el tremendo sentido común de la abuela y el apasionamiento del abuelo».

También aquí, en *La zancada,* ocurren escenas desagradables; pero resultan tan obvias y naturales y están trazadas con tanto respeto y dignidad, que uno apenas advierte que son crudas y desagradables. De tal modo, que podemos decir que la crudeza del tema nos llega esta vez profundizada. El autor lo aborda hasta sus últimas consecuencias, pero siempre con respeto, con verdad, pero sin morosidad; con realidad gráfica, pero sin realismos crudos.

Novela interesante, pues, este «Nadal»; bien construída; muy rica en vocabulario; clásica y moderna a la vez: con una forma de narrar clásica y una manera moderna de «ser narrado», es decir, de penetrar cada incidencia narradora en los personajes que lo viven.

«LAS HERMANAS COLORADAS»

A García Pavón le conocíamos por libros anteriores, pues, aunque no haya alcanzado premio alguno hasta el «Nadal» presente [1], es un hombre que, como él mismo nos dice, empezó a escribir cuando era muy chico cuentos y poemas que dictaba a su padre. En su casa, es verdad, no había antecedentes literarios, aunque sí artísticos. Su padre y su abuelo tenían en Tomelloso una fábrica de muebles. El muchacho que, estudiando el Bachillerato, siente vocación por la literatura, se da cuenta de que lo mejor será salir de su pueblo natal, venirse a Madrid y aquí estudiar Filosofía y Letras. Y estudiante de Filosofía y Letras, sigue escribiendo, ahora más consciente de su destino y en contacto con escritores y poetas como Rafael Morales, José Luis Cano y Julián Ayesta.

Hay una circunstancia en la vida de García Pavón que va a ser decisiva para su carrera literaria. Y es aquella que le lleva a la ciudad de Oviedo a cumplir sus tres meses —tres meses que luego fueron dos años— de milicias, como oficial de complemento. Buen observador, inteligente y con garra de escritor realista y veraz, escribe *Cerca de Oviedo,* que envía al «Nadal» a ruego de Carmen Laforet —otra escritora desconocida hasta su novela *Nada*— y García Pavón queda finalista. Aquella novela —primicias y revelación— fue publicada a expensas del padre del autor y alcanzó su éxito regional vendiéndose bien en Asturias.

Después siguieron *Cuentos de mamá,* que vienen a ser una especie de revivencia de la infancia y juventud; *Cuentos republicanos,* que son

---

[1] F. García Pavón consiguió el premio «Nadal» el año 1969.

también un recuerdo, pero esta vez de su adolescencia. *La guerra de dos mil años* es una novela posterior que encaja perfectamente dentro del género de invención. Un libro sorprendente y jugoso que rompe la línea de su narrativa anterior y que es relato total y absolutamente «inventado», utópico y ucrónico, con un escenario futurista cercano a la ciencia-ficción. Un libro delicioso, alimento para la imaginación de las gentes en todos los tiempos y geografías; lleno de lirismo neorromántico, junto a ápices de extraordinaria audacia imaginativa.

Con *El reinado de Witiza* y *El rapto de las sabinas,* García Pavón nos introduce en un mundo reducido, casi provinciano, el delicioso mundo manchego, con su eje en Tomelloso, y su pupila en el Casino del pueblo, y con unos personajes que son una delicia por su modo de estar descritos.

Creo sinceramente que sea aquí donde radique el mérito principal de este escritor: en la descripción que nos hace de los personajes que él bien conoce y en la narración de esa vida lenta, con escasas incidencias, con que transcurre Tomelloso. Dice muy bien Alfonso Echánove cuando declara que lo que «Plinio» —personaje principal— puede polarizar en sí tiene que ser buscado en un abanico mucho más reducido. En nuestra opinión son cuatro las líneas que en él convergen, o que ha utilizado el autor: los tipos humanos manchegos y su temática, el humor, el paisaje y los módulos mensuradores de la ética de «Plinio», es decir, tras él, de García Pavón.

Los tipos humanos —sigue diciendo el crítico de «Reseña»— son variopintos y esencialmente locales. En ellos y en su lenguaje, entre sus motes y su estrafalaria degradación, sus conversaciones de buen sentido y la emergencia obscena y vitalista, es donde García Pavón se encuentra cómodo, marcando, sin embargo, con nitidez, a través de «Plinio», los límites de su participación en el mundo que describe. Cuando personajes ajenos a la Mancha irrumpen en la novela, son tratados más grisáceamente. En cambio, los tipos manchegos aparecen vivos y parlantes, tal vez excesivamente obsesionados por el sexo, si bien en todo caso (no es poco en estos tiempos), por un sexualismo primigenio.

Seguramente que el elemento paisaje es lo más logrado de entrambas obras citadas. Lo mejor de ellas son esos pequeños y cortos viajes de «Plinio» con su amigo don Lotario: viajes a Argamasilla de Alba, a Ossa de Montiel, a Ruidera, al Toboso, que permiten divisar a través del parabrisas del «Seiscientos» la llanura manchega en primavera (*El reinado de Witiza*) y en otoño (*El rapto de las sabinas),* descrita con entrañable cariño, con poesía y trascendencia, especialmente en la primera, y embriaguez vendimiaria en la segunda.

Y al final, el éxito definitivo, el triunfo de la constancia: el «Nadal», con la novela *Las hermanas coloradas*. Era la tercera vez que se presentaba y estaba firmemente decidido —según confesión propia— «a que fuera la última».

¿Cómo es García Pavón?... El de Tomelloso nos ha dejado unas declaraciones que nos ahorran trabajo sobre el particular: «Yo resulto humorista sin quererlo nunca —nos dice—; siempre creí que escribía muy en serio, pero ya cuando empezaba a escribir y leía mis cuentos a grupos de amigos, se reían mucho. Entonces me he ido convenciendo de que soy un humorista «malgre moi». Dicen que tengo un estilo muy personal: si lo tengo, es que lo llevo dentro, porque no me esfuerzo absolutamente nada. Escribo de la manera que me es natural y corrijo relativamente muy poco. Mi técnica de hacer novelas y de expresarme es la que sale de mi manera de ser».

«Creo que el escritor —sigue diciéndonos García Pavón— se hace en la adolescencia. Es el tiempo en que se graba una serie de vivencias, de hechos vitales, que luego, andando el tiempo, viene en desarrollar. Mis vivencias más importantes están en Tomelloso, en mi adolescencia, mientras oía contar a Pedro Eugenio Cepeda, siendo yo un chavalín, historias de cuando fue guardia municipal. Procuro ser fiel a mí mismo, andar por ahí sin disfraces. Y me hubiera parecido una estupidez vestir a Tomelloso con otros ropajes, situar la acción de mis novelas en otro lugar».

Más adelante nos contará cómo fue naciendo su personaje principal, el que va a dar vida a una serie de novelas, «Plinio», el guardia municipal de Tomelloso. Fue en el año 1950 cuando ganó un concurso de cuentos en el Ateneo de Madrid, con uno titulado *De cómo el cuaque mató al hermano Folión y de la rara astucia que tuvo el guardia Plinio para atraparlo*. Esto fue el germen de *Los carros vacíos*, de *El reinado de Witiza*, de *El rapto de las sabinas*... de todas esas novelas en las que juega con lo policíaco de una manera puramente circunstancial. Porque a él lo que le interesa es jugar con los ambientes, las personas, los temas, retratar al mundo, en una palabra.

Por lo que hace al personaje «Plinio», hemos de pensar que se trata de una categoría especial e ideal de hombre, al cual se refieren implícitamente lo bueno y lo malo de los demás personajes, más especialmente esto último, y que refleja quizá mejor la síntesis caracteriológica de la gran pareja cervantina.

García Pavón resulta así un escritor costumbrista en el mejor sentido de la palabra. Costumbrista según don Juan Valera, el cual decía que «todo sucede en alguna parte». Para mí, dice el autor de *Las hermanas coloradas,* la literatura es una cosa de tipo singular. Creo que existe una «hormona literaria» y procuro ser fiel a ella.

Sobre el momento actual de la novela española, García Pavón cree que está atravesando un momento importante, que existen autores y que lo interesante no es adoptar una fórmula u otra, sino contar con ayuda de la «hormona» y prender el interés del lector.

Resulta que en la última de sus novelas, dos hermanas solteronas, pelirrojas, hijas de un notario de Tomelloso, que viven en Madrid, desaparecen un buen día de modo misterioso. Entonces el comisario de Madrid encargado del caso se entera de la fama de «Plinio» y de su amigo Lotario y les manda llamar.

Y aquí comienza la investigación de este hombre original —un poco a lo «Maigret» de Simenón, con el que guarda muchas semejanzas, aunque sea distinto—, acompañado de su amigo el veterinario, hasta dar con el paradero de las dos desaparecidas.

Es novela policíaca, pero ya queda apuntado que de modo circunstancial. No es ahí precisamente donde está el valor del libro, que, de estarlo sería bien escaso y aun pobre. El valor literario de la novela está en el estudio psicológico, más profundo y matizado de lo que a primera vista pudiera aparecer, de los personajes, y en las magníficas descripciones del ambiente en que se mueven. Además, esto interesa destacarlo, la novela alcanza nuevo valor al matizar en esos temas de cada hora, de cada mañana, de cada día, sin que la gente lo advierta, y que constituyen el vivir monótono de la mayor parte de los mortales. Por ejemplo, «Plinio» sale a la calle y las mujeres que están barriendo las puertas de sus casas paran la escoba para dejarle paso. «Como era lunes se veía mucho tráfago de remolques, camiones y motos. Todavía había algunos vecinos empleados en la limpieza de jaraizes y útiles de pisar, aunque ya la mayoría suelen llevar sus frutos a la Cooperativa. El bullir de las calles en la prima mañana era claro, distante y de pocas palabras. Las calles al sol pueden más que los bultos y las sombras. Todavía no pesa la vida. A la anochecida todo el mundo va cargado de día y abulta más, suena más, es menos puro...».

Y en otro lugar: «Se asomó luego a la ventana que daba a la calle del Campo y contempló a las gentes que iban y venían del mercado con sus cestas de mimbre bajo el brazo, o los bolsos de plástico pendientes de la mano. El personal está tan afincado en sus horarios y rutinas, que «Plinio» sabía casi fijo quién iba a aparecer de un momento a otro por la calle Nueva, quién entraría en la carnecería de Catalino, con quién se pararía Jerónimo Torres y quiénes saldrían, sin marrar, de la misa de ocho. La plaza, su plaza, era un escenario en el que todos los días se representaba la misma función, con muy poca variación de divos y figurantes...».

Los personajes de Tomelloso, así tan sencillos y tan simples, tienen su picardía, su ironía y su aquel que nos recuerda mucho a Sancho o al mismo Diablo cojuelo. Observemos cómo discurren:

—¡Coño!... pues tiene que ver —replicó el filósofo con tono de mucha lógica—, que si el hombre es un error de la naturaleza, todas sus hechuras, palabras y accidentes, naturalmente serán crías de ese error paterno. Y pa el caso igual dará que sea alcalde Ramón que Román, porque cuanto hagan o dejen de hacer, a la larga se verá que fueron otras tantas erratas del universo.

—Según esa cuenta —saltó «Plinio» aparentando mucha seriedad— igual da ser bueno que malo, listo que tonto, engañado que engañador...

—Al remate, igualico, «Plinio». Te digo que igualico. Todo conduce al olvido total bajo el terrón de la sepultura. Todo es tan irrecordable y sin obra como el viento que hoy hace un año peinó los árboles del cementerio...

—¿Y el amor? —volvió la Rocío, que había quedado mohína con la oración de Braulio—. ¿Es que el amor no vale nada?...

—El amor es una escapadera, un hipo, una congestión de la cabeza o del bajo vientre, que dura menos que un sábado... Nos pasamos la vida inventando cosas, desaguaderos del caletre, acequias del pecho lloroso, para no pensar en lo único que de verdad es.

Por lo demás, *Las hermanas coloradas* tienen a veces un tono lírico que le hace más agradable su lectura para quien guste todavía del buen hacer y decir en la lengua de Cervantes y de Lope:

«Y pensaba en la fragilidad de eso que llamamos vivir. La declinación del paisaje, la quietud del cielo nublado y la desgana de los árboles, le hacían recordar rodales de su vida pasada, semblantes de hombres reflejados en los espejos de los casinos; bigotes y barbas tras las nubes de humo de los cigarros antiguos; talles de mujeres con falda hasta los pies, que bailaban en el salón del Círculo Liberal; y nombres que ya están escritos en nichos o panteones señoritos. Le parecía a «Plinio» que la vida se iba como en «gota a gota». Se largaba sin tener dónde asirse, sin un remedio de fuente milagrosa y sempiterna que nos vuelva a aquellas lozanías.

«Más pueblos en silencio cabe el río negro de la carretera. Río que se va y no vuelve. Río que invita a la partida, a dejar aquellos casucones y barbechos cubiertos de óxido; a dejar las mulas con moscas, a la vieja que se orina en el colchón de borra; la gallina que picotea en el ejido, el casinón con carteles de toros verdirrojos, la puta veterana riendo histérica en el portal, el salón de billares con tocadiscos que suena a maquinar, el paseíllo sin luces donde se magrean las parejas mocetas; y el coro de beatas con ojos color de sopa que haldean bajo los soportales, con el reclinatorio a rastras...».

Así es García Pavón, como hombre y como escritor: escritor triste y pícaro, un hombre pillo, un señorito verde, una pluma señorial, un nostálgico de bien, un liberal de toda la vida. Si algún defecto tenemos que ponerle es sin duda esa excesiva ambición sintetizadora que se advierte en sus tres obras más significativas y últimamente estudiadas.

Pero ahí queda nuestro nuevo y flamante «Nadal», uno más en la historia de nuestra novelística y uno, sin duda, no de los peores. Es posible que algún día nos encontremos con una obra excepcional; o quizá que el mencionado premio siga siendo el «trampolín» de nuevos autores. García Pavón no es novel; pero quizá ahora se dé cuenta de que puede hacer algo mejor, más trascendente, en lugar de insistir en el tema ya tratado. Puede, por ejemplo, introducirse por esa veta gloriosa, mística y guerrera, sana y castellana, que ofrece el mundo, la tierra y el alma manchegas; y con ellas regar más profundamente la añosidad atávica de la naturaleza humana y geográfica que él tan divinamente conoce. Estamos seguros, con Alfonso Echánove, que no le ha de faltar el sol que la mire, la aliente y la madure.

JOSE LUIS MARTIN VIGIL

Fustigador implacable de una sociedad en quiebra

I. «LA VIDA SALE AL ENCUENTRO»

En algún libro hemos leído que «una hermosa vida es un hermoso ideal concebido en la juventud y realizado, desde pronto, hasta siempre». Y creemos que pertenezcan a Szechenyi las siguientes frases:

> « ¡Esperanza de mi patria, juventud incontaminada!
> ¿No se estremece, oh jóvenes, vuestro corazón; no se alza
> vuestro espíritu por encima de la vida diaria; no percibís
> la palabra divina al sentir la misión a que sois llamados
> de salvar a un pueblo y elevar a una grandeza ideal
> esta nación que no ha logrado todavía su plenitud?
> ¡Sois llamados a ser dueños de un porvenir risueño...
> si os atrevéis a ser grandes! ».

Nunca sabe uno lo que es la juventud hasta que la ha pasado. Son días estos de ebullición, de inquietud, de pequeñas tormentas en el alma. Y así no es fácil apreciar en todo su valor lo que aquélla vale. La imagen se ha repetido, pero es exacta: es el capullo ya hecho, mas sin abrir su cerrazón. Cuando la madurez abre ese capullo una vida fuerte y hermosa expandirá su aroma por el mundo.

Es una lástima que la novela de Nacho nos haya parecido un tanto rosa. Seguramente que José Luis Martín Vigil no midió en lo justo su deseo de construir una novela ejemplar, cayendo en el defecto del empalago. Quiso evitar, escribiendo como escribía para la adolescencia, las palabras gruesas, los sensacionalismos y exageraciones, e incurrió en la falta, para nosotros garrafal, de pintarnos algunos personajes tan perfectos, que nadie cree existan, sino solamente en las novelas de hace medio siglo.

Por añadidura, la novela describe un ambiente, mitad marino y mitad gallego; y ya sabemos por otras similares de los cariños y mimos que aquellas gentes se tienen y expresan en su dulce lenguaje.

El lector un poco entendido va cayendo en la cuenta de que se trata de la estupenda novela *La vida sale al encuentro*. Estupenda novela a pesar de lo que hemos apuntado arriba. Nos entendemos perfectamente, y no hemos incurrido en contradicción alguna.

Habrá que convenir en que el primer ensayo de la «Biblioteca de Lecturas Ejemplares» ha cumplido en parte, sólo en parte, con el deseo de ofrecer una sugestiva novela, tanto por su calidad literaria, como por la garantía moral de la misma.

La vida sale al encuentro es una novela en toda la amplitud de la palabra. Pero una novela dedicada y escrita para la primera juventud: esos quince años del muchacho que se enfrenta con un mundo desconocido y al que no puede ocultarse. Una gran lucha se entabla en el corazón de este hombrecito. Del resultado hablarán los días posteriores. Todo está aquí. Como en el corazón de aquel bravo militar que, cuando era interpelado para que relatara sus hazañas, echándose mano al pecho, decía: «todo está aquí»; así en este muchacho, en esta juventud, está todo: el soldado, el sacerdote, el caballero cristiano..., o el hombre malvado, vicioso, impuro y holgazán...

José Luis Martín Vigil pretende ofrecer a los muchachos el ejemplo de Ignacio, el futuro y gran marino español.

Cuando uno comienza a leer *La vida sale al encuentro,* se dice para sí: «La adolescencia apenas se ha iniciado». Y cuando la termina se hace esta reflexión: «En Nacho ha muerto definitivamente un niño».

Y todo en el breve espacio de un año, o mejor, de unos meses. Porque el cambio se operó durante las vacaciones estivales. Un año y unos meses en los que ocurren muchas cosas. Ignacio acaba de cumplir quince años. Bravo chico; inquieto y noblote. Y con un cariño tan grande para su hermano Cheché, que es capaz de romper la cabeza al primer estúpido que trate de burlarse del pequeño cojito.

Ignacio es inteligente. Tan inteligente, como holgazán en los meses que preceden a la gran lucha que se avecina. Y es orgulloso. No tiene miedo ni al P. Prefecto cuando siente por dentro que tiene razón. Es guapo chico; pero le molesta terriblemente que se lo digan. Porque los hombres para él «no son guapos ni feos, sino inteligentes, valientes, nobles, audaces... y lo contrario...».

Ignacio tiene un gran amigo en el colegio. Es Pancho. No sé qué tiene Pancho; pero se hace simpático desde el primer momento. Para nuestro protagonista será como un hermano al que le cuente todos sus secretos y le saque de muchos apuros.

El nacer en un hogar como el de Ignacio, es una gracia que nunca se sabrá apreciar lo bastante hasta el momento de ser mayor y tener que abandonarlo. El padre de Ignacio es un marino español. Segundo de la

Escuela Naval de Marín, que de no ser tan perfecto, sería el caballero ideal, el esposo y padre ejemplar.

Asimismo encontramos perfecta, tal vez demasiado perfecta, a Karin, la bella alemana que vive con tía Luchi y es ya como una hermana de la prima Patri. Apostamos a que cuantos muchachos hayan leído *La vida sale al encuentro,* han terminado enamorándose de Karin y, al intentar buscar una real en el cuotidiano paseo, se han llevado una gran desilusión.

He aquí un gran fallo de la novela de Vigil. Porque Patricia ya bien puede existir. Esta muchacha, mitad coqueta, y mitad piadosa; con sus ribetes de buena y sus rabietas de chica independiente y díscola; tempranilla en el noviazgo; amiga de las amigas que le hacen favores; enemiga de las que se los niegan; guapa de veras, pero presumida y tontilla porque se lo sabe, es bastante frecuente en nuestra sociedad juvenil femenina.

El resto de los personajes que van desfilando son auténticos también. Incluso el P. Luis Urcola y el pequeño Cheché, si bien al primero habría que ponerlo algún lunar, pues se parece en lo perfecto al padre de Ignacio, y al segundo, dejándole cojito, que le cae muy bien el bastón en la mano, le quitaremos alguna matrícula, recortándole también las alas un poquito de ángel. Porque «ángel» ya es pero tan «querubín»...

Mas volvamos a Ignacio. Que es interesante su estudio. Y cómo va reaccionando ante la vida que, realmente, está saliendo a su encuentro.

Nacho, decíamos, es noble. Por eso sabe perder cuando juega al tenis emparejado con Karin. Lo siente por ella, pero sabe perder. A las cualidades anotadas arriba, señalemos una más: Nacho es alegre y bribón. De los que se destacan en el colegio. Y no se pierde ocasión de provocar la hilaridad entre sus compañeros. Buen deportista, se da de puñetazos cuando un contrario le echa la zancadilla o le agarra de la camisa cuando va derecho a gol.

Hasta es sentimental. Y se entusiasma cuando es admitido en la Congregación. Recibe bien los consejos del P. Urcola. Este sabio jesuita quiere con predilección al chico y le salvará en cuantas ocasiones esté a punto de perecer. Era amigo de su familia. Tan íntimo que, vocación tardía, había cortejado nada menos que a doña Patricia, madre del propio Ignacio. Uno la goza con el crío cuando, por un azar de la vida, descubre estos secretos que se tienen el inspector y la ilustre dama. Y uno se explica también con el chaval, el porqué de aquel tuteo.

El P. Urcola es todo un hombre y todo un padre espiritual. Si la Compañía de Jesús cuenta con muchos hombres como éste, forzosamente han de conseguir que sus colegios sean los mejores. Esa es la verdad.

La novela describe a veces ambiente marino. Y así es su lenguaje. Por eso gusta: por lo poético y espiritual. Tanto el P. Urcola como el segundo de la Escuela Naval, al aconsejar al chico, lo hacen casi siempre empleando frases y metáforas de la vida del mar. Y a fe que suenan en los oídos de la juventud:

—Vas entrando en una edad difícil... Cada vez se alzan más las olas. Vienen tentaciones que le traen a uno de orza todo el día, ¿comprendes? Y hay que aguantar. Clavarse a la capa, cara al temporal, o como sea, pero la bandera a tope, ¿eh?

De este modo le hablaba un día su padre. Y el inspector del colegio completaba:

—Te estás haciendo a la vela, ¿cómo quieres que no se estremezca el casco a los primeros golpes del mar? Tampoco te asustes, porque todo está previsto. Fuiste un niño, serás un hombre. Pero por el momento, ya no eres el niño que fuiste y aún no eres el hombre que serás. El desequilibrio es inevitable...

Cuando haya surcado singladuras difíciles, el autor de sus días le dirá:

—Has ganado infinito, Iñaki, aunque se te ve a media bordada. Por eso mismo es necesario que sigas avante.

Y el P. Urcola:

—Bien con mi almirante; ya estás en mar abierta, y claro, las olas vienen altas y arboladas.

Cuando le vea taciturno y tristón le dirá:

—Te noto ahora como frenado en tu avance. ¡Qué sé yo!... como si tu quilla se hubiera embotado en un banco de arena.

El mar es la ilusión de Ignacio. No conseguirán cazarlo los jesuitas. Tampoco el P. Urcola lo intentó nunca seriamente. Sabía que él sería marino. Lo mismo que Juan Angel, el número uno del colegio poco tiempo atrás, y el número uno de la Escuela de Marín. Un día, todo entusiasmado, y a solas con Karin, recitará unos versos sublimes:

«En la mar moriréis, es vuestro sino...
y vuestro cuerpo ahogado,
será movible pasto de la deidad nocturna;
os tenderá sus brazos en fiero remolino,
y os llevará a su fría morada taciturna,
¡la mar; ¡la sola urna
para guardar los restos sagrados del marino!».

Pero este bello mar de Galicia le juega un día una mala pasada. Nadie pudo con ellos —con Ignacio y Karin— en las regatas de julio. Pero Mito era envidioso, y atribuía el triunfo de su hermano a «Barlovento», el barco nuevo con el que había hecho regata tan magistral. Y Nacho, orgulloso y altivo, le desafía dejándole la codiciada y rápida embarcación. Llevará a Cheché de ayudante. Mito a su amigo Nano. Los padres no deben enterarse, pues el pequeño cojito no andaba bien de salud. La mojadura le precipitó en la cama. Y una meningitis terminó pronto con él. Aquello fue la muerte moral para Ignacio. La conducta que observó al pie del enfermo, fue tan ejemplar, como santa y ejemplar fue la muerte del pequeño. Después creía volverse loco. Y llegó a blasfemar de Dios. Haciéndose grosero en el trato social.

Pero la muerte de Cheché fue para el mozo en flor como el espaldarazo que le armó para la vida real. Salinas, la pequeña y bonita playa asturiana, la compañía de Karin y, finalmente, los acertados consejos del P. Urcola le salvaron. La bella alemana supo ser tan comprensiva, cariñosa y paciente con él, que terminó ganando la batalla.

Esto es lo mejor del libro de Martín Vigil. El hombre que hemos sacado de un naufragio seguro. Tremenda lucha la de un muchacho en un mar tormentoso y de noche cerrada. Le salió al encuentro la vida. Y todo sucedió en poco tiempo. Todo; hasta el amor. Porque Ignacio acaba por enamorarse perdidamente de Karin antes de partir ésta para Alemania, con el propósito de volver.

Los últimos consejos son dignos de ser meditados por los jóvenes:

—Hoy es un día grande para ti. Tienes a proa un rumbo arduo y difícil. Tienes buena brújula para seguirlo. No te falta brazo para dominar la rueda. El puerto que pretendes, depende de tu esfuerzo para mantenerte en ruta... Ya lo entiendes. Es un viaje de años para desembocar con un carácter, una carrera, una integridad.

Pero este lenguaje le encanta a Ignacio y todo optimista se repite una y otra vez: «la vida es digna de vivirse».

II. «TIERRA BRAVA»

Yo he vivido en un pueblo de Castilla los años de mi primera infancia y justamente en una época en que predominaba el rencor y el odio de clases. Era yo un niño cuando la Monarquía y recuerdo la fecha del 14 de abril de 1931 por la algazara y salvajismo con que se conmemoró la

— 273

18

venida de la Segunda República. También viven en mi memoria los años siguientes que prepararon el Alzamiento Nacional.

José Luis Martín Vigil me ha recordado en su novela *Tierra brava,* que he leído este verano [1], casi toda ella en el tren, me ha recordado —digo— escenas sobre las que prefiero echar un velo de perdón y olvidar los desmanes y las muertes de aquella hora. Y no quiero decir con esto que los jóvenes vayan a olvidar aquella gran lección que nos dieron nuestros padres luchando en una Cruzada por la causa de Dios y de la España genuina. Quiero decir que han pasado ya bastantes años como para recordar escenas que nos horrorizan y que, por ambos bandos —esa es la verdad— se cometieron.

Y con esto, ya muestro mi desagrado por *Tierra brava.* Y si debo decir la verdad, solamente terminé su lectura para ver en qué paraba aquel niño que había presenciado la muerte de su padre a la luz lechosa de una luna de verano, mientras en un chopo sombrío chillaba estridente un buho.

El final del libro es tan cruel, como inesperado. Tan duro como el capítulo primero. Sinceramente, creo que esto es dramatizar demasiado. Una novela que lleva su mensaje social a la clase de los ricos, y que está a punto de terminar en folletín. Porque lo de menos es que no se vea lógica alguna. ¡Tantas vidas carecen de lógica y de explicación racional...! Lo que no me convence es el folletín..., el drama negro cuyo protagonista no es Fermín, ni su hijo Celso, ni don Gonzalo siquiera, sino el odio.

Y lo de menos es asimismo que aquellas escenas tan duras ocurrieran en días tan trágicos para España. El que haya hombres que viven, sin trabajar, del producto de sus fincas que cultivan gañanes mal remunerados, es un hecho que lo mismo pudiera darse hoy en tierras de Salamanca y de Andalucía, sobre todo. «El odio de Fermín, las reacciones de Fermín podían haberse producido en cualquier época, aunque contando siempre con la mentalidad española y con la especialísima manera de ver la vida de nuestra sociedad».

En lo que insisto es en que, en lugar de airear tanto, dramatizando terriblemente, crudamente, aquellos macabros sucesos, es preferible —al menos yo lo entiendo así— ir ensayando en los libros que traten de España una estructura nueva y una vida más humana en nuestros pueblos. Como diría nuestro amigo Fernández Areal, es preferible «cubrir con un velo de perdón los desmanes y las muertes y mirar al futuro con afán constructivo».

[1] Este artículo fue publicado en «Religión y Cultura», vol. VI, n.º 31, enero de 1961.

Desgraciadamente en *Tierra brava* no ocurre así. En este libro de Vigil ocurre lo contrario. La primera página ya causa náuseas. Don Galo nos da asco desde que aparece en escena. Y cuando muere, si bien uno siente en cristiano y reza por él, no lamenta que se vaya, que se muera. Hombres como don Galo no deben vivir en sociedad. A no ser que acudamos a los designios inescrutables de la Providencia y supongamos que existen tales alimañas humanas para mortificar a los buenos.

Son los días calurosos del verano de 1936. La juventud de España ha tirado las hoces en el rastrojo y ha dejado la yunta uncida en la era marchando, con canciones guerreras en los labios, a los picos del Guadarrama, de Somosierra, del Alto de los Leones. Don Galo, cincuentón él, insaciable y rapaz en sus negocios, fanfarrón..., bebedor y mujeriego, después de poner a cubierto en la paz de Estoril a su mujer y a su hijo, comenta los sucesos de la guerra en el «Novelty», apoltronado en su butaca y ante la copa de coñac.

«Don Galo era un advenedizo que ni vistiendo de corto podía engañar a nadie. Consorte de tierras y toros por su matrimonio, había caído hacia la derecha ultraconservadora por temor a la reforma agraria; igual que hubiera anclado en la más acerba izquierda de no haber tenido propiedad privada que defender».

Y una noche acurrucado, escondido como una alimaña en el último asiento del «Mercedes» con matrícula de Valladolid, va en busca, el muy cobarde, valiéndose de unos guardias vendidos, del indefenso Fermín.

Fermín está a estas horas descansando de la larga jornada de siega. A su lado y en la misma cama tiene a su hijo Celso, que cuenta ocho años de edad. El pobre niño, asustado ante los golpes, le dice a su padre «que no abra». Pero Fermín es valiente. Casi lo esperaba. Esperaba a su amo. Y su amo era don Galo. Eran muchos cinco años de rencor, de medias palabras, de miradas que se cruzan como aceros entre el amo y aquel gañán entero y renegrido, silencioso e inmutable, sin que aquél pudiera resistirla de tan orgullosa, incisiva y desafiante como venía.

Y sigue la escena tal vez más aterradora de todo el libro. ¡Eso no se hace con un hombre! Fue muy cobarde aquella noche don Galo. Y nos produce, repetimos, asco su actuación.

No vamos a describir los momentos. Fermín, atadas las manos a la espalda, es fuertemente aporreado. Tendido en el suelo sin poderse defender, tiene que aguantar la bota cruel de su enemigo, que se ensaña contra él cuanto quiere, dejándole el rostro deshecho y horriblemente desfigurado y su vientre hecho todo él un hematoma.

Don Galo, a cada puntapié, profería una blasfemia y un insulto contra el infeliz, que se retorcía rabiosamente en el suelo y que hasta el momento de su muerte no decía otra palabra que — ¡pero con qué odio, Dios mío!— la siguiente: ¡CANALLA!

Confieso que al llegar a este punto, estuve por dejar el libro. Aquello no me gustaba. Pero me picó la curiosidad queriendo saber el paradero del pequeño Celso, que, ágil como un gamo, saltando de sombra en sombra, alado y silencioso, siguió a su padre y a los que le llevaban, recortando camino y colocándose muy cerca de ellos para verlo todo.

El niño lo vio y lo recordó toda su vida, quedándose con el secreto hasta aquel momento final de su existencia sobre la tierra en que, siendo juzgado y condenado por haber dado muerte al hijo de don Galo, soltó, como movido por un impulso vital, aquel: «¡Don Galo mató a mi padre!».

Este niño que había tenido un buen comienzo, terminó mal. ¿Por qué así? ¿Es que, muerto su padre, no pudo ser alejado de Cantalagua y separado de Galito, que venía pareciéndose en todo a su padre, y que hasta se atrevió a quitarle la novia, la hija de la montaraza? ¡La montaraza! Brava castellana, mujer de temple, el tipo más logrado de toda la novela, el más humano, lo único que se salva, junto con don Rafael, aunque una y otro tengan sus deficiencias y cobardías.

Celso era hijo de Fermín y de una mujer buena, muy buena, que solamente le vio nacer; pues al no estar el médico en aquella hora, se fue en una hemorragia, sin que María, la brava montaraza, pudiera hacer nada por remediarlo y sin que la joven esposa pudiera confesarse siquiera, toda vez que el cura estaba en Salamanca, cerquita del médico, y los dos junto a aquella sala donde la mujer de don Galo se retorcía de dolor por el hijo que no acababa de nacer.

¡He aquí un nuevo contraste de *Tierra brava!* Mientras Celsa se encuentra sola, sola con la montaraza y su marido Fermín..., la mujer de don Galo necesita para su alumbramiento de los cuidados de un cuadro de médicos y de enfermeras, y para un remedio final del médico de cabecera y del propio señor cura de Cantalagua. ¡Qué haría allí este señor...! Fermín ya no lo quiso saludar en todos los días de su vida... Era también de ellos... Don César sólo era amigo de los ricos...

Fermín es bueno por naturaleza. Pero se ve dominado por el odio. Seguramente que de haber trabajado para otro amo menos cruel, en Valdelacorza, por ejemplo, y con don Rafael, hubiera sido modelo de gañanes, ya que a trabajar y a rendir en la tarea no había quien le ganara. Pero don Rafael, con todo lo bueno que era, dejó pasar los acontecimientos, limitándose a darle algunos consejos y nada más.

Fermín no aguanta la hipocresía de don Aurelio, el encargado de la finca; hombre inicuo y mordaz; cretino y de mala entraña. Así acabó él: muerto a tiros en una noche, cuando menos lo esperaba, y para hacerle la vida más difícil al primer gañán de Cantalagua, pues la justicia, sin comprobarlo, le culpó a él.

Fermín estuvo preso, pero eran días revueltos aquellos de la Segunda República, y una «amnistía» general le devolvió a la finca más rencoroso que nunca.

Fermín era carne de cañón, como suele decirse, para aquellos endiablados socialistas que llenaron su mollera de falsos ideales y de ilusiones que nunca se cumplirían. Fermín era «el amo», «el gallito», el más espabilado y listo de todos. ¡Y cómo le explotaron los falsos defensores del campo y de los labriegos...!

Fermín odiaba cada día más al cura, al médico, a su amo y a todos los ricos: «La tierra —decía— pal que la trabaja».

Fermín se negó a bautizar al hijo. Pero don Rafael pudo más en aquella ocasión. Nuevo contraste. Para el bautizo de Celso no hubo campanas, ni música, ni monaguillos con guantes blancos y limpia seda. Para el bautizo de Galito hubo eso y mucho más: un gran banquete y una tienta de reses bravas, a la que asistieron todos los ganaderos de la comarca. Y don César, que no asistió al entierro de Celsa «porque aún no había vuelto de Salamanca», teniendo que hacer la ceremonia el cura vecino, dio a la fiesta «todo el despliegue y brillantez compatibles con la liturgia del sacramento».

Tierra brava. Muy brava esta de la Salamanca campera.

El pobre don Aurelio, que había llegado del Sur, no conocía a estos hombres. Así se lo hizo ver a María, la montaraza, al librarle de una muerte segura en aquel desafío a Fermín desde el caballo, y una vez que hubo presenciado cómo el gañán hundía la navaja en los puntos vitales del noble animal, cuando obediente a la espuela se lanzó contra él.

—No provoque a estos hombres, señor. Usté no es de aquí. Usté no sabe el aquél... Por Dios bendito, que son más bravos que el ganao.

José Luis Martín Vigil conoce la técnica de la novela. Y sabe lo que gusta hoy: el tremendismo y lo sensacional. Por eso peca él de tremendista y de sensacionalista. Pinta personajes repugnantes; y otros más normales. Todos existentes, de gran realidad. Hace una farsa de la sociedad y de lo social. Fustiga terriblemente a los burgueses. Y les dice que no se puede seguir viviendo así. Y sobre todo —en esto lleva mucha razón— que no se puede seguir tratando a los obreros como esclavos.

Pero a estos infelices del campo —lo mismo podría ocurrir con los de la mina y los del taller—, a estos hombres que solamente saben odiar y odiar... ¿qué les dice?... Nada. Nada.

Ciertamente que existen Carlos y Aurelios y, por desgracia, curas como don César... ¿Pero no existen hombres como don Rafael, y mujeres como María, la montaraza, y aquella hermosa hembra de Celsa, mujer del propio Fermín? ¿Es que con odio pueden llevar más pan a sus hogares? ¿Sus almas, hijas de Dios y redimidas por Cristo lo mismo que las demás, van a seguir ajenas al mensaje del Señor y a servirle de pasto a Satanás? ¿No habrá un mensaje cristiano —trabajo, paz, amor a los hombres— para estos trabajadores? ¿O vamos a decir que aquellos que les llevaban «El Heraldo» eran los portadores de la verdadera doctrina?...

He aquí el gran fallo de *Tierra brava*. Como lo es, a nuestro juicio, el desenlace final de aquellas vidas. ¿Por qué el niño Celso tiene que ir creciendo a solas con su secreto —el drama de aquella noche del verano de 1936— sin enterarse de lo que ocurre en derredor: sin saber que ha acabado la guerra y que en ella ha muerto el verdadero asesino de don Aurelio, y que ha regresado del frente Falito, el hijo mayor de don Rafael, tan bueno como su padre; y que debe cambiar de rumbo su vida, como deben ir cambiando las cosas en esta patria nueva?...

Y, sin embargo, Celso, enamorado de la hija de la montaraza, cuando ve a la chiquilla hablando a solas con Galito, justamente en el mismo lugar —¿no les parece a ustedes que son demasiadas coincidencias?— donde fue asesinado su padre, se arroja como un tigre sobre el cuello de su rival ahogándolo entre sus fuertes manos de ágil vaquero.

Para luego terminar en una prisión, cuando apenas había comenzado a vivir.

Por lo demás, quien guste de tan interesante, emotiva y sincera narración —tal vez un tanto cargada de preciosismos y de metáforas—, que lea *Tierra brava* de Martín Vigil, autor, como es sabido, de varios libros espirituales, más otras dos novelas que sepamos: *La vida sale al encuentro* y *La muerte está en el camino,* seguramente la mejor de las tres por su forma y su contenido.

III. «UNA CHABOLA EN BILBAO»

No sabría decir dónde —tal vez en algún artículo— he leído que el mayor valor de la novela está en el reflejo de lo normal, sin caer en lo exagerado y desorbitado. Y del gran novelista Gironella son las siguientes palabras: «Apelar en materia de arte y literatura a la truculencia y al erotismo, suele ser signo de impotencia».

Yo no creo que sea signo de impotencia. Al menos en algunos autores de reconocida celebridad. Es más bien el afán de buscarse un auditorio que aplauda frenéticamente. Un público que vibre hasta la locura y grite hasta enronquecer; un público extenso, numeroso que no sabe nada de nada, pero que experimenta un placer especial ante las escenas de una obra de teatro, o las páginas de una novela que hace resaltar los bajos fondos de la vida moderna.

Nuestro querido amigo Francisco Javier Martín Abril se pregunta, tras afirmar que le resulta enojoso la lectura de tales novelas, lo siguiente: «¿Dónde las figuras sicológicas? ¿Dónde la gracia y la ternura? ¿Pero la vida de verdad es así? ¿Qué buscan los novelistas llamados fuertes? ¿Un público extenso? ¡Triste busca!».

Yo, sinceramente, soy uno de los que creen que el mundo va a mejor, aunque me gane las iras de ciertas personas y de alguna edad. Me llamarán optimista; pero no me retracto. Y defiendo a la juventud cuando alguien habla mal y sin fundamento de ella. La defiendo porque, con todas las taras que presenta, es mucho mejor que la pasada... Y creo asimismo que, aunque la tarea se presenta penosa, existen muchas familias en cuyo seno se vive la paz, la tranquilidad y la honestidad cristianas [2].

Uno toma en sus manos una novela actual. Y raro será que no tropiece con uno de esos hombres anormales, tontos o malvados, crueles o impuros...; personajes que, efectivamente, pueden existir y que sin duda, existen; pero que no en pocas ocasiones se inventan y son personajes falsos, cuya finalidad es sacar dinero del libro tremendista y desorbitado.

Y uno al terminar la lectura, también se pregunta un tanto acomplejado: ¿El mundo, nuestro mundo, es así?... Ante nosotros, *Una chabola en Bilbao*. La hemos leído entera. José Luis Martín Vigil, autor de obras de intenso dramatismo humano —recordemos *Tierra brava* y *La muerte está en el camino*—, pretende en ésta sacudir fuertemente la conciencia del cristiano, del hombre de nuestros días, con una sacudida brutal, angustiosa, ofreciendo la más cruel realidad de un barrio bilbaíno.

Una chabola en Bilbao es algo así como un clarinazo, un grito desgarrador de la miseria humana —la barriada de Aretamendi— al hombre rico y despreocupado de Neguri, que no quiere saber nada del dolor y del

---

2 Al tiempo de escribir este artículo, España vivía otras horas y apareció en «Apostolado», n.º 222, julio 1961.

amor, del fracaso, de la esperanza y de la agonía de quienes, aunque él no lo crea, viven muy cerca de su mismo destino. Como que son, quiéralo o no, verdaderos hijos de Dios y dignos, por tanto, de vivir una vida honesta y con decoro.

Una chabola en Bilbao es incisiva; de un realismo crudo y lacerante, de un alto nivel narrativo, donde las pasiones más fuertes, y también algunos delicados matices «juegan con la atención del lector sin soltarla un momento, una vez arrebatada».

Y, sin embargo, volviendo al principio de nuestro artículo, cabría ponerle muy serias objeciones. Cabría, incluso, ponerle al autor en la siguiente disyuntiva: o busca la celebridad haciendo resaltar esos personajes anormales y desorbitados, o es que para él no existen otros hombres que los pintados en sus novelas.

Y no es así. A fe que tampoco Vigil está conforme. Yo estoy seguro —porque lo he oído de sus propios labios—, de que a muchos médicos les duele el que la figura central de *Una chabola en Bilbao* sea precisamente un colega suyo, que se llama Ernesto: un hombre extraordinario bajo muchos aspectos; pero que ateo él y cargado de prejuicios religiosos desde su primera juventud, arremete contra las cosas más serias y santas de nuestra religión.

En ningún modo, amigo Vigil; en ningún modo, su personaje de marras tiene razón cuando la emprende contra el P. Ramón, antiguo compañero y antiguo rival de colegio, pulverizando, satirizando, ridiculizando la labor espiritual que desea hacer, con la mejor voluntad del mundo y celo de la gloria de Dios, entre los desgraciados de Aretamendi. Por lo visto, allí solamente Ernesto —el médico materialista y ateo— es el bueno. Y es el bueno, aunque tenga un odio mortal a los jesuitas. Como si Cristo hubiera dicho a los médicos: Vosotros, con tal de que cumpláis con vuestra obligación de médicos, podéis hacer lo que os dé la gana, incluso tener odio a unos hombres beneméritos que para nada se meten con vosotros.

El P. Ramón, no. Ese no es bueno. Ese es un jesuita, que es lo mismo que decir un hombre falso. Y los muchachos de las Congregaciones Marianas que le acompañan para dar Catequesis a los chavales, tampoco: esos son unos burgueses, que pretenden engañar con unas palabras bonitas y con unos juguetes a aquellos desheredados de la fortuna.

El bueno, lo que se dice el bueno, en Aretamendi, sólo es Ernesto. Porque se sacrifica, como nadie, es verdad, por ellos; mas también porque odia a la Iglesia, a los curas, a los católicos de Neguri...

Amigo Vigil, «ne quid nimis». Sabemos que hay muchas gentes que se parecen al veterano del Tercio, tabernero sin escrúpulos y amo, como matón que es, de la barriada donde ha montado su chapuza; hombres tan vagos y viciosos como Celeste; mujeres tan sueltas de lengua, tan desenvueltas y muchachas tan... como la Sinfo; y chiquillos de pocos días, con más diabluras y malicia en el alma que granos en su cuerpo, como la pandilla del Rufo.

Pero resulta curioso que, para convertir a este mundo —tan magníficamente pintado por la paleta realista del autor de *Una chabola...*, este mundo que constituye el cinturón de hierro de las grandes ciudades, no sirvan ya los sacerdotes, ni los muchachos de Acción Católica, de la Congregación Mariana, ni las limosnas, ni los confites y juguetes, por aquello de que en todas esas cosas no todo es caridad cristiana, y los ricos siguen viviendo.

Y más curioso resulta todavía el que este mundo de Aretamendi solamente debe ser atendido por un médico joven, con más soberbia que Satanás, y más rabia a la Iglesia que todos los furibundos revolucionarios de la Enciclopedia francesa.

Conste que, como médico, es magnífico: inteligente, desinteresado y sacrificado.

Yo creo que ni siquiera el autor de la novela ha pretendido llegar tan lejos. Y que si por ventura cayera este artículo en sus manos, nos llamaría exagerados, y tal vez, equivocados en nuestras apreciaciones. De seguro que no ha querido ir tan lejos. Y me apoyo en el primer párrafo que sirve de advertencia al libro. Es de Andrés Maurois, y dice así: «Esta novela es una novela; estos personajes son sus personajes. Quien quisiera reconocer en ellos a seres reales, vivos o muertos, demostraría que ignora lo que es una novela y lo que son unos personajes».

Y, sin embargo, el libro ahí queda. Y nosotros que conocemos un poco el elemento obrero, sabemos del daño —y no beneficio— que le puede ocasionar, si cayera casualmente en sus manos. Así como condenamos enérgicamente el egoísmo de los hombres que dejan a tantos hermanos en la miseria, así, igualmente, protestamos contra todos aquellos que, bien de palabra, bien por escrito, no hacen otra cosa que halagar «al pobre obrero», envenenando mucho más su corazón, tan dispuesto como está a la protesta y a la rebeldía.

Y aquí vendría de perlas el consejo de Don Quijote a su escudero: «Llaneza, Sancho, que toda afectación es mala». Si debemos hablar, y en ocasiones fuertemente, mejor será para formar las conciencias de ricos y de pobres, que para sembrar el odio de clases en un mundo de cristianos. Lo ideal es que todo empresario no tenga cuestión social, porque de antemano la tiene resuelta, según la doctrina de la Iglesia. Y que nos encontremos con obreros que, aspirando a mejorar su nivel de vida, no obstante, estén contentos mientras tengan lo suficiente para vivir con decoro.

Estos católicos de altura, estos hombres de fe y de amor verdadero, pobres y ricos, son los que necesitamos. Como diría a doña Loreto— madre de Ernesto— el P. Lanz, necesitamos despertar vocaciones intelectuales a los chicos que valen. Necesitamos guías, pensadores, filósofos... Eso, intelectuales católicos de altura en nuestras filas... Y vacunar a los chicos contra tanto veneno como anda suelto por ahí, especialmente por la Universidad.

Efectivamente, si el pequeño Ernesto hubiera sido educado en otro ambiente familiar —su padre era profesor del Instituto de Enseñanza Libre y estaba separado de su mujer—, y hubiera aprendido que la verdadera conciencia y entrega a una profesión, de no ir acompañadas de la humildad y caridad verdaderas, son como campana que retiñe en el vacío, tal vez no hubiera llegado a los absurdos y prejuicios religiosos adonde llegó en su trabajo de hombre maduro.

Y no hubiera proferido tantas blasfemias, ni dicho tantas majaderías; aunque, como es sabido, en esta clase de hombres, también dijera verdades como puños que deben hacer reflexionar a los católicos acomodados.

Sin poderlo remediar, se nos ha hecho antipático este gran Ernesto. Desde aquel día en que, todavía adolescente, le oímos gritar: «Las almas están a cargo de sí mismas. Las almas son libres. Yo no tengo que abrir mi alma a nadie»; hasta aquellos diálogos, sarcásticos, hirientes, mordaces, habidos en Aretamendi con su antiguo compañero de colegio Ramón Echagüe, el cual viste sotana y busca la salvación de las almas, la de aquellos infelices y también la de su amigo — ¡qué sacrificios los que se imponía el joven jesuita por conseguir la amistad de Ernesto! —, sólo vemos a un hombre fanático y engreído; un hombre que se desvive y sacrifica por los que viven en inmundas chabolas; pero, sin mérito alguno, porque lo hace llevado de una soberbia ilimitada y como si solamente él supiera lo que es caridad.

Al final parece que triunfa la gracia. Y que Ernesto se rinde a la constancia de su amigo Ramón. Pero aun aquí creemos que no está bien resuelta la objeción, ya que para llegar a este momento, el joven jesuita ha tenido que vencer graves obstáculos, provenientes de los mismos superiores; hasta tal punto, que en ocasiones le vemos como querer saltar por encima de la obediencia. Lo que no deja de ser un celo mal entendido y peor orientado en un religioso que se ha obligado con voto a seguir la voz de los superiores.

Pero consuela el que dos enemigos a muerte —al menos por parte del médico— se decidan a compartir una humilde chabola para estar más cerca de los parias europeos.

Sólo que, bien entendido, todo se queda en novela: pues, ¿creen ustedes, amigos lectores, que, salvo contadas excepciones, un médico de nuestros días, que se puede llamar Ernesto, y un jesuita, que se dice Ramón, van a abandonar su piso y su convento para vivir en un tugurio de barro y paja, al abrigo de un puente, en un barrio de una ciudad cualquiera...?

IV. «CIERTO OLOR A PODRIDO»

Uno lee a Vigil, y lamentándolo mucho, desaprueba sus personajes. Desde aquel Ignacio, el de *La vida sale al encuentro,* irreal por demasiado perfecto, pasando por los protagonistas de *Tierra brava* y *Una chabola en Bilbao,* hasta llegar a Carlos, último parto del novelista [3], que pretende —no lo dudamos— moralizar, pero que deja un «cierto olor a podrido» en el olfato de todo buen lector, sin que le haya dicho otra cosa que confirmarle en la idea de que, desgraciadamente, existen «ovejas negras» en las familias «cristianas», culpables muchas veces los padres del repugnante engendro.

A José Luis Martín Vigil —al que queremos tratar con decoro y hasta con cariño, pues se lo merece— le pasa con sus libros lo que a ciertos predicadores: que suben al púlpito y arremeten contra la inmoralidad en nuestros días amenazando a sus oyentes con una catástrofe y hasta el fin del mundo si no se enmiendan. Y lo hacen pintando tales cuadros, tan negros, tan negativos, tan dramáticos, que uno sin negar su existencia, sale asqueado y no vuelve a escuchar más a aquel predicador.

Seamos sinceros: ¿Convencen estos sermones?... ¿Es así la vida? ¿No hay otra más digna y decorosa que valga la pena vivir?... ¿Por qué no hablar un poco más de la ascética positiva y de la vida de la gracia...? ¿Por qué, en lugar de recalcar tanto en la juventud lo feo que es la impureza, no le enseñamos la belleza y el encanto y la paz y la finura y el bienestar que se dan en la pureza?...

¿Convencerá a sus lectores el tipejo de Carlos, aunque dolorosamente reconozcan que existe por estos mundos de Dios?

---

[3] El presente artículo fue publicado en «Apostolado», n.º 237, octubre 1962.

Apresurémonos a decirlo: Carlos me ha convencido menos aún que Ignacio. Ignacio no existe. Carlos, sí. Carlos puede existir —parece como que se haya presentado al mismo Vigil—; pero en ningún modo se puede presentar en una novela que trata de moralizar y llevar un mensaje a la juventud.

El autor parece justificar su postura en un breve prólogo, en donde nos indica que su libro, además de ser un libro triste —¡qué afán de amargarnos la existencia, con el sol tan espléndido que hace esta mañana!— no es para adolescentes, haciendo responsables a cuantos lo lean sin permiso especial de los padres o tutores.

Con lo que demuestra que, o es un buen estratega de la propaganda, o es un ingenuo, ya que, puestas estas líneas al principio de la novela cualquiera de estos chicos o chicas que le conozcan por libros anteriores, no dejarán de leerla, con permiso o sin él. Que hasta ahí no llega nuestra inocencia.

«Este libro es para gentes formadas: para padres y madres, para educadores, sacerdotes, jueces, médicos, abogados... para todos aquellos que de una manera, en su casa o fuera de ella, directa o indirectamente, tienen que dictar, mandar, aconsejar, decidir, opinar, irrumpir —rozar siquiera— en el delicado y complejo mundo de los jóvenes». Pero estamos seguros de que, como suele ocurrir casi siempre, los Ramiros y las señoras de Ramiro que debieran leerlo, no lo van a leer, despertando en cambio una ola de desaprobación en el 90 por 100 de los demás que lo lean. ¿Que no?... Valdría la pena hacer un ensayo, e ir tomando nota de la encuesta enviada a los distintos colegios e Institutos a donde puede llegar *Cierto olor a podrido*... Vigil ha vivido muchos años en colegios y sabe mucho de niños adolescentes: le invitamos a que haga él personalmente la encuesta por los colegios que conoce...

Por lo demás —no todo va a ser «olor a podrido»—, como novela, es mejor que las anteriores, ganando desde el primer momento, interesando en todo tiempo, muy original, con un estilo ágil, ameno, de frases cortas, si bien a nuestro juicio, se abusa un tanto del diálogo cortante, con frases y frases que no dicen nada. Esto no obstante, decimos, encontramos más hecho a Vigil en esta novela que en las anteriores. Es más novelista, de mejor decir, de mayor observación y con tanta sinceridad o mayor que en *Tierra brava* o en *Una chabola*...

A lo que no hay derecho es a cargar las tintas negras como aquí se recargan. Uno, cuando termina de leer *Cierto olor a podrido,* se echa inconscientemente la mano a la cara, temiendo encontrarla dolorida y llena de hematomas.

Carlos es el muchacho que se encuentra solo en esa encrucijada de la vida que son los quince años. No hace falta que se lo diga el psiquiatra; lo experimenta en sí mismo: nunca acierta, siempre tiene razón su hermano, al que termina por odiar, deseando de corazón se lo lleve la meningitis que tuvo de pequeño. Ramiro le da náusea, por ser justamente niño «modelo» y que no rompe un plato; pero es chivato, soplón, envidioso y poco noble, aunque sus padres, que le adoran, procuran tapar sus faltas.

Carlos es poeta y, en los días buenos, hace versos que entusiasman a Belén, la hermosa niña que quiere y trata de comprender al infortunado hermano.

A Carlos le faltó la mano amiga, cariñosa y paternal que le guiara, en aquellos años difíciles, por el camino del bien y de la virtud. Si el muchacho hubiera tenido siempre una persona a su lado como Fr. León, a buen seguro que no se hubiera perdido como se perdió, ni hubiera llegado a los extremos a donde llegó, llevado por los Sendejas y Yayos que nunca faltan a la hora de servir a Satanás.

Pero resulta que Fr. León vivirá en un convento trapense y no en un colegio de enseñanza. ¡Qué mal parados quedan aquí los colegios y los institutos! Y como ya no es la primera vez que leemos cosas parecidas en Vigil, respecto a los educadores, ¿no existirá en este hombre una pequeña obsesión que le hace exagerar las cosas, sacándolas, esa es la verdad, de su sitio?

Demasiadas bofetadas las que recibe el muchacho. Demasiadas «faenas» las que le juega la vida. Francamente, no estamos de acuerdo. Un padre que sólo está en casa para aporrear al chico, llevando fuera una doble vida. Una madre descuidada, egoísta, inconsciente, que no quiere saber nada del muchacho. Una madre inconstante, caprichosa, desconcertante... Un internado que es peor que una cárcel, pues los chicos allí son peores que los presos. Un Instituto, no de hombres, sino de fieras. Unos amigos que le enseñan a fugarse del colegio, a robar las joyas y la plata que encuentra en el hogar, y a falsificar la firma del padre para cobrar cheques de Banco, a jugar al poker con hombres perdidos, indeseables y viciosos, que acabarán armando camorra y tirando de navaja... Demasiadas experiencias «tristes», demasiado caminar aprisa en la vida por la senda del vicio y del pecado.

¿Qué es lo que pretende Vigil?... Porque Vigil es sacerdote y no se cansa en insistir en su tesis moralizadora... Para descubrirnos esta gran verdad, sobraba *Cierto olor a podrido*... Porque el espectáculo que nos ofrece Carlos es, a más de triste, escandaloso y fatal. Muy bien ha hecho en advertir que no deben leerlo los adolescentes.

Yo dudo, aunque otra cosa nos diga, de que se consigan los fines intentados. Y sostengo que para presentarnos el peligro de la adolescencia abandonada e incomprendida, no se necesitaba tanta tinta gorda...

Por otra parte, creemos que no le justifica a Carlos en su proceder la hipocresía y la falsedad que observa en las personas mayores. El cuarto mandamiento está dado, haya o no hipócritas en este mundo. Y en este punto Carlos está más en baja forma que en matemáticas, con traer todos los meses un cero. Carlos no sabe lo que es la obediencia, el respeto, el amor a sus padres y superiores. Ni sabe lo que es el cumplimiento del deber, ni como estudiante, ni como cristiano. ¡Qué contraste con aquel Ignacio de *La vida sale al encuentro!* ¡Qué extremos más opuestos!

Y esto —decimos—, aunque el ambiente le sea favorable. Porque tampoco nos descubre el Mediterráneo cuando nos dice que las personas mayores no parecen darse cuenta de que los niños son personas pequeñas, pero personas también... Un misterio y una sensibilidad que se rebelan ante la injusticia. Y con Carlos, tanto en el colegio como en casa, se cometen demasiadas injusticias. Tantas, como para creer que no son verdaderas. O al menos creemos que son exageradas.

Hay un momento en la vida del muchacho en que parece que nos le vamos a encontrar de nuevo. En el convento ha encontrado un amigo al que quería mucho: Fr. León, y el perro del mismo nombre que le recuerda al boxer de su hogar; y las mañanas tibias, de sol, de aire, de luz y calor; y el bosque encantado, y el cielo tan quieto y sereno, y aun la niña que acude a la furtiva cita por detrás de la tapia. Carlos dio un salto de un mundo a otro nuevo, hasta conseguir de él otro hombre. Pero aquello sólo fueron unos días de castigo, en tanto Ramiro y Belén se bañaban en las playas de San Sebastián...

Y aquel poeta soñador y romántico que había escrito los mejores versos en la paz del monasterio y había dicho cosas bonitas a la niña huérfana que le enamora... se derrumbó nada más volver a la vida real. Lo del convento fue como un sueño. El chico «rodeado ahora de enemigos»..., «lleno de tragedias»... Lo más que hace es volcar su alma en una carta y escribirle a Fr. León pidiéndole oraciones, mientras ensaya con Yayo —el nefasto Yayo— la falsificación de la firma de su padre y corre a gastar el dinero robado en el poker con los indeseables que le arrebatarán hasta «la cadena y medalla de oro, recuerdo de la primera comunión».

Y así hasta el final del libro. Porque la última página es la más brutal para el chico. Ahora, siguiendo en un taxi a su padre, que lleva en su «Alfa» una mujer que no es su esposa, aprende de golpe lo de «las camas separadas», lo de los disgustos matrimoniales, y el romperse jeringuillas, y las frases insinuantes de Yayo siempre que mentaba a don Ramiro y a la vida que llevaba fuera del hogar...

Tiene razón Vigil: este es un libro triste, muy triste. Y yo, que lo he leído en los ratos libres que me han dejado otras ocupaciones, le he cerrado sobre la mesa y he tomado el camino del Retiro... ¡Qué bien se respira allí! Allí jugando con las flores, con los niños, con los pájaros; contemplando el lago, las barcas, el sol que se entra rubio y furtivo por entre los árboles..., allí no «olía a podrido».

V. «SEXTA GALERIA»

Es otra obra más del fecundo escritor y ya tan conocido novelista José Luis Martín Vigil, una novela que, para nuestro gusto, supera a las anteriores, pero que se le parece mucho.

Yo tengo la suerte de leer todas las obras que edita Martín Vigil, sin que me cueste un dinero. De ahí que puedo decir que sigo con interés creciente todo su proceso literario y la problemática que plantea en todos sus libros. Y hay un algo en ellos —un algo en el propio autor— que parece irremediable: la preocupación social, pero desde su punto de vista.

Vigil escribió un artículo en la revista estudiantil «Proscenio» sobre la Novela Social. En él se analiza el concepto real de este género literario. «Lo social —dice allí— afecta a los ricos y a los pobres, a los altos y a los bajos, a los humildes y a los poderosos. Y si es social el relato de la miseria de los que no tienen nada, también puede serlo la creación del despilfarro de los que todo lo tienen».

Todo lo cual es cierto, y nada tendríamos que oponer a estas palabras, si al leer luego las novelas suyas, no nos encontrásemos con que este problema social está tratado con bastante parcialidad, sobre todo, cuando se trata de sacar a la palestra chicos «de familia bien» que tienen la desgracia de educarse en «ciertos colegios» de característica fachada, por el ladrillo rojo que emplean.

Porque lo que no se puede admitir es que, abarcando el problema social a todos los hombres, se reduzca luego a los que sufren en una mina, en una zanja o en un suburbio.

Claro que esto mismo lo denuncia Vigil en el primer artículo citado, pero al fin, cae en el mismo error denunciado. De tal modo lo condena que, puesto a definir la novela social, declara que es «aquella obra que, con exclusión del problema individual particular, personalísimo, o, a partir del mismo, se lleva a un plano que afecte a la sociedad como tal, siempre y cuando —y ya está dicho— la intención del autor sea implícita o explícitamente, una auténtica intención social.

¿Qué entiende nuestro novelista por intención social...? «Aquella que, ante los grandes defectos e injusticias de nuestra sociedad, lleva al ánimo de los demás su propia preocupación, su personal dolor, su grito, quizá de impotente, pero grito al fin, cuyos ecos nadie sabe del todo hasta dónde llegarán».

Y ya estamos ante *Sexta galería*. Uno la ha oído elogiar. He leído alguna crítica sobre la misma. Entré en su lectura con las mejores intenciones, buscando siempre una novedad. Vale más que las anteriores. En ésta se ha quitado algunos prejuicios... Mas, con el hundimiento de la mina, surgen de nuevo los Gonzagas, los Borjas y aun los Alvaros de otras novelas que ya conocemos.

Es decir, que *Sexta galería* lleva el sello característico de *Cierto olor a podrido* y de *Una chabola en Bilbao,* con la diferencia de que la escena aquí se desarrolla casi toda en el fondo de una mina, siendo los protagonistas unos estudiantes que se metieron en ella con afanes de apostolado y los propios mineros, rudos, primitivos, pero en el fondo, los más nobles y los mejores.

Y es curioso cómo tampoco en esta novela ha de faltar el P. Valle: el profesor, el guía espiritual, el pedagogo, el amigo de los muchachos, el hombre que trata de hacer el bien y que llama hermanos por igual a los chicos que a los mineros.

Los chicos son los de siempre: estudiantes bien caracterizados y temperamentalmente opuestos: el sensato y valeroso, fuerte de alma y vigoroso de cuerpo; el insconsciente y egoísta que tendrá que llevarse las bofetadas para estar en su sano juicio; el miedoso y afeminado; el extranjero, extraño y acatólico; el rudo pero leal trabajador; el educado y frío; el estudioso y el amigo con que se puede contar para todo, aunque no dé muestras de ser el más valiente llegado el caso de la pelea...

El ambiente: las minas asturianas, y los mineros de Asturias. Un ambiente que se conoce muy bien Vigil, como buen observador que es, y porque además, ha pedido para su libro asesoramiento a dos hombres de la mina: Pedro Santervás, que le ha brindado su trágica experiencia, y César Rubín, con cuya colaboración ha sido posible sacar la presente obra, que ha merecido con todos los honores el II Premio de Novela «Ciudad de Oviedo».

Una buena novela esta de Martín Vigil si no tuviera el fallo apuntado arriba y que otros han apuntado en su día: «Parece como si Martín Vigil se hubiera trazado una trayectoria simplista —las palabras son de nuestro querido amigo Areal— que ha sido punto de arranque para sus primeras obras y de la que no pudiera desprenderse. Parece como si una cierta nostalgia vagase sobre sus escritos y como si su alma se volcase, con cualquier pretexto, sobre personajes y ambientes, adaptándoles a un esquema crítico que los fuerza y estandariza».

Una pena que esto sea verdad. Pues le resta a la obra de Vigil la madurez y perfección que se está ganando, paso a paso, en cada novela que nos va ofreciendo.

Martín Vigil ya no es joven. Pero si se considera tal por lo que a escribir se refiere, muy bien hace en aprender de memoria las palabras del gran William Faulkner: «El escritor joven debe aprender de nuevo esas universales verdades, tan antiguas, del corazón sin las cuales está de antemano condenada, por efímera, cualquier novela: el amor, el honor, la piedad, el orgullo, el sacrificio. Mientras no haga esto escribirá bajo una maldición. No escribirá de amor sino de lujuria. No estará escribiendo del corazón sino de las glándulas...

«El hombre es inmortal, no porque es la única de las criaturas que tiene una voz inextinguible, sino porque está dotado de un alma, de un espíritu capaz de compasión, de sacrificio y de resistencia. El deber del escritor, del poeta, es escribir acerca de estas cosas. Su privilegio consiste en elevar al hombre levantándole el ánimo, recordándole el honor, el valor, la esperanza, el orgullo, la piedad que han sido gloria suya en el pasado».

Tal vez consiga dar a sus personajes la objetividad que, al menos en algunos, se echa en falta.

Y he aquí a un grupo de muchachos metidos a mineros. Mañana cuando la «sexta galería» esté a punto de aplastarlos, contará cada cual su historia y su vida. Ahora están experimentando lo duro que es vivir y trabajar en aquella reducidísima topera, encajándose entre las entibación y los hastiales; había que trabajar, haciendo de tripas corazón, doblados los riñones, chorreante el cuerpo semidesnudo, tensos los nervios y alerta los músculos, porque el picador estaba a destajo y, agarrado como un loco al martillo neumático, derribaba toneladas y toneladas de carbón, arañando, mordiendo, profundizando en la brillante capa. Dolía la espalda, escocían las manos, picaba la garganta, lloraban los ojos, sabía mal la boca, retumbaba la cabeza; pero ¿podía rendirse un estudiante de dieciocho años, pedir clemencia, declararse vencido, cuando toda la mina se mofaba aún de su pequeño grupo? ¿Podía siquiera desahogar su miedo, su agotamiento ante sus cuatro compañeros, más débiles que él, arrastrados por él en cierto modo, arrebatados por él para aquella experiencia sociológica? ¿Podía quejarse tan sólo ante aquel picador, que, en la malicia de sus ojos y en la sorna de sus palabras, demostraba esperar con regocijo, y lo que es peor, con seguridad, el desfondamiento y la defección de aquellos «señoritos»?

Ya se ve que este muchacho es todo un tipo. Se llama Alvaro. El muchacho perfecto de las novelas de Vigil, continuador de aquel Ignacio de *La vida sale al encuentro*.

Alvaro se siente el protagonista y al mismo tiempo el responsable de la situación. El fue el que animó a sus amigos para meterse a redentores en la mina. Una experiencia bonita, pero que les va a resultar cara.

Cara y costosa. Porque lo de menos será el carácter zumbón y el tosco, pero agudo, sentido del humor de los mineros que se habían cebado en los muchachos desde el primer momento que les vieron llegar... Es que, además, uno de los estudiantes, junto con dos mineros, no saldrán de la mina sino para ser colocados sus cadáveres en el cementerio común.

Uno de ellos Lucas. Precisamente el guaje minero, aprendiz del oficio, al lado de su tío —otro que morirá en la fosa—, el muchacho que terminaría por hacerse el más amigo de Alvaro cuando la angustia y la esperanza les una en el fondo de la mina.

Porque llegó ¡la quiebra! Fue cosa de segundos. Los muchachos emprendieron detrás de los dos expertos mineros una carrera ciega y loca huyendo de un terror siniestro que se les abalanzaba por la espalda. Pero todo inútil. Estaba de Dios que habían de quedar sepultados en la mina. «Allí delante —describe el novelista— pareció estallar el techo. En un solo estallido formidable se fundieron los mil dispares ruidos del desquebrajarse de las rocas, del saltar pulverizada la madera, del deslizarse de toneladas de piedra, tierra y mineral. Delante mismo de los ojos, en visión fugaz e inenarrable, se abatían los hastiales, saltaban los costeros y el corpachón del picador, que precedía al grupo en casi veinte metros, era engullido, aplastado como un pelele, entre las mandíbulas ciclópeas del ciego cataclismo. Fue un instante de loca confusión, de pánico absoluto en que la tierra con su bramido múltiple, pareció comerse los pobres y agudos gritos, que sin duda, brotaron de las gargantas angustiadas. En un brusco movimiento de repliegue instintivo retrocedieron, sin saber cómo, hasta tropezar y caer amontonados dos docenas de metros más atrás. El polvo en suspensión se había concentrado de tal forma que la luz de los focos parecía embotarse a un palmo de la frente. El sudor, ahora frío, formaba una escamosa costra como una torva careta sobre el rostro. Un silencio absoluto, tenso, preñado de oscuras amenazas, se había instalado sobre las cabezas. Alvaro se incorporó, haciendo un supremo esfuerzo para dominar los nervios y sintiendo el cocear del corazón dentro del cuerpo. En confuso montón, vio a sus compañeros junto a él».

De aquí en adelante la novela será algo así como una vida retrospectiva de los supervivientes. Algo así como si un gran director de cine nos fuera poniendo delante de nuestra vista las pequeñas vidas de nuestros pequeños héroes. A partir de estos momentos la novela decae. Se hace monótona y uno tiene ganas de llegar al final por ver qué pasa cuando salgan de la mina.

Porque uno no sabe cuántos van a quedar dentro; porque de lo que no cabe duda es de que alguien —como en el cine— tiene que salvarse para contar al mundo el infierno vivido durante dos semanas y ofrecerle el mensaje cristiano de la convivencia y ayuda de los hombres.

Eso sí: no sólo en la mina, dentro de la sexta galería, se harán amigos Alvaro y Lucas, los dos personajes que representan la aristocracia y la pobreza; sino que fuera, los que más se habían destacado en molestar a los «señoritos», los que incluso, se habían peleado con ellos, son ahora los que no se dan reposo por llegar pronto al lugar donde debían estar enterrados.

Una nota trágica y una gran obra se da dentro de la mina: la muerte del «Vikingo», después de resistir dos días con un cuerpo agangrenado y el bautismo del mismo muchacho, efectuado con las últimas gotas que quedan en la cantimplora de uno de ellos.

Y la muerte de Lucas. El muchacho que sirvió de guía para apuntalar los hastiales: el sobrino de aquel rudo minero que yacía sepultado entre los escombros.

¡Contraste de la vida! Lucas había sido el hombre que más esperanzas infundiera en el grupo porque sabía que el equipo de salvamento no había de fallar, y el equipo llegó; pero para él era tarde. Allí arriba, Juana la viuda, que fue esposa de un minero y nuera de Luconas, el más famoso de todos, esperaba al hijo... Alvaro había prometido al muchacho no abandonar a su madre, pero Juana se encuentra muy sola. ¡Cosas de la mina! ...

Al final vendrán las palabras del P. Valle: «De vuestros labios y de los labios de los cuatro muchachos que habéis sacado vivos de la sexta galería he conocido la historia de Leandro y la de Lucas... Mineros de buena raza, han sabido hacer honor a su condición hasta el último aliento. Yo me descubro ante su abnegado espíritu y uno la luz más viva de mi admiración a las múltiples luces de vuestras lámparas encendidas. Pero aquí mismo, entre Leandro y Lucas queda un muchacho del que nada sabéis vosotros. Su nombre, Ditlet Fritzsche Holmsen. Su edad dieciocho años. De otra raza, de otra tierra, de otra condición... Voluntariamente quiso venir a conoceros, sin ninguna pretensión, trabajando como guaje con vosotros. La mina le reservaba literalmente bautismo y sepultura. Sus restos quedan ahí. La mina los hizo suyos. Son los de un minero más.

VI. «REQUIEM A CINCO VOCES» Y «ALGUIEN DEBE MORIR»

Hacía tiempo que no leíamos a Martín Vigil. Otras ocupaciones nos habían alejado de sus últimas novelas. Ahora, más descansados, más «ociosos», con tiempo para darle a este ocio intelectual otra ocupación, hemos podido leer y medir el alcance de dos importantes libros: *Requiem a cinco voces* y *Alguien debe morir*.

Las dos novelas ofrecen facetas interesantes, y las dos plantean problemas vivos de nuestra moderna sociedad, de la ética profesional, problemas de conciencia que hacen meditar. Por lo que juzgamos que esta clase de lecturas sólo es apta para personas formadas y de criterio amplio, objetivo, universal. De otro modo, o no la entienden, o la interpretan mal. Sobre todo, cuando Martín Vigil deja escapar su desenfado por las cosas de España y de los españoles, con las cuales él no está conforme, según hemos podido ver y enjuiciar en otros libros suyos.

En las dos novelas que van a ocupar este modesto ensayo, Vigil vuelve a sus temas preferidos. Y a la verdad que fustiga, azota y critica más que orienta, construye y organiza. Con todo, hemos de decir que se va superando y hasta purificándose tanto estética, como ideológicamente.

Martín Vigil no termina de abandonar ciertos prejuicios «raciales», «clasistas» y aun «sociales»; pero ya no abusa tanto de ellos como lo hizo, por ejemplo, en *Tierra brava*. Tal vez se haya dado cuenta de que no sólo en España no marchan bien las cosas, y que cuanto dice sobre ciertos problemas actuales podrían decirse otro tanto de Italia, Francia y de la misma Inglaterra.

Con ello nuestro novelista no hace otra cosa que seguir la corriente de la novelística actual española. Desde hace unos veinte años venimos asistiendo a una problemática que se centra en lo social. Lo social ha sido preocupación constante de nuestros novelistas actuales.

Sin embargo, es interesante observar que la temática social no aparece tan clara en las últimas novelas que se han publicado. «En los últimos Premios «Nadal», *Muerte por fusilamiento,* de José María Mendiola, y *El día señalado,* de Manuel Mejía Vallejo —leemos en la revista «Hechos y Dichos» de abril de 1964—, no domina esta temática. Sin embargo, *El cacique,* Premio «Planeta» de este año, de Luis Romero, está dentro completamente de lo social. Las dos novelas más significativas del año 1963, *La insolación,* de Carmen Laforet, y *Paralelo 40,* de Castillo Puche, quedan también en tablas. La primera es más bien psicológica, con todo el problema de la pubertad; la segunda está inmersa en la trama social, ya que ha sabido captar muy bien todo el ambiente de los americanos, principalmente negros, en sus barrios de Madrid».

También es interesante observar cómo este realismo, o «neorrealismo» español cultivado por los mejores de los escritores actuales, ha puesto en circulación importantes valores novelísticos. «En primer término ha acertado a describir con gran fuerza sectores de la vida colectiva española vivida a un nivel asimismo colectivo. El gusto por tomar en peso la sociedad, bien en un nivel rural: *El cacique,* o el mundo de los vulgares empleados de un barrio madrileño: *El Jarama,* o sectores representativos de la burguesía, es nota común de los autores contemporáneos; pero habría que decir que es en las clases bajas de la sociedad donde los novelistas han encontrado una materia humana más rica para sus obras; quizá sea porque es en ellas donde con más violencia se vive el trágico destino de los hombres, drama ante el que el escritor español de hoy se muestra especialmente sensible. Los pueblos áridos, los hombres duros y primitivos «de pan y navaja», como acertadamente ha calificado algún escritor; los empleados oscuros en las grandes ciudades, los que trabajan donde pueden, los que trafican en los cafés, los que no han recibido nada ni de la sociedad ni de la vida, no se presentan en la novela española como algo negativo; precisamente es a estos niveles donde se describe con más fuerza el ardor de vivir, la pasión, la violencia, el drama y el heroísmo. Diríase que existe un empeño en la generación novelística actual por hacer la apología de las fuerzas ciegas, de lo elemental, salvaje o inconsciente de los hombres; fuerzas ciegas que irrumpen por la insuficiencia de una vida ahogada en el aburrimiento, en el clima asfixiante de una ciudad provinciana, en las limitaciones de la miseria material o en las comodidades de la burguesía».

En este camino se encuentra Martín Vigil, como no podía ser de otra manera. Cuando uno le sigue a través de su ya copiosa e interesante obra, no comprende cómo Francisco M. Bergasa ha podido escribir en «Estafeta Literaria» lo siguiente: «La generación novelística contemporánea española emana del vacío». Una frase muy poco afortunada. Precisamente, hoy mejor que nunca podemos ver en España un resurgimiento de la novela. Como diría uno de los miembros del jurado del Premio «Nadal», don Rafael Vázquez Zamora: «es ahora cuando por primera vez tenemos un verdadero nivel medio muy aceptable. Siempre hemos tenido cumbres de la novela; pero paradójicamente nos han faltado los valles, el terreno fructífero y muy aceptable, bien cultivado».

Por lo que a *Requiem a cinco voces* se refiere, no dudamos en afirmar que se trata de una novela original, de trama y factura perfectas, escrita con gallardía y desenfado, tocando temas sociales vidriosos, muy valiente, y con unos diálogos fluidos, vigorosos, expresivos, sobrios y bien logrados.

La primera parte se nos antoja más pesada que la segunda. En esta segunda parte fluye ella sola toda la trama, sin tener que asistir el lector a diálogos —«solos» los llama el novelista— entre un inspector de la policía y uno cualquiera de los cinco personajes que integran el meollo de la novela.

Son varios los personajes que desfilan de calidad, estando bien definidos y no menos caracterizados. A través de los mismos —y también de los de segunda fila— apreciamos ese «algo» que tiene Vigil contra todo lo que suena a español.

Claro está que la novela se sitúa en una época clave de la España contemporánea: una época que va de una a otra guerra —la civil española y la segunda mundial—, extendiéndose hasta los años en que realmente España comenzó a salir de la postración en que se encontraba. Lo cual atenúa un poco las cosas, aunque la problemática y los personajes puedan seguir en pie.

Sobre este aspecto hemos de decir que, debido a ciertas expresiones y al modo de comportarse de ciertas personas, *Requiem a cinco voces,* acaso sin pretenderlo su autor, ha debido conseguir un efecto negativo respecto de la ya tan denigrada España, al hacer resaltar, no sin cierto regodeo, vicios y defectos que, por lo demás, existen en otras naciones.

Precisamente, cuando uno lee este libro de Vigil, en seguida piensa en *Cuerpos y almas* de Van der Meerch. Y no es que con ello queramos decir que se trata de un plagio, sino que le ha tenido muy en cuenta al tiempo de escribir su novela española. Pero, cosa extraña: el Hospital Provincial español y los médicos españoles que en él trabajan no se parecen a los que trabajan al otro lado de la frontera. *Requiem a cinco voces* retrata la realidad española y apunta a superarla.

Y cuando a propósito de la oposición del médico anestesista Sabino, borracho y falto de preparación, se dice tajante que aquello es «una cochinada que sólo pasa en este país», se ve a las claras que lo único que se pretende es excitar a general repulsa ante tal procedimiento selectivo. Es decir, que Vigil nos quiere dar un testimonio de vidas y de ambientes, sin que estos médicos del Hospital Militar español estén complicados en la maraña terrible y desoladora en que se encuentran los pintados por Van der Meerch.

Los retratos que nos hace de la sociedad española de hace unas décadas son magistrales. «El repaso de Martín Vigil —o de su novela—, nos dice el crítico literario de «Hechos y Dichos», alcanza estratos sociales muy variados. En este aspecto la novela es rica, instructiva y salpicada de matices como la vida misma. No se le caerá de las manos ni a los aprendices de cirujanos «sin bula para matar», ni a los cirujanos descreídos que no saben lo que es la conciencia pero que la sienten. Directivos y funcionarios de organismos de beneficencia, médicos de guardia y profesionales de la medicina general, hallarán en ella pasto abundante de consideraciones provechosas».

Martín Vigil comienza por situarnos ante un matrimonio rico, un poco chapado a la antigua, poderoso, no sólo en la ciudad, sino en una amplia región donde es dueño de tierras y mayordomías, con prejuicios burgueses, con un solo hijo, que ha sido educado por una madre que se refugia en sus novenas y en sus pobres cuando no consigue convencer a su marido, Dámaso, el típico «cacique» y mandamás del lugar, muy egoísta y liberal, religioso a su manera, amigo de la picaresca, el cual ha dividido el mundo en dos grandes compartimientos: a un lado él y al otro todo lo demás.

Don Dámaso apenas si se preocupa de la educación de su hijo: «es un hombre y sabe lo que hace». Pero lo que hizo un día fue algo terrible e insospechado, aunque fuera su mismo padre el que se lo insinuara con aquel mirar que tenía hacia la sirvienta, una muchacha de su propio feudo, ingenua, sencilla y de una belleza mitad campestre y mitad señorial.

Doña Nati no sabe hacer otra cosa que llorar. Y don Dámaso lo quiere arreglar con dinero... Carmelo tira por la calle de enfrente y opta por la solución del matrimonio. Esto le costará abandonar su carrera de Medicina, contentarse con ser un practicante cualquiera y huir del padre cobijándose en un piso de renta barata en el suburbio.

Ahora es cuando realmente comienza la trama de la novela. Ahora es cuando entrará en juego el quirófano del Hospital Provincial, testigo de las escenas más interesantes y más fuertes de todo el relato. Por aquí irán desfilando los personajes centrales —como lo harán también por delante del inspector de policía— que van haciendo ellos mismos la disección de la sociedad en que les toca vivir. «En este método de crítica social el novelista se revela como maestro consumado... Se critica al mismo tiempo que se refleja como en una fotografía o en una película, una beatería insubstanciosa y un tanto farisaica; una educación monjil asustadiza que apuntaba más a evitar el riesgo que a formar el criterio y la voluntad para superarlo; una tertulia provinciana al estilo de *Calle Mayor* y que, como en la cinta de Bardem, jalea y empuja al responsable.

Es el propio Carmelo enfrentándose con su padre y casándose con la sirvienta a la que ha dejado embarazada. No será más que un anestesista, pero eso sí, el mejor de todos, el preferido del doctor Fabra porque éste quiere gente «que sepa hacer las cosas». Carmelo, que adora a su mujer, pero que no puede disimular el disgusto de encontrarla inculta y casi analfabeta. Claro que Felisa le compensa por su cariño, por su entrega total, por su encanto y hasta por su belleza.

Carmelo en el Hospital será uno de los hombres más vapuleados por un médico cirujano que se ha propuesto cambiarlo todo, comenzando por el personal que le ayuda en el quirófano. Carmelo, a quien la buena sociedad no le perdona el que se casara con una muchacha de servicio —hubiera preferido siempre el aborto a aquella desconsideración de clase—, ni que su mujer fuera tan bonita.

Con Carmelo, su antiguo amigo Sabino, más tarde rival en el quirófano, un tipo clásico que vive de las rentas del padre y de las rentas de la guerra. Cuando la guerra, estuvo en la legión, y se hizo borracho y mujeriego. Después de la guerra ha conseguido el cargo de anestesista en el Hospital a costa de la prepotencia de su padre, que es el presidente de la Diputación.

Y en el centro el doctor Fabra, por otro nombre Tomás, hijo de una pobre mujer, que para sacarle adelante en sus estudios, tuvo que dedicarse al oficio «de la vida».

A Tomás le echaron un día del colegio, precisamente por venir del origen enunciado. Aquello le encoraginó. Siguió adelante gracias a los consejos de un sabio maestro de escuela que vio en él grandes posibilidades. Al fin, será un hombre famoso, un cirujano que, operando en el quirófano, parecía un dios. Pero Tomás, convertido en el doctor Fabra después que estuvo en Alemania, es un hombre duro, descreído, hasta cruel con los que tiene a su lado, sin miramientos de ningún género ni respeto para ninguna clase de personas, incluidas las Hermanas.

Cuando la guerra española le dieron un poco a la fuerza un carnet de la CNT. Tuvo que ir a la Sierra con un botiquín de urgencia, pero luego se las arregló para entrar en el quirófano de un hospital de emergencia.

Entregado en cuerpo y alma a la profesión, había roto con un pasado doloroso que, por otra parte, le había marcado para siempre. Nunca olvidará lo que le tocó sufrir cuando pequeño y siempre tendrá un resentimiento y un prejuicio contra el caciquismo y la burguesía española. «Esta es una tierra de cucos —le dirá a su madre—. Aquí la ciencia cede a la picaresca. En este país es mucho más provechoso ser hijo de médico que encerrarte a estudiar catorce años medicina. Importa mucho más manejar bien la lengua que empuñar con destreza el bisturí».

Pero el doctor Fabra tiene una gran personalidad. El primer día de su entrada en el Hospital ya se hizo famoso metiéndose con todo el mundo. Era un hombre que no estaba conforme con nada. Pero se hizo respetar, mejor, todo el mundo temblaba ante su sola mirada. Unicamente Carmelo —su «delfín», como le llamaban los ayudantes de quirófano—, el practicante se atrevía con él a sabiendas de que aquello le iba a costar un varapalo o tal vez una despedida.

Ni un corte de más con el bisturí. Ni uno solo que rectificar. Operaba con una rapidez y una seguridad pasmosa... El caso más sonado fue el de Ana Valle, la amiga de la doctora Aldama, viuda de Antonio, otro tipo característico del español galante, enamoradizo, holgazán y jugador, que forzosamente habría de terminar en la carretera.

Parece que estamos asistiendo al momento crucial de la vida del doctor Fabra. Su bisturí no falla. Falla el anestesista doctor, el célebre Sabino, al que Fabra ha llamado solamente para mortificar a Carmelo, con el que había cruzado unas palabras muy duras el día anterior y aquél le había replicado con energía.

El doctor Fabra trató de humillar al anestesista preferido. Pero hay algo más: la doctora Ester Aldama, mujer que busca marido después de haber preferido su condición de soltera durante muchos años, ha forzado la operación de su amiga para poder colaborar directametne con el doctor Fabra y, de este modo, poder atraerlo hacia sus pretensiones.

A esto tenemos que añadir a don Arturo, director del Hospital, testigo en parte de la operación, que deja hacer, desde que tuvo la desgracia de perder a su esposa Magdalena y le dio por la morfina... Escena culminante la de Ana en los estertores de la agonía. Ana Valle que se muere en el quirófano y por fallo de la anestesia. Ana Valle que no quería operarse y que fue movida solamente por los ruegos de su amiga Ester... Carmelo que ve cómo está descuidando Sabino su deber, que le grita y que no es correspondido a su demanda por considerarlo un simple practicante... El doctor Fabra, furioso, fuera de sí, que ve cómo se le muere la enferma sin poderlo remediar, a pesar de que el bisturí ha funcionado a la perfección. Es un... «requien a cinco voces»... Vida, temperamento y conducta de los cinco personajes centrales se ven confundidos en el desenlace final...

He aquí la gran novela de Martín Vigil, que se empeña con arte en despertar de su somnolencia una conciencia social un tanto anestesiada por los denominados «intereses de los grupos y de las clases». Y esto ya supone un gran valor.

* * *

La otra novela que hemos estudiado de Martín Vigil es distinta y, a decir verdad, con ser buena, nos gusta menos. Es otra clase de novela. Lo asombroso en nuestro autor es ver cómo toca y se adentra por los campos más variados de la novelística y cómo, por lo regular, da feliz remate al tema que se ha propuesto.

Aquí, en *Alguien debe morir,* se adentra por el intrincado y difícil problema de la justicia. En realidad, se plantea un doble problema: «el de la falibilidad de la justicia humana, y el peso agobiante de una culpa impune, en una conciencia. Esta novela, que bien pudiera pasar a las tablas como un tremendo drama, se nos ha hecho un tanto pesada, aunque tenga grandes valores, como hemos de ver en seguida.

Su construcción es sencilla, casi endeble. Todo comienza con una llamada por teléfono a José Reyes, magistrado respetable, casado y con hijos mayores. La llamada proviene de Lucas Paz, antiguo compañero de José, desaprensivo y taimado, calumniador y astuto que se sirve del teléfono, una y otra vez, para turbar la paz de aquella familia honorable, y sólo con el fin de conseguir dinero de José, al que amenaza descubrir a sus hijos la calumnia de homoxesualidad con que fue acusado años atrás cuando servían juntos las armas en Africa Española.

Si en *Requiem a cinco voces* lo mejor eran los diálogos, en *Alguien debe morir* lo mejor son los monólogos de José con su propia conciencia.

Lucas Paz ataca despiadadamente con llamadas cada vez más incisivas. José Reyes las recibe muy inquieto. Le falta serenidad. Y es el temor de que sus hijos lleguen a enterarse. La esposa no sabe lo que le ocurre, pero advierte que se trata de algo grave...

Todo termina de un modo brutal, violento, instantáneo: se celebra una entrevista en la buhardilla de Lucas, al que conocen en la casa por don Ramón. Este apenas tiene tiempo de agacharse, tratando de esquivar el golpe que le propina en la cabeza José con el atizador de hierro. Luego sube y baja como un rayo, mientras aquel corpachón cayó sobre sí mismo manando sangre.

El resto de la novela gira en torno al juicio de aquel asesinato. Hay un hombre, Alipio Zadona, al que han visto bajar la escalera las dos mujeres que cuidaban de don Ramón: Alipio es el criminal. Tal vez el detalle minucioso del juicio haga un tanto pesada la novela, como hemos apuntado arriba, pero es perfecto el engranaje. Alipio es condenado a muerte, a pesar de la excelente defensa que hace de él el joven abogado Ricardo.

No podía esperarse otra cosa. Todos los detalles, todas las sospechas recaían sobre él. Además de que el fiscal se sabía su oficio como para envolver fácilmente a los testigos que fueron a declarar en favor del desgraciado. La pluma de Vigil se mueve con agilidad entre este mundo tan complicado de jueces, fiscales, abogados, Salas y Tribunales de Justicia... En el Tribunal estaba José Reyes, el verdadero criminal, el hombre que quiere salvar al inocente, y que no puede hacerlo sin condenarse a sí mismo y sin condenar a su esposa y a sus hijos a la mayor de las desgracias, cual es la deshonra. José Reyes erá el único de la Sala que no vote por la pena de muerte: él no podía condenar a Alipio Zadona.

José Reyes no vive. No puede más. No puede seguir con aquel fardo a cuestas; con aquella angustia que le duele ya en las vísceras, sin esperanzas, sin solución. El sabe que van a matar a un inocente, porque el único culpable es él, José Reyes, el honorable magistrado... Puede restaurarlo todo, aclararlo todo... Pero no podrá hacerlo sin destruirse y sin hacer daño a otros tan inocentes como lo es Alipio. Porque salvar a éste significa hundir a sus hijos. ¿Y qué culpa tienen su esposa y sus hijos de todo aquello? ¿Qué culpa tiene de que Lucas le amenazara con difundir de nuevo la calumnia si no le entregaba en el acto 100.000 pts?...

Trata de ocultar la tragedia a Pilar. Pero ésta le cerca cada vez más y acaba por enterarse de todo. Desde este momento, la novela corre a cargo de la esposa, la cual va a consultar el caso con un sabio jesuita que la consuela y la da una solución satisfactoria. Lo mejor, asegurada su conciencia y sabiendo ya que su marido no está obligado en justicia a declarar su crimen, consigue llevárselo a San Sebastián. Hasta allí seguirán las dudas, los sinsabores, los insomnios, la angustia de muerte y la tentación de decirlo todo de una vez.

Hasta que ocurre lo imprevisto: exactamente el mismo día que debía ejecutarse la sentencia, la prensa trae la noticia —aquí un golpe teatral que sorprende— de que se ha suspendido a causa de unas declaraciones hechas por la joven Nati contra su tía, «la Evencia», la cual parece que, al tiempo de subir a la habitación de don Ramón, y creyéndolo por un momento vivo, aunque anegado en su propia sangre, como quiera que le había robado en aquel momento todo el dinero que llevaba, para que no la descubrieran, le acabó de rematar con un martillo.

José Reyes recibe una llamada por teléfono muy distinta a las que recibía en meses pasados: el Tribunal de Justicia le felicita por ser el único que se opuso a la condena de Alipio...

Y esta es en síntesis la novela dramática *Alguien debe morir*. Es el fuerte de Vigil: el dramatismo. Porque esta novela es más un drama que una narración. De tal forma que, si consideramos la obra como dramática, casi la encontramos perfecta: el hombre que se agita como una marioneta, movido por los hilos de los siete pecados capitales y también por las virtudes morales. «Los errores, las maldades, las limitaciones de los hombres acorralan a los mortales, y es ante eso la voluntad la que juega una baza definitiva y escoge su camino irreversible».

Pero si consideramos el libro como una narración, le encontramos defectos de bulto: una lentitud tradicional y a la que nos hemos referido arriba. Está exagerada la nota de la difamación de Reyes y éste se inquieta demasiado cuando le llaman por teléfono. El juicio oral se cuenta con una prolijidad que llega hasta el aburrimiento. El final, el golpe teatral del fin de la novela, cuando nos enteramos de que quien mató a Lucas no fue José —pues éste sólo le hirió— sino Evencia, la patrona de la casa, nos decepciona y está traído de un modo que nos parece bastante convencional y con poca lógica; al menos no es eso lo que se espera, a no ser en las novelas de tipo policíaco. Relato, pues, endeble y pesado. El valor de la obra estriba en el doble problema de conciencia que plantea y que hemos señalado al principio. Muy sabia y muy inteligente la solución del jesuita. Vigil en estos caminos de la moral y de la conciencia sabe el terreno que pisa: un terreno firme y de gran seguridad: «la acción de su marido —le dice— no ha sido causa de lo que le ocurre a un inocente. No hay un nexo, una relación causal (el texto dice *casual* por errata de imprenta, sin duda) entre la acción de su marido y la acusación montada contra un tercero... Sólo tenemos obligación de responder, en justicia, de aquello que se deriva eficazmente de nuestra acción injusta; no de lo que ocurra, sin culpa nuestra, con ocasión de nuestra mala obra».

VII. «LA SOCIEDAD CONTRA MIGUEL JALON»

Es un fuerte trallazo a la sociedad de nuestros días. Se le acusa descaradamente y de un modo terrible. Pero creemos que el autor vuelve a caer en el defecto de «parcialidad».

Es cierto: la sociedad es culpable, en gran parte al menos, de que anden por esos mundos de Dios los «Lisardos» y los «Maquis» y los «Patatas» y los «Chatos» y los «Avionetus»... Pero, ¿podemos, por ello, justificar la conducta de estos muchachos hasta el punto de que cometan atropellos, robos, sucias inmoralidades y hasta asesinatos y dejarlos «libres de polvo y paja» porque son eso: unos pobres «desdichados» que no tienen la culpa, que no son responsables de lo que hacen?...

Pues bien, esta es la impresión que nos produce el libro de Martín Vigil en su desmedido afán de defender al desafortunado y desheredado de la vida y castigar duramente al que ha tenido una suerte mejor.

El propio Vigil, tal vez dándose cuenta de la impresión que iba a producir su libro —impresión desagradable, con «cierto olor a podrido»—, se excusa y pide perdón en una «dedicatoria» primero, y luego en un «prologuillo» que en ningún modo arreglan la situación:

«A vosotros, los nacidos de ese modo —dice la dedicatoria—; a los hijos bastardos, naturales, espúreos, incestuosos; a cuantos una sociedad hipócrita tiene por ilegítimos, como si ser hijos de Dios no fuera suficiente; a los condenados a llevar un apellido sólo; a los venidos a este mundo sin haber sido deseados; a los que están aquí porque faltó la previsión, la habilidad o el coraje para impedirles la llegada; a los que hasta para ser curas encuentran impedimentos; a todos los concebidos sin amor, nacidos sin alegría, crecidos sin tutela... A vosotros, sí».

En el aludido prólogo, el autor se lamenta de que esta historia —la historia de Miguel Jalón— «no resulte más alegre, confortadora y ejemplar. Pero decidido a respetar los hechos con que topó en su investigación, no teme acongojar la conciencia de unos, ni provocar la sonrisa incrédula de otros. Lamenta asimismo la crudeza del lenguaje, que, si bien ha procurado reducir a su mínima expresión, no podía orillar hasta el extremo de falsear la realidad. No oculta —vale más decirlo ya al principio— su simpatía por el «héroe», aunque se haya esforzado en dar a la crónica un tono objetivo, aportando el hecho y el dato, sin juzgar. Garantiza, finalmente, que la invención ha sido mínima, la documentación, copiosa, y que el modo de narrar, a contrapelo de la cronología, no se debe a un prurito de originalidad o a un vano deseo de llamar la atención, sino al método con que investigó, buceando en ciertas vidas, en un intento sincero de alcanzar el último por qué».

Con ese «por qué» en los labios de Miguel, el muchacho rencoroso, que acaba de ser cruelmente abofeteado, termina el libro de Martín Vigil. El muchacho, todavía un niño pequeño y vivaracho, con los ojos avispados en la menuda cara morena, lloraba a gritos, pero por fuera sólo. En su corazón había hielo. Estrenaba odio, y, en toda su conciencia, no campeaba más que una pregunta airada que nadie iba a responder:

—«¿Por qué?».

«Los nacidos así» son los personajes de la novela cuyo protagonista es Miguel Jalón; este muchacho que sólo conserva el apellido de la madre porque es «de padre desconocido». Este muchacho que forma parte de una banda de «quinquis», y que un día, después de sufrir y llorar y robar y querer y pecar mucho en la vida, termina por matar a un guardia civil.

Esto es lo que parece interesar más que nada a Martín Vigil: la vida que lleva el muchacho y sus compañeros; la sociedad y el ambiente en que viven; el abandono en que se encuentran...

Cuando el muchacho mata al guardia, lo hace —viene a decirnos Vigil— por culpa de la sociedad que no le quiere y le maltrata siempre que puede.

Miguel tiene, por otra parte, una bella estampa. De niño, todas las mujeres del barrio, al mismo tiempo que «cuchicheaban» al oído el posible autor de aquella criatura, le llamaban para darle un caramelo y un par de besos.

Porque en el barrio —mejor en el suburbio— se rumoreaba que Miguelito era hijo de un gran señor, quien luego de algunos primeros regalos a su madre, la rechaza del todo cuando la desgraciada, tísica, es recluida a un sanatorio, donde muere. El chico vive con su tía Engracia, mujer alcohólica y brutal, que golpea al pequeño porque «no trae» nada a casa; y con su abuela, que ha sido una mujer del arroyo y que se emborracha en cuanto puede.

Cuando se asocia a Lisardo para asaltar unos almacenes, Miguel cuenta los diecinueve años en los papeles y dos menos a juzgar por la apariencia. Es de mediana estatura, con la delgadez de muchas hambres, pero con el toque de gracia en la cintura y en la cara procedente de sabe Dios qué herencia, vestigio milagroso que ninguna tosquedad, ninguna pasión innoble, ninguna vileza había podido borrar hasta el presente. Y en su frente, un denso mechón negro sombreando unos ojos inquietantes en la mancha morena de un rostro casi imberbe todavía. Y sobre sus hombros, una hermosa cabeza de patricio con cuatro ideas elementales dentro; y además, unos miembros largos y lisos, hechos para la fuga, al parecer; y unos dientes de lobo no quebrados todavía de milagro; una mirada cargada de sospechas; un rictus escéptico en la boca; y unas manos morenas de largos y estrechos dedos ansiosos de retener...

Otro de los personajes que sobresalen en la novela es «el Gitano». El Gitano se llama Lisardo y había entrado en este mundo enviando a su madre al otro. No lo hizo adrede, desde luego, pero tampoco ella lo había concebido a voluntad. En cierto modo quedaron a mano. Eran cosas de la vida.

Lisardo se había escapado pronto del tugurio; pero no tan pronto como para haberle faltado tiempo de aprender las malas mañas y muchas picardías de su padre. A los tres meses de la fuga, cayó en manos de los agentes, que le dieron de bofetadas hasta dejarle hinchado el rostro. El niño se vengó con una sarta de insultos soeces salidos de su boca arrastrada.

Y junto a estos dos hombrecitos estaba «el Chato»: un retrasado mental, hijo de madre y hermano. El Chato había venido a caer en las redes del gitano, que se lo propuso a sí mismo, como inapreciable guarda-espaldas y lo unció a su voluntad hasta hacerle reaccionar como un reflejo. Lo manejaba a su antojo, pero era el único que lo defendía, el único que miraba por él y, a su manera, le era leal.

También estaba en pandilla «el Patata». Este era de buen natural. Fuera de la veleidad de ser torero, que le dio como a tantos otros, no había conocido otros devaneos que le apartaran del lento y sucesivo aprendizaje, primero en el registro de las carteras y luego en el de las cerraduras, que era lo que había mamado en casa y de lo que siempre había oído hablar a su padre, mientras extendía y flexionaba los dedos en cuidadosos ejercicios.

Al Patata le gustaban los pájaros —llegó a tener un canario en una jaula— como a Miguel los perros. Su verdadero oficio era el de cerrajero, y su habilidad, naturalmente, hacer saltar sin el menor ruido las más complicadas cerraduras.

En este mismo ambiente se desenvolvió la vida de los demás chicos emparejados con Miguel. «Avionetus», por ejemplo, había tenido padres, naturalmente, pero no los conoció. Lo dejaron envuelto en una manta, a la puerta de un pajar, en una aldea de la montaña asturiana. O «Fermín», el cual, cuando fue preguntado por el P. Rafael —el sacerdote que se dedicaba a recoger desarrapados muchachos— si se había escapado, le contestó que quien se había escapado era su madre con «un tipo»...

«Y frente a esta galería tan triste y abyecta, que el autor no ha ahorrado en nada, están los otros: la «sociedad bien», los que se dicen gente digna y honrada, pero que aparecen en la novela igualmente con los estigmas de otras abyecciones e injusticias aún más perversas y menos explicables.

Toda esta desamparada banda de mozalbetes abandonados por tantos caminos —sigue diciendo Micó Buchón—, predispuestos por su sociedad a la degradación y criminalidad, establece más o menos contacto en «Los Arcángeles», el hogar que ha fundado para ellos el P. Rafael, donde van a encontrar un poco de calor, de compañerismo y de comprensión. El Padre Rafael es el único ser, en toda la novela, que parece dotado de un corazón cristiano; él, y la buena y colérica Ramonzona, que es la cocinera y ama de aquel turbulento albergue.

Es curioso observar cómo decae la novela cuando Martín Vigil se pone a describir esta otra cara de la moneda de la vida o de la sociedad. No acierta a definir al citado P. Rafael; ni menos a los otros personajes que se dicen cristianos y que luego le dejan solo en su obra, si es que no la desprecian. Hasta la misma forma literaria es mucho más pobre, convencional y ficticia que cuando está narrando las peripecias de los ganapanes y ladronzuelos.

Y a todo esto, Miguel va creciendo. Alguien podría decir de él —el propio novelista, por ejemplo, que le tiene mucha simpatía— que es un muchacho de buen natural, de buenos sentimientos, de buen fondo... Pero —¿quieren ustedes que echemos de nuevo la culpa a la sociedad?— en aquel ambiente en que vive, sólo puede aprender «picardías»... Hasta que llega un día y se hace criminal...

Tal vez no lo quiso nunca; pero había mucho odio en su corazón y una pistola del nueve largo, que también tenía su historia desde aquel día que se la cogieron a un guardia civil durante la guerra española.

Literariamente, la novela tiene las virtudes y defectos de otras anteriores: no creemos que pueda ponerse como modelo de estilo y de texto de castellano para los extranjeros —aunque la novela sea leída por éstos, que no es lo mismo—; pero los diálogos a los que nos tiene aostumbrados Vigil —sueltos, ágiles, ingeniosos, muy bien llevados, con gracia y algunos con picardía y también convencionales— no nos defraudan tampoco esta vez.

Tal vez abuse en esta ocasión de «palabrotas» gordas, aunque esto guste hoy a la gente y diga bien con «el hampa» que se respira en toda la novela.

Por lo demás, *La sociedad contra Miguel Jalón* está llevada con gran seguridad. Nunca pierde del todo su interés a pesar de que la narración no es continuada y sí transcurre con cambios y saltos —unos sentimentales, otros inmorales y otros de pura gracia y chiquillada— que le hacen más amena y **atractiva**.

Bajo el aspecto moral *La sociedad contra Miguel Jalón* es novela de las que se llaman hoy «sociales», «de mensaje» y «testimonio». Lo mismo podría llamarse de «llamada» a las conciencias egoístas e hipócritas de la actualidad.

Tiene momentos que se parecen a un cielo cargado de nubes oscuras y atronadoras y, de repente, deja asomar un retazo de claridad, de luz, de dulzura, de azul...

Tal acontece en el idilio de Miguel con Rosa; un idilio absurdo e imposible, y no sólo por la diferencia de «clase», sino porque, aunque se empeñe en decir lo contrario Martín Vigil, Miguel Jalón nunca podría casarse con la colegiala de familia rica y educada en uno de los mejores colegios de la ciudad.

No se trata aquí de diferencia de «clase»; son distintas maneras de enfocar la vida; distinta la formación; distintos los gustos; distinta la educación; distinto todo... Pero el idilio resulta bonito, emocionante y muy sentimental... Eso ha de gustar a nuestros chicos. Desde aquí lo aseguramos.

Pero la novela de Martín Vigil, que no deja de tener signo cristiano y hasta valores positivos, con su poquito de mensaje evangélico y todo, resulta, por el lenguaje que emplea y las escenas oscuras e inmorales que se suceden, poco edificante. Se le nota al autor un marcado empeño «en desnudar dobleces, quitar caretas, desalojar de posiciones, desfondar convencionalismos, hablar claro y duro. Esta actitud novelística será legítima si acierta a esquivar la exageración y si logra mantener la calidad literaria, en la perfección de la forma y hondura del pensamiento. Esto le ha fallado algunas veces: insiste demasiado en mostrar una sociedad totalmente desamorada y repulsiva, una sociedad contra el hombre, y luego todavía escandalizada de que ese hombre que ella ha hundido, salga un criminal y se revuelva contra ella».

José Luis Martín Vigil gusta mucho a los lectores. Es uno de los novelistas que más gustan en la actualidad. El lo sabe. Esto le debe llevar a exigirse cada día más y darnos en libros sucesivos una sociedad no tan unilateral y parcialmente vista, sino equilibrada y justa en la apreciación y criterio objetivo.

Vigil debe valorar más equitativamente los valores humanos. Creemos que con ello hará mucho bien a la sociedad que él con tanto furor y saña fustiga en sus novelas.

JOSE LUIS SAMPEDRO

y su "río que nos lleva" a una esperanza de
fecunda vida

«EL RIO QUE NOS LLEVA»

Confieso que es el primer libro que leo de José Luis Sampedro. Tantos elogios había oído de él y tantos lugares lo habían citado como lectura preferida del bello y desocupado sexo femenino, que no hice muchos esfuerzos por vencer la curiosidad por conocerlo.

Ahora puedo decir que, no sólo lo he leído, sino que lo he saboreado. Tal vez sea esta una debilidad mía: pero prefiero las letras sencillas, tersas, sin complicaciones de estilo, ni rebuscamientos artificiales; de un gran contenido, pero expuesto con claridad y con naturalidad. De este modo concebidas y planeadas las novelas, yo soy capaz de perdonarles algunas páginas un tanto bruscas de realismo incontenido. Y se las perdono porque me hago cargo, y se echa de ver, que no son otra cosa que la consecuencia de las vidas, primitivas, selváticas, sin cultivo, reflejadas en ellas. Se las perdono porque dichas páginas están trazadas siempre con nobleza.

El río que nos lleva de José Luis Sampedro es algo más que una novela: es el libro, es la historia de nuestras vidas que van llegando y van muriendo en una meta, después de haber dejado en el camino la montaña y los torrentes, la llanura y la tranquilidad del lago: las tierras indomables y las fértiles vegas; los inviernos fríos, de sangre aquietada; y las primaveras, rompientes de sangre bullidora y apasionada.

Yo no conocía —aunque había oído hablar de él— a José Luis Sampedro. Hoy me he enterado de que es catalán, nacido en Barcelona en 1917, para más detalles. Universitario por vocación, economista y catedrático, ha sabido aprovechar sus viajes profesionales para ofrecernos, sin prisas, sin urgencias de un «premio a la vista», una literatura observadora, realista y bella; profunda y serena; preocupada sólo por sus propias raíces y por comunicar vitalmente con el lector.

Y así, como leemos tantas veces, el procedimiento novelístico es la narración. *El río que nos lleva* la encontramos ordenada, casi perfecta. «La novela —se dice— abarca el universo entero, pues todo puede ser relato: la realidad relatada hace al lector su continua revelación; produce la fuerza de la realidad misma y de la vida misma, a veces con independencia del autor. Cada novela, es, primero, el alma de su autor; luego, es reflejo de personajes, acontecimientos, ambientes, paisajes, circunstancias...».

Así los cánones, convengamos en que José Luis Sampedro es un gran novelista, pues su obra es eso y mucho más. Yo creo que el autor de *El río que nos lleva* y de *Congreso en Estocolmo* cuida mucho su lenguaje y estilo... y me figuro que antes de decidirse, corrige el borrador y teme darlo a la imprenta porque —muy exigente consigo mismo— lo cree imperfecto y sin interés.

El autor ahora ha dejado su retiro de Aravaca y se ha echado a andar por el paisaje ignorado y primitivo de la meseta ibérica. Ha pedido trabajo en «la maderada»; le han prestado «un gancho» y, formando parte de la familia ganchera, es como ha ido conociendo hombres tan originales como «el Americano», «el Dámaso», «el Seco», el gran «Shannon» y hasta una mujer brava, arisca y bella, de la que es forzoso ocuparnos luego...

Unos hombres duros, ocupados en un oficio arriesgado... Un extranjero, viajero desde tierras italianas, veterano de la Gran Guerra buscando una esperanza... Una mujer que es madre, novia y hermana, hija y pasión, según tipos y caracteres y que siempre sale airosa y libre por su bravura... Unos episodios emocionantes, tan trágicos como la misma vida... Y al fin, como protagonista, un río... El río Tajo... El río que nos lleva... La vida, nuestra vida que nos lleva...

Y un río —el Alto Tajo— que nos arrastra con su ímpetu desde el mismo punto de embarque de la maderada, hasta los Reales Sitios de Aranjuez, donde se termina la vida de unos «gancheros», donde se aclaran muchas cosas... la meta de nuestra vida y el clareo de nuestro vivir a lo largo de un río pasando por sitios tan encantadores como «Sotondo» y «Zorita de las Canes».

Uno termina de leer, y se queda pensando: he aquí las raíces del pueblo de España. Y vuelve sobre las páginas. Y va pasando por las distintas estaciones y se acuerda de las frases que son lema por escogidas: la de Fraz Werfel, que pronunciara el extranjero en uno de los momentos más bellos de la vida de los gancheros: «En cada hombre nacido nos es prometido el regreso del Salvador». La de Kazantzakis: «Todos los hombres, durante un minuto, son Dios». Y es el verso del *Libro de las Mutaciones* en los Comentarios al I-King viendo cómo se abre y cómo huele la tierra, y cómo se despiertan las pasiones de los hombres con la primavera:

«Es el dragón, el violento,
el camino real, el amarillo,
el fuerte y el lujurioso,
el bambú joven, el tambor.
Es el Nordeste,
                    es la primavera».

Y cuando el hombre, a lo lejos ya la montaña, andando un buen trecho la llanura, duerme, sin poder dormir, por la pasión desatada bajo las estrellas sin abrigo alguno:

«Es el relámpago, el fuego,
el sol ardiente, la lanza,
la sequedad, el galope,
el puñal, el alacrán,
Es el Este,
                    es el verano».

La vida hace, a veces, sus guiños y sus juegos. Como esta vez se la hizo al irlandés Shannon. ¿Cómo iba a pensar que aquel encuentro fortuito con el ganchero herido y la bella mujer que le acompañaba significaría tanto «en la esperanza» de su vivir...? ¿Por qué ocurrió aquello...? ¿Por qué —se preguntaba el mismo narrador—, por qué se dieron aquellos pasos...? Es inútil cavilar: fue un capricho del río, un vuelco de la sangre. Quizá sólo la sangre sabe siempre por qué.

Pero eso es lo cierto: que la vida sin aviso previo, se divierte reuniendo en determinada circunstancia, ciertos seres y ciertas cosas para que luego pase lo que tiene que pasar.

Y era allí en la sierra fría. Shannon se dirigía a Zadrejas, pensando cruzar el Tajo y seguir camino de Molina. Un hombre herido, un ganchero cualquiera, tendido en el suelo y una joven mujer esquiva, sentada a su lado, hacen que se detenga en su solitario caminar.

Y una vez que lo hubo curado, seguro de que aquel bondadoso carretero lo llevaría hasta Villanueva de Alcorcón, el extranjero, sin saber cómo ni porqué, volvió en seguimiento de la bella hasta dar con el campamento de los gancheros.

Los gancheros que están al principio, casi, de su larga y dura tarea. Los gancheros que, siguiendo el anterior libro citado, están todavía en la montaña. La montaña que es

«... la simiente,
la puerta que se abre
el ave de negro pico
el árbol recio y nudoso.
Es el Noroeste,
                es el invierno.

El Americano, jefe del campamento, recibe con simpatía al irlandés. El resto de los gancheros lo recibe al principio con recelo. El Dámaso, un tipo noble como bruto y primitivo, le quiere gastar una broma pesada; pero se da cuenta de que aquel hombre lo es de verdad, aunque traiga aires de señorito intelectual.

Y la mujer le va tomando estima y aun llega a quererle, porque le encuentra muy superior a todos. Mas nunca le declara su amor. Mañana, cuando ya pertenezca a otro hombre que la domina por entero, le pesara su cobardía primera.

Shannon decide quedarse entre aquella gente, aceptando su ración de migas y tomando el gancho del herido.

Eran en total, incluido el jefe, diez hombres. Y «el Lucas», que aprenderá a leer con el extranjero. Paula —he aquí el supuesto nombre de la mujer— comerá aparte con el jorobado y el rancherillo.

Aquel grupo de hombres va siguiendo «la maderada». Y el río le va llevando. Y con la corriente, ahora impetuosa, ahora tranquila, sus propias vidas y las de sus semejantes.

Estos semejantes que viven en La Escaleruela, en Alpetea, en Huertahernando y en la Tagüenza, en Ocentejo y en Oterón... Van, siguiendo el río, seguros de llegar un día a Aranjuez.

Y siguiendo el río —dirá sentencioso el Seco— a la mar.

Y siguiendo aún —terciará el piadoso de Cuatrodedos— «a la vida eterna».

Porque entre esta gente ruda hay quien sabe rezar. Por ejemplo, Paula: la enigmática y esquiva muchacha que sigue a los gancheros sin contar a nadie su verdadera vida, aunque al final la sepa uno, que será Shannon. Paula sube a la ermita que está en lo alto. Y cuando llega se da cuenta de que alguien se le ha adelantado: es justamente el irlandés, al que ya llama familiarmente Royo.

—Yo también vine a rezar.

—¿Tú, Royo? Tú, tan bueno...?

—A todos nos hace falta...

Aquel extranjero sabía rezar tal y como no lo hiciera ninguno de la cuadrilla. Y sabía también unirse al rezo del pueblo español, al que iba conociendo cada día un poco más. Por uno de los pueblos por donde pasaban los gancheros entró en una iglesia vacía y ante una cruz sin Cristo que «con sus brazos abiertos parecía esperarle a él o a cualquiera, se asombró de aquella fuerza del español para lo religioso. Del santo y también del pecador... ¡Qué hombres aquellos imagineros de su misma raza...! Se sentía siempre que las gubias eran empujadas, no sólo por fe violenta, sino también por violenta carne y sangre...».

Y qué hermoso diálogo el que mantiene este gran tipo, que es el Americano, con el cura de Oterón. Un hombre que ha saboreado el jugoso y a la vez el amargo liar de la vida y que ahora, de vuelta de América, haciéndose ganchero, ha renunciado a aquel turbulento vivir, retirándose a sus raíces, a sus gentes. Aquellos dos hombres son como vidas retiradas a su invierno.

Y van pasando 'los días, y los meses también. Y la primavera venía precipitándose sobre los gancheros o, por mejor decir, eran los gancheros los que corrían a recibirla para experimentar su influjo. Todos lo notaban. Paula también. Paula notaba el gran cambio del mundo. Cómo se hacía blando y suave el madero donde se arrodillaba para fregar en el río... Cómo se hacía tibia el agua, el aire excitante y dulce el atardecer.

Era increíble —se decía el irlandés—, hasta la tierra se estremecía. A Shannon le gustaba contemplar aquel estado nuevo de las cosas. En el soto estaban reventando las yemas de los álamos, de los chopos, de las sacedas. Algunas destilaban, por heridas del tronco, jugos oscuros y espesos, medio cuajados. Y, a esto, Paula que seguía en el campamento, para tormento de todos. De él, el primero, viéndola insegura y por veinte ojos febrilmente acechada.

Se siguen luego las escenas de Sotondo. Tal vez sea el capítulo más brutal de toda la obra. Con el cacique y nefasto Benigno y las repugnantes y secas, como curadas en salmuera, de sus hermanas. Un capítulo fuerte. Quizás demasiado fuerte, aunque reconozcamos que habitan tales seres indeseables.

Y en Trillo los leprosos... Las mujeres... y el vino. La maderada sigue adelante. Y los hombres del Americano, dejando un poco de sus vidas por donde quiera que pasan, van siguiendo la corriente del Tajo, ahora más ancho, más sereno, más fácil de manejar.

El ganchero tiene mala fama. Pero lo cierto es que, en el fondo, todos le admiran. Y las mujeres más. El ganchero es la fuerza, la violencia, lo inesperado en una vida previsible desde la cuna.

Y en Zorita de los Canes, un pueblo que tanto fue, y tan poco es, vuelve a repetirse la escena de la ermita. Sólo que aquí no es Paula, sino el propio Americano el que se encuentra con Shannon. Dos hombres con vocación de héroes, con madera de santos. Ambas cosas demostraron en sus vidas. Dos hombres íntegros, cabales.

Cuando termine todo: cuando Shannon, herido por salvar de una muerte segura al Galerilla, ve desaparecer tras un recodo al último de sus compañeros, los hombres del río; cuando Benigno haya pagado con la muerte violenta sus muchos pecados; cuando la maderada haya llegado a Aranjuez... el Americano se habrá retirado del mundo para vivir con los pájaros y las flores, según se lo había profetizado Fr. Justino.

En cuanto a su amigo, el irlandés, alzada de nuevo la compuerta, tras una larga espera, seguirá arrastrando su cuerpo, que se deshace entre las piedras del molino de la vida. Al final, se descubre, se quita la máscara y se confiesa la verdad. Confiesa su amor por Paula, aquella mujer que era «roca firme», aire sereno, agua trémula, fuego bravo. Poderosa y tierna, centelleante y oscura como la misma tierra.

Y escribe para contar a los humildes la historia de su esperanza, de cómo la descubrió entre los hombres del río y cómo la hizo clave de su vida... Suceden así muchas cosas en la vida... El río humano de innumerables ondas seguirá su historia adelante, tiempo abajo, hacia quién sabe qué océano final... Y muchas cosas como aquella ermita desaparecida bajo el pantano donde dos almas buenas se encontraron para rezar, serán sólo recuerdo... Mas, si la esperanza se ha convertido en agua fecunda para el riego, y energía es como un buen final de una vida antigua y un mejor principio a otra nueva, será así.

JOSE MARIA CASTILLO - NAVARRO

novelista de la intensidad

Creemos sean de Marcel Lobet las palabras que siguen: «Desde el poema que el escriba egipcio grababa en un tiesto de cerámica, hasta la última novela de Mauriac, los hombres nunca han cesado de traducir por la palabra o por la escritura sus deseos, sus esperanzas, sus gozos y sus penas, su amargura y su felicidad, a fin de que otros hombres inclinándose sobre esos testimonios escrutaran su sentido profundo y sacaran, no solamente un placer de distracción o una delectación intelectual, sino también una enseñanza».

Marcel Lobet nos refleja al vivo, en estas palabras, el complejo problema del humanismo en la literatura. Si alguna vez ha sido completamente falsa la frase «el arte por el arte» —escribe Micó Buchón— será, sobre todo, hablando de la literatura, y del siglo XX.

Las generaciones actuales, zarandeadas por dos guerras ingentes, por convulsiones sociales y económicas, por el desquiciamiento de las ideas y los principios, busca desaforadamente un camino, exige un replanteamiento de los problemas y una nueva toma de posiciones.

Por eso una literatura de floreo, que esquive las punzantes realidades que nos agobian, y que escamotee los compromisos y las decisiones, se vuelve completamente insoportable. La literatura de pasatiempo se está quedando como los juguetes viejos que hacen reír.

Es cierto que esos afanes de los hombres disponen también de otros medios de expresión —los medios de difusión social, el ensayo, la conferencia—; pero la literatura, la gran literatura, tendrá siempre el privilegio de ser el mejor resonador y el más universal de la conciencia humana. Como escribió un día el cardenal Newman, «en cierto sentido, la literatura es para la humanidad lo que una biografía es para una pesona: su vida y sus recuerdos».

Si es exacta esta gran idea de Newman, la literatura presente vendrá a ser una biografía de los hombres de hoy; y en sus páginas se reflejarán los rasgos —amargos, inquietantes o esperanzadores— de nuestras generaciones.

Y esto que nos dice Buchón refiriéndose a la literatura general, podría afirmarse, de modo particular, del joven novelista José María Castillo-Navarro. Este muchacho, a pesar de su juventud, lleva producidas muchas obras: todas ellas en la línea del realismo moderno, realismo que, muchas veces se pasa de raya, cayendo en el tremendismo; hasta el punto de que quien haya leído una sola de estas obras, sabe lo que nos va a decir en la siguiente; y así, hasta *Los perros mueren en la calle,* la última que hemos leído y creemos sea la última que haya publicado el autor.

Es indiscutible que, como escribió en su día el ilustre académico de la Lengua M. Fernández Almagro, «desde el descubrimiento —no sabemos cuándo, ni dónde, ni por quién— de la belleza en el «feísmo» y de la poesía en lo más prosaico, la creación literaria, en prosa o en verso, se ha enriquecido en temas y recursos expresivos. Ese fenómeno, un tanto paradójico, no es sorprendente, ni mucho menos, en la España de Quevedo y de Goya, quienes gustaron de jugar muchas veces con semejantes antinomias, sistema que en nuestros días ha sido llevado de nuevo a extraordinario auge por Ramón Gómez de la Serna y por Solana, que han influido, en el grado que es notorio, sobre la literaura actual hasta el punto que una de sus características tal vez sea la significada por esa nueva estética o aventurada «contra-estética», capaz de extrañas transfiguraciones. Y hacemos tan elemental consideración, no por primera vez ciertamente, porque nos incita a volver sobre ese tema el libro de un joven novelista, Castillo-Navarro, que viene sosteniendo una empeñada lucha por no dejarse llevar demasiado lejos en esa tendencia y que logra en su reciente novela *Los perros mueren en la calle* un equilibrio más firme quizá que el de sus obras anteriores.

Castillo-Navarro, a pesar del equilibrio a que ha llegado en su último libro [1], es un hombre que está lleno de convencionalismos, truculencias, exageraciones y hasta pedanterías en muchos de sus personajes; envuelto todo ello en una carga excesiva de carne, de carne humana, de mujeres públicas, adúlteras o alocadas.

A fe que el autor nos quiere hacer vivir unos personajes que existen, o que pueden existir; unos personajes muy en consonancia con la novelística actual, a la que interesa, más que la belleza literaria, y la belleza de la vida, el retrato de unos hombres atormentados, que quiere ser el retrato de la vida presente.

Vamos a concederle que tenga su punto de razón: que se dé esa vida en los barrios bajos de Barcelona, escenario de su última novela; ¿pero no es más que eso la vida del hombre actual? ¿Se vive solamente esa vida inmoral, o mejor, amoral, indiferente, de atracadores y de mujeres defraudadas?... Y aunque se viva, ¿se puede hacer un universal de un

---

1 Nos referimos a la novela «Los perros mueren en la calle», aparecida en 1961, y de la que luego nos ocuparemos.

particular? ¿Y se puede hacer caer a los incautos revistiendo a esos personajes depravados con cierta personalidad y un lirismo y poesía?...

Estas preguntas nos las hemos hecho muchas veces leyendo a ciertos novelistas españoles, que tratan de imitar a los extranjeros, y que no se dan cuenta de que quedan muy por bajo de aquéllos, por faltarles el genio y el talento que los del otro lado de la frontera poseen.

Juan Luis Alborg está muy acertado al decir que Castillo-Navarro es de los casos más tentadores, y más difíciles a un tiempo, de nuestra novela reciente.

Castillo-Navarro —debemos reconocerlo— es original; pero desconcertante también y extraño. Es un novelista especial y muy personal. Sobre todo, muy personal. El lector que no esté acostumbrado a la novelística actual, le encontrará diferente a lo que él conoce y, en muchos casos, abandonará su lectura por parecerle extraña, tremendamente dura, fuerte y ultrarrealista.

El mundo que retrata el recio pincel de este joven artista literario es un mundo cargado de violencias y brusquedades. Esto no obstante, tenemos que hacer constar cómo el propio autor parece darse cuenta de estos fallos en su obra y del peligro que corren sus novelas de seguir por este derrotero, y así le vemos como acompañado de una cierta prudencia, de un afán de superarse en cada nuevo libro que escribe, y de un lirismo con que compensa lo más duro y violento de las escenas y personajes.

Este criterio lo vemos expresado magistralmente en el citado y eminente crítico Fernández Almagro cuando dice: «Quien siga la ya copiosa producción de Castillo-Navarro observará el papel representado por el contraste en la ideación y la expresión de asuntos, personajes y situaciones, pareciéndonos que nunca le ha fallado del todo la prudencia para resistirse a lo crudo o irregular, por no decir tremendo, desde que el «tremendismo» es denominación de un cierto estilo. Nos imaginamos a Castillo-Navarro buscando la superación de las durezas y aun horrores que ofrece la vida, nunca unilateralmente, por la ternura y el lirismo con que la realidad de cualquier lugar y día depara la compensación. Castillo-Navarro es autor de novelas que tantean distintos caminos, siempre orientados hacia el realismo que hoy priva. Recordamos *Las uñas del miedo* y *El niño de la flor en la boca, Manos cruzadas sobre el halda* y *Caridad negra,* para hacer notar las diversas matizaciones que el autor logra del mundo en que se mueve, procurando no despistarse, gracias a un estilo que busca, más que nada, la precisión, a tono con el «verismo» que profesa».

Resulta difícil definir el estilo y características de Castillo-Navarro. Así lo reconoce Alborg. Podríamos encontrarle cierto parecido con el

«Premio Nobel» Faulkner, pero no seríamos justos si no reconociéramos que nuestro novelista tiene una personalidad, un estilo, y una fuerza creadora especiales y destacadas como para juzgarle por sus obras, sin acudir a ayudas extrañas.

«El aspecto primero que debe ser notado —escribe Juan Luis Alborg— en la obra de nuestro novelista es que sus personajes, y sus actos, no están trazados a escala natural. Toda su producción entra de lleno en esa línea que de manera muy vaga y teórica podría llamarse «realista». Pero no se trata aquí de un realismo fotográfico, minucioso, preocupado por la reproducción más o menos fiel de un mundo dado; sino de una captura intensificada, potenciada, llevada a extremos de una peculiar exageneración, a la que habría que extraer su raíz cúbica para llegar a una cifra que coincidiera con la realidad auténtica».

Tal vez sea gusto del autor; gusto que nosotros no compartimos: la tendencia a lo pasional, a lo violento; al odio que protagoniza la mayor parte de sus obras. Porque es el odio, y no el amor, el protagonista de muchas situaciones. El odio como pasión dominante y fundamental de muchos personajes. Un odio que lleva consigo, como consecuencia lógica, la muerte, la destrucción y la violencia. Y en el mundo habrá odio, pero también existe el amor. Se obrará la iniquidad, pero también la bondad. Habrá hombres depravados y perversos, mas también bondadosos y santos.

Es triste observar cómo, con frecuencia, esta destrucción y violencia son físicas: en todas las novelas que conocemos de Castillo-Navarro se da la muerte violenta, preparada con un odio que va más allá de lo terreno. Y cuando el odio no puede llegar hasta esa muerte personal —en *Los perros mueren en la calle* se cumple hasta el extremo—, persigue al menos la ruina del objeto amado por el antagonista, o de sus ilusiones, o de su ambición, como vemos que ocurre en la novela *Con la lengua fuera,* donde Tonia lucha tenazmente por destruir en su marido la pasión por la tierra, que es en éste la razón de su vivir, y que ella odia y maldice con exaltado encarnizamiento.

«La violencia llega frecuentemnte a excesos que dentro de un realismo «a escala reducida» serían injustificados o incluso inverosímiles. Pero ya llevamos dicho que en estas novelas no se recoge una realidad normal, sino un mundo agigantado, tremendo y violento como de mítica tragedia antigua. Sería inútil negar que dentro de esta gigantomaquia pasional se esconde el germen de no poca retórica. En la misma intensificación técnica y temática alienta un fondo de coruscante barroquismo, de un barroquismo que no es hermano del tradicional, como peculiar y personal que es; pero que tampoco le es ajeno en su más profunda raíz... Por todos estos rasgos, Castillo-Navarro, que en tantas otras facetas parece distanciarse de cualquier tradición literaria, bien puede considerarse como un novelista típicamente hispano».

Castillo-Navarro tiene un modo especial de decir las cosas. No suele extenderse en largas narraciones, ofreciendo un gran contraste con otros novelistas contemporáneos. Casi toda la acción de la obra transcurre y se escribe en presente. Por eso es viva, real, movida, tremenda y brutal. Diríase que en las novelas de Castillo-Navarro existe una disposición fundamental: la presencia inmediata de los personajes con sus diálogos. Todo lo que el autor añade además como elemento de fondo y realidad circundante, o incluso como preparación y disposición de las situaciones, lo da como acotación inerte, como un poner objetos y distribuir planos que un director de escena —el lector parece que es invitado a serlo siempre en estos libros— tuviera que utilizar según el propósito y las indicaciones del autor.

Juan Luis Alborg llega a decirnos más: llega a decirnos que Castillo-Navarro no nos cuenta las cosas; ni siquiera las describe: *las pone* ante nosotros, sin alinearse en el tiempo, sino en un puro espacio actual. Y este poner las cosas en pura presencia tiene además en la obra de nuestro novelista modos especiales de llevarse a cabo. El autor nos muestra los seres como si los palpara o, mejor, como si los fuera distribuyendo sobre uno o varios planos, a la manera como ordenan los niños las figuritas de un Nacimiento. Las cosas quedan entonces como formando parte de un retablo: estáticas.

De tal manera, que no parece sino que el novelista forja sus personajes pensándolos en y para el teatro. Lo cual se echa de ver, no sólo en esa presentación y en esa puesta en presente de las cosas a que hemos aludido poco ha, sino en los mismos diálogos, que no se funden, como en otras narraciones novelescas, con las indicaciones que explican o sitúan la acción de los personajes: El autor prefiere que el lector trabaje y ponga algo de su parte completando dichas situaciones.

Todo lo cual le lleva a forzosos e inevitables y frecuentes convencionalismos. Por eso los diálogos son tan esquemáticos, tan agrios, a veces, tan elementales. Por eso, los personajes «ergotizan» cuando hablan, y parecen sacados de la más estricta y rigurosa lógica conceptista.

Este mismo convencionalismo hace que nuestro autor sea, en ocasiones, truculento y oscuro, insistiendo demasiado en las mismas cosas, como si sus personajes se regodearan —pensamos ahora en Mario, sádico, repugnante y criminal, vengativo y atroz torturando al policía que cayó inocente en sus manos— en el pecado, en la violencia, en la pasión desordenada.

Se ve que él trata de darnos una realidad; pero torna tanto a ella, que nos la hace demasiado real para pasarse al tremendismo.

Por todo ello creemos que Castillo-Navarro, a pesar de haber publicado ya un buen número de novelas, no está hecho todavía, ni menos maduro. Los fallos de sus libros nos revelan: «no una meta de premeditado positivismo, sino un bache en el que renquea por falta de pericia».

Pero seríamos injustos si no reconociéramos unas cualidades en nuestro autor que le pueden llevar a ocupar un nombre y un puesto de honor entre los primeros novelistas del momento presente. Nadie le niega una fuerte personalidad; personalidad inconfundible, que se define tanto por lo que le falta, como por lo que le sobra: rudeza, primitivismo, excesos enumerativos, reiteraciones temáticas y verbales, exageración y retórica, esquematismo y sequedad junto a inútiles y problemáticas amplificaciones, imprecisión y oscuridad... Y para remate, una imperfección estilística notable. Seguro que ni se preocupa de ello, pero nuestra obligación es hacerlo constar, pues tiene frases, muchas frases, que están mal construídas. Parece desconocer toda preocupación por la estructura del período, por la armonía y belleza de la frase.

Sus obras —lo dijimos al principio— se parecen mucho, y casi podríamos decir que son iguales entre sí. Las mejores son, sin duda, hasta el momento de escribir este artículo, *Manos cruzadas sobre el halda* y *Los perros mueren en la calle*. Antes de éstas, nos ha dejado *La sal viste luto,* cuya acción transcurre en la zona de las salinas murcianas; *Con la lengua fuera,* un violento drama campesino que pone a prueba la capacidad del autor para engrandecer una anécdota de gran tradición literaria; *Las uñas del miedo,* Premio «Ciudad de Barcelona», de menos valor que las anteriores, y *El niño de la flor en la boca,* que constituye un avance y es una pequeña joya literaria, de tema sencillo, campesino también, narrativo y feliz, que se sale un poco del común en la obra de nuestro autor.

Manos cruzadas sobre el halda es una gran novela. Una novela en que lo violento y duro está matizado por un lirismo y una fuerza poética poco común en este género de narraciones. «Todo el libro queda envuelto en un nimbo mitad poético, mitad quimérico, dentro del cual el denso componente realista sirve para exaltarlo por contraste, a la vez que se refuerza el mismo por la violencia del claroscuro. El conjunto es de gran belleza y sólo una fuerte personalidad como la de nuestro autor puede haberlo compuesto».

El gran mérito de esta novela está en la pureza y calidad de los personajes; en la emoción que despiertan las circunstancias en que se mueven sus vidas; en la profundidad y cuidado con que se tejen los pormenores de la acción.

Y llegamos a *Los perros mueren en la calle:* la más lograda de todas las obras de Castillo-Navarro, pero menos poética y mucho más realista que la anterior. Vale la pena detenernos en ella, pues aquí es donde mejor se estudia y comprende al autor.

En primer lugar, digamos que Castillo-Navarro se ha creado en ella un ambiente tan convencional que todo lo que ocurra después escapa a una seria impugnación. Si, de antemano, sabemos que se trata de unos atracadores sin escrúpulos y, por añadidura, resabiados con el ambiente y con la misma política, «la impresión del medio social y de los personajes nos parece obtenida con un certero realismo, enriquecido por observaciones sagaces», pero donde la violencia, el odio y la inmoralidad campea por sus anchas, sin que haya un orden, una ley —ni siquiera la natural— y una policía que las contenga.

Mas resulta que estos hombres no están solos en el mundo; antes, viven en sociedad; y de ahí que su actuación, funesta y criminal, influye, destruyéndolas, en la misma sociedad y familia en que viven.

Los protagonistas son tres hermanos: Mario, Andrés y Poncio. Pretextos políticos, circunstancias de apariencia social —la ayuda a los exiliados— conducen primero a Mario y luego a Andrés a una vida criminal, desaforada, de irremediables consecuencias; mientras el otro hermano, Poncio, mujeriego y de escasa voluntad, se gloría de ser modelo de oficiales dentro del ramo de la construcción.

Estos hombres sobresalen en la novela. Son hombres que sienten y aman, que tienen un corazón ardiente y enamoradizo. Hombres carentes de toda formación religiosa y escasa formación cultural. Sin principios, sin escrúpulos, sin miedo a la autoridad, sin respeto a lo más sagrado en la mujer, sin miramientos humanos, sin reservas en los dos primeros, con alguna faceta irónica egoísta e hipócrita en el tercero, que parece el más bueno de los tres.

El héroe de la novela, Mario, se define muy pronto por su capacidad sentimental. Quiere justificar su modo de proceder, se excusa ante Lupe, su amante, trata de que ésta le dé la razón: «Pienso en mi madre y también pienso en mí... Pienso en mis treinta y cuatro años, en mis dos hermanos, en la guerra pasada y en la paz presente; pienso en mí mismo, en lo que ganaba antes de dedicarme a lo que ahora me dedico... Con tener cuidado con los de la «bofia», soy feliz. El resto ha aprendido rápidamente a llamarme señor Mario. Dime la verdad, con el corazón en la mano: ¿Vale la pena ser honrado donde la gente no vale por sí, sino por lo que tiene?»...

Y junto a estos tres hermanos, la madre, viuda, que, en su sacrificio, lleva incluso a inclinar su compasión y su cariño en pro de los contumaces delincuentes; la madre que ha puesto las primicias y los regalos de su predilección en Mario, el criminal y atracador y mujeriego... «Nada la emocionaba tanto ni de manera tan profunda e intensa como hablar de las intimidades de sus hijos. Era como si ampliara el círculo de sus sentimientos, hasta conseguir quererlos con el corazón propio y con el de los otros. Uno a uno fueron acudiendo a su memoria los nombres de las mujeres con quienes sus hijos habían tenido tratos, y se sintió más unida a ellas que si las hubiera conocido personalmente. Sólo sentía que ninguna hubiera tenido la fuerza necesaria para hacerlos cambiar, e incluso aquello no le parecía justo ni consecuente».

A Asunción, la madre, le dolía la conducta de su hijo Mario. Aquel hijo le hacía daño en sus entrañas. Sabía que podía hacer las cosas más monstruosas e inconfesables, pero no podía dejar de quererlo. Sabía que acababa de matar a un hombre, mas «hagas lo que hagas —le dijo— recuerda que soy tu madre y que nunca me avergonzaré de serlo».

Cuando se fija en su hijo Poncio, el cual la echa en cara el haber recibido dinero de su hijo mayor después que éste había abandonado su trabajo, se encara a su vez con él y le contesta:

—«Aquí ha habido amor; pero no cosas turbias. Si he disimulado, si he encubierto, sólo ha sido por amor. Por salvar a Mario de los suyos, que era lo único que estaba en mis manos conseguir. Pero veo que los suyos son más extraños a él que los de la calle. Sin embargo, he de decirte una cosa, Poncio. No se puede ser tan justo ni tan honrado y necesitar hundir a alguien. Cuando se procede así, es porque algo falla en el interior. Procura que ese algo no llegue un día a manifestarse».

En la novela de Castillo-Navarro aparecen varias mujeres, todas ellas significativas y perfectamente caracterizadas. Una de ellas, Susi, la muchacha que conduce a gran velocidad, sus manos empuñadas al volante con extrema elegancia y delicadeza exquisita. Susi, a la que le entusiasma «Pastis», y de Pastis, aquella mezcolanza de cuadros y de personas. Susi, que gusta hablar de pintores: de Monet y de Modigliani; de los «desconchados» de Tapies y de los remolachas y amarillos de Van Gog, único loco que entendió la cordura de los colores y de las formas.

Susi era una mujer de temple varonil, voluntariosa y activa, que no temió, en un momento clave, ocultar a su abuela muerta en el portamaletas del coche que ella misma conducía, para poderlo volver a casa evitando complicaciones.

Pero Susi es una mujer egoísta y caprichosa, echando la culpa a su padre de aquella desviación: «Si soy así —le dice—, tú eres el culpable. Como has dicho muchas veces, todo se te antojaba poco para nosotras; pero no por nosotras, sino por las apariencias. Los vecinos y los conocidos merecen mucho más agradecimiento de nuestra parte que tú. Sí, no te extrañes».

Susi es en la novela una mujer representativa, que teniéndolo todo, sueña, no ya con vivir su vida, sino con crearse una de esas otras vidas, novelescas o noveleras, con que tienta peligrosamente a los jóvenes la realidad actual. Se la ve siempre impersonal, intransferible, rebelde, en franca discrepancia con las formas y los ritos de sus mayores; ni mejor ni peor que ellos, pero sí diferente. Sexo, muerte, sociedad, familia, independencia seguían siendo sus constantes, aunque enfocadas con más agudeza de miras, sin tanto círculo vicioso ni egocéntrico. Podía equivocarse, y de hecho lo estaba, pero a sabiendas, sin componendas acomodaticias, sin evasivas o justificaciones un tanto cursis o facilonas. Sentía el materialismo con todo su peso, y jamás invocaba a Dios o a sus ángeles para encubrirlo. El término medio había dejado de preocuparla, y en su lugar sólo existían los extremos. Su vicio dominante era la abulia, el egoísmo y la pereza. Siempre se sentía cansada o intentando comenzar algo que no llegaba a terminar, siendo sus proyectos tan infinitos como sus fracasos.

Era una mujer Susi bastante complicada, bastante compleja para aceptar la vida con altibajos. Para ser feliz, un poco feliz, necesitaba sentirse durante algún tiempo desgraciada. Por eso, odiaba la rutina; y la vulgaridad, si era espoánea la seducía con fuerza irresistible.

Ahora irá comprendiendo el autor cuanto dijimos arriba al tiempo de enjuiciar la obra de Castillo-Navarro. Porque, al igual que Susi, vemos que ocurre con Lupe; con la diferencia de clase: ésta casi una ramera, y aquélla de familia escogida y rica. Lupe es la amante de Mario, que escapará con él en el coche robado por los dos, ignorando que en el portamaletas se oculta el cadáver de una vieja. Y Lupe será la confidente del grupo de Mario encargado de recaudar fondos para los exiliados que hacen su campaña antipatriótica desde el otro lado de la frontera. Lupe, la mujer enigmática, que sabiendo que Mario le es infiel, atracador y criminal, le sigue queriendo con locura.

Y Marta, la mujer defraudada ante la impotencia física de su marido, debida a una enfermedad; Marta que abandona a éste, hasta que fue ganada de nuevo por la paciencia y la serenidad con que un hombre bueno, como era el suyo, sabe alcanzar las más difíciles victorias cuando nadie lo espera. Como ocurrió en aquella noche de tertulia, de cambio de llaves del coche y del cambio, con las mismas, de las mujeres. Un buen golpe para nuestra moderna sociedad.

En fin, toda una serie de tipos interesantes que han de proporcionar, sin duda, un rico material al historiador, al moralista y al sociólogo de mañana.

Bajo este punto de vista, *Los perros mueren en la calle* puede encajar dentro del marco de la novela social. Pero sólo en este aspecto: en cuanto nos presenta tipos y personajes muy de actualidad y que reflejan el bajo nivel de la gran masa que pulula por nuestras ciudades. Y en ningún aspecto más —eso, al menos, modestamente creemos—, ya que ni el propio Castillo-Navarro ha querido hacer novela social, ni ha planteado tesis alguna que nos lo indique.

Con todo, la novela tiene su moraleja: Viendo caer, uno a uno, a los atracadores a manos de la policía; viendo asimismo la desilusión de las mujeres cuyos nombres y rasgos característicos hemos señalado, uno saca la conclusión de que ese Dios de quien Andrés se acordó un día al tiempo de entrar, por casualidad, en una iglesia en que estaban dando la bendición con el Santísimo Sacramento, ese Dios de quien la misma Susi se quiere acordar en algunos momentos de sensatez; ese Dios que, sin que ella lo diga, sostiene a Asunción, la madre de Mario, en medio de tantas desgracias..., ese Dios hace que triunfe el bien y que, aun en este mundo, se haga justicia al bueno.

En cuanto a los muchachos que hacen el amor de Susi y se desviven por arrastrarse, como inmundas babosas, a sus pies, quedan bien calificados por uno de ellos, tal vez el más sensato de todos, cuando dice: «A veces me pregunto si no seremos solamente un hato de majaderos que no saben cómo gastar su tiempo. Peleamos, discutimos sobre si Kazan es mejor que Capra, o si De Sica sin Zavattini habría llegado a captar la realidad metafísica de una época con la hondura y la trascendencia con que lo hizo en «Milagro en Milán» o en «Ladrón de bicicletas», mientras a nuestro alrededor hay infinidad de verdades metafísicas por desentrañar.

Pero los admiradores de Susi no estaban para filosofías. Las palabras de Jaime se esfumaron, como se iba esfumando la fuerza carbónica del champaña del vaso de Magda, al ser removido por un palillo, mientras en el silencio de la noche se oyó el ¡«Perdón, oh Dios mío!» que cantaba la gente de la Misión, y las estrellas lucían más rutilantes que nunca en el cielo.

ANGEL PALOMINO

o la sociedad actual española al desnudo

I. FAMOSO ENTRE LOS DE NUESTROS DIAS

Nacido en Toledo, es autor de muchas novelas que han constituído verdaderos «best-sellers», entre las que figuran *Zamora y Gomorra,* que le valió el «Premio Internacional de Prensa 1968»; *Torremolinos, Gran Hotel,* que fue «Premio Nacional de Literatura 1971»; *Memorias de un intelectual antifranquista,* publicado en 1972; *Madrid, Costa Fleming,* posiblemente la que más fama le ha dado, aunque no sea la mejor, aparecida en 1973; *Todo incluído,* de 1975; *Divorcio para una virgen rota...*

Es autor, asimismo, de varios volúmenes de cuentos; entre los que se ha hecho ya famoso el titulado *Suspense en el cañaveral,* y también *Un jaguar y una rubia, Tú y tu primo Paco,* junto con otros menos conocidos, pero no menos interesantes.

Ultimamente hemos leído de Angel Palomino un libro de versos: *La luna se llama Pérez;* poesía de humor, del que Alvaro de la Iglesia ha podido escribir que su autor «ha heredado, o ha sabido cazar, el duende de García Lorca y, sin hacerle perder su gracia y su jerarquía, lo ha vuelto del revés despojándole de su peplo pintado con brochazos de luna y sangre, vistiéndole de alegres colorines y emborrachándole con una borrachera simpática».

Una poesía festiva, humorística; a veces tierna y dramática otras. Pero por poco tiempo, ya que, como añade el mismo Alvaro de la Iglesia, la benéfica lluvia del fino humor llega antes de que los cabellos se nos pongan de punta.

Pero, ante todo y por lo que le traemos a estas páginas, Angel Palomino es novelista. Novelista actual y de moda. Famoso entre los de nuestros días. Novelista en la misma línea de sus versos y de sus cuentos: en la línea del humor. Un humor discreto y comedido; sin chabacanerías ni «boutades». Un fino humor que viene determinado por objetivos bien establecidos.

Las novelas de Palomino, conocidas, y ya citadas, se apoyan en un costumbrismo de contornos aleccionadores. Se podría decir que, en bastantes casos, se montan como espejos de malas costumbres; de hábitos, prácticas y modas que reclaman una corrección. Gusta nuestro novelista de desnudar a la sociedad española. Pero no con un desarropamiento indiscriminado o por un excluyente cultivo de las vertientes escandalosas. Los llagados conjuntos que ofrece tienen un designio corrector.

Pienso que Angel Palomino no da todavía la talla. Y, por lo mismo, no merece la pena que nos detengamos más en su vida, la que, por otra parte, es corta y breve y está haciéndose en la medida en que se está haciendo su obra narrativa que pasamos a reseñar.

II. «TORREMOLINOS, GRAN HOTEL»

Cuando el novelista toledano escribió y publicó este libro —año de 1971—, ya hizo concebir las mejores esperanzas, e hizo pensar también que nos encontrábamos ante un joven valor literario-periodístico, salido de «La Codorniz», y un poco de la mano de Alvaro de la Iglesia, prometiéndonos a corto plazo una literatura fresca, desgarrada y humorística. Precisamente, la literatura que suele abundar por su ausencia entre nuestros escritores, o escasa a todas luces, a no ser que se trate de un humor acre, grosero y tremendista. El humor que ha cultivado y sigue cultivando Camilo José Cela.

Pero en *Torremolinos, Gran Hotel,* Palomino se quedó a medias en su cometido. Se quedó a medio camino entre el humorista y la crítica social de la España de nuestros días y del mundillo superficial y casquivano que describe. La novela tiene «un poquito» de todo, pero de cortos vuelos.

Por lo que debe quedar claro que es una novela que no convence y que bien puede pasar sin pena ni gloria por las letras hispanas. Después, he leído otras obras de este mismo autor y pienso —igual me equivoco— que estamos ante un «arrivista» y un aprovechado. Se me figura que, como tantos otros, trata de negociar con la novela, comerciar con los lectores inclinados al gusto amargo y barato de la basurilla casera, lanzando a la calle lo que puede ser, es verdad, un «best-seller» publicitario, pero un libro de escaso valor literario.

En cuanto a su temática, Angel Palomino critica y descubre los puntos flacos y las tretas de la sociedad entre la que vive y vivimos todos. No obstante, consigue su efecto crítico no por un razonamiento moralizante —aunque en todo humorista se encierre un moralista—, sino por una exposición natural y viva de los seres y los acontecimientos. Lo contrario sería una farragosidad, de la que, ciertamente, está muy lejos.

El humor de Angel Palomino parece basarse en algo así como el apunte, el boceto que sugiere, pero que no llega a configurar la realidad total de un rostro. El reconocimiento será cuestión del lector, ya que el autor proporciona los elementos claves con el fin de que aquél saque, en buena lógica, las consecuencias.

Pienso que, en realidad más que novela, *Torremolinos, Gran Hotel,* es un reportaje periodístico, desenfadado; a veces cáustico, a veces irónico, del funcionamiento de un gran hotel-superfluo, «de esos de cinco estrellas cuyo confort llega a lo artificioso y es dudoso en el refinamiento».

Palomino no ha planteado su obra como una atención al fenómeno turístico, sino como una descripción de un pequeño mundo que, por sus peculiares estructuras, tiene gran materia novelesca. La obra se desenvuelve en dos áreas: el mundo de los clientes y el mundo de los empleados del hotel. Dos mundos no antagónicos, pero sí muy distintos. A estos dos mundos pertenecen, por un lado, desde el director, pasando por el «chef», la gobernanta, y hasta el botones. Por otro, desde el cliente distinguido y millonario, hasta el artista del cine, la nueva rica, o el nórdico que descubre el clima mediterráneo.

Tal vez lo mejor de esta novela sea precisamente la descripción que hace de los empleados del rico y lujoso hotel de la costa mediterránea. Lo mismo que de los distintos personajes, en su mayoría corrompidos por el consumismo y la falta de honestidad, que desfilan por el mismo. Todo un desfile de marionetas vivientes: el millonario que hace ostentación de sus millones y los explota en beneficio de su egoísmo personal; el artista vanidoso y superficial; el hombre del Norte que viene buscando «el sol de España»; el nuevo rico, que por no saber, no sabe ni cómo presentarse en sociedad, pero que presume de espléndido, inmoral y vicioso.

Son historias, las de estos personajillos, que parecen «clichés», sin que se alce el personaje real y su historia con verdadero relieve. Una historia, en fin, o una novela-historia, que si tiene algún valor es el de presentarnos una España adocenada y un turismo inmoral. Y todo ello, bajo el prisma del humor. Humor serio, humor social, humor de calidad.

III.   «MEMORIAS DE UN INTELECTUAL ANTIFRANQUISTA»

De error imperdonable podríamos calificar esta novela de Angel Palomino, un autor promocionado últimamente por el mundillo de las letras hispanas, pero que no acaba de convencer como auténtico valor literario y sí como hombre vivo y aprovechado de la circunstancia histórica y social por que está atravesando España.

Una equivocación y equivocación grave la que ha cometido con este libro el autor de *Torremolinos, Gran Hotel,* o de *Madrid, Costa Fleming.* Es posible que no convenciera ni siquiera a los convencidos y a los que pudiera halagar. En cambio, al profesor Aranguren, presente desde la primera a la última página del libro, no le ha hecho ninguna gracia, pues ha quedado desdibujado y torpemente interpretado.

Pienso que, a estas alturas, la propaganda política que pudo hacer Palomino con esta novela no dice ya nada a los hombres y mujeres que puedan leerla, que han de ser, por otra parte, medianamente cultos y entendidos en la materia. Acaso el máximo efecto que pueda conseguir entre estas personas es el de la hilaridad.

La hilaridad y la compasión, ya que su autor no debió abandonar nunca el quehacer literario del fino humor que mostraba en sus producciones anteriores. Y es que *Memorias de un intelectual antifranquista* no es, ni siquiera desde este último punto de vista, bueno, sino solamente regular, tirando a malo.

Veamos. El profesor Aranguren ha escrito *Memorias y esperanzas españolas.* Pues bien, Angel Palomino, siguiendo muy de cerca, hasta repitiendo frases del ilustre profesor y maestro, ha pretendido en esta su obra que comentamos desmitificar al filósofo español, para lo cual no ha encontrado mejor procedimiento que aventurarse a escribir las «anti-memorias» de aquél.

El crítico R. Durbán dijo en su día, a este respecto, que no parece sino que hubiera reclinado a Aranguren sobre el clásico diván psicoanalista y le hubiera puesto al descubierto todas las trampas psíquicas propias de un intelectual de izquierdas. Con la particularidad de que Angel Palomino nunca ha sido ni intelectual ni de izquierdas.

Por eso su libro es, sobre todo, y antes que nada «falso», con una falsedad que tira de espaldas desde sus primeras páginas. Sus personajes son auténticas marionetas que el autor trae y lleva despiadadamente a su antojo por los barbechos de una España tan áspera como la que ha tenido que vivir José Luis L. Aranguren. Con su pre-guerra, su guerra, su postguerra, sus años de hierro, su «apertura» y su actual conflicto universitario. El lector de *Memorias de esperanzas españolas* sabe que se encuentra ante una versión subjetiva. El lector de *Memorias de un intelectual antifranquista,* tal y como nos lo presenta Palomino, se llevará la gran sorpresa de que jamás tanta ligereza y tantas pretensiones se pusieron al servicio de una tan poderosa causa como el desprestigio de un catedrático de izquierdas.

Ya de por sí es pretencioso querer dar una interpretación verídica de las distintas posturas adoptadas por el profesor Aranguren a lo largo de su vida. Pero dictaminar a diestro y siniestro, con el aplomo con que lo hace nuestro autor, sin pararse siquiera ante lo más sagrado de unas relaciones matrimoniales, más que ligereza, supone falta de escrúpulos y afán de hacerse famoso a base de sensacionalismos baratos y de tergiversaciones deshonestas.

Aparte de que, a la hora de enjuiciar los aciertos, Angel Palomino no ha sabido retratar al intelectual Aranguren. Se le escapan los detalles que reflejan mucho de su mundo interior: sus gestos, su vocabulario; todo ese conjunto de detalles que dan el modo de ser propio de un universitario. El retrato que nos hace el autor de su personaje es desvaído, sin garra, sin alma. Por lo que el lector se queda sin descubrir ni al intelectual ni al personaje literario que pudiera esconderse en la novela comentada.

En cuanto al valor literario de *Memorias de un intelectual antifranquista,* digamos que el libro aparece estructurado en tres planos diferentes, que son otras tantas biografías simultáneas: una esquemática, donde se nos refiere la trama principal de los acontecimientos por medio de un diario, que quiere ser el diario de un pensador, de un intelectual; otra más íntima y más subjetiva, en la que el protagonista Amezqueta expone la interpretación personal de un pasado ingrato y desafortunado; y una tercera biografía, que está como pensada en el momento actual de los españoles —quizá ya un poco pasado el sarampión predomacrático—, y que no es otra cosa que una propaganda política en la que el intelectual «maldito» del régimen compone su figura al gusto de la oposición.

De este modo, el interés de la novela es decreciente, ya que uno se pierde a lo largo de su lectura y no sabe a punto fijo en cuál de las tres biografías se encuentra.

Con todo, me parece un poco duro el juicio que le han hecho algunos críticos literarios al afirmar que Angel Palomino lo único que ha pretendido ha sido arrojar vitriolo sobre cualquier actitud que pueda parecer atractiva en el catedrático desafecto al régimen. Especialmente, hacer recaer sobre Aranguren —a quien se presenta como un Maquiavelo de vía estrecha— la culpa del desbarajuste universitario que hoy padecemos, parece ir demasiado lejos y con una aviesa intención. Desde la perspectiva elocuente de la Universidad española actual, resulta ingenuo el buscar en Aranguren una cabeza de turco.

IV. «TODO INCLUIDO»

De esta novela de Angel Palomino se ha podido escribir, con evidente exageración, que es fruto de su imaginativa, de la capacidad de este autor para enriquecer el caudal de su invención inagotable con el aporte de sus experiencias personales y de unas excepcionales dotes de observador.

Pero algo hay de verdad en todo ello. En *Todo incluído* nos introduce en el mundo sorprendente de los grandes viajes organizados. El lector hace las maletas con el reportero —Angel Palomino, para mí, sigue siendo más periodista que novelista— y embarca en un gigantesco barco de recreo rumbo al Oriente exótico y siempre esperado. Todos hemos deseado hacer, siquiera una vez en la vida, un crucero por Oriente y recrearnos en las maravillas que nos puedan deparar países como el Japón, China y Thailandia.

Si encima, en el viaje «está todo incluído», pues miel sobre hojuelas, que dirían nuestros mayores. Pero no nos engañemos. Y aquí está el mayor logro del novelista: no está todo incluído: por ejemplo, los caprichos, que se pagan, en ocasiones, muy caros; y la aventura erótica, que te deja frío en el corazón, un mal sabor de boca y el bolsillo poco menos que vacío, o el «chequero» tambaleándose. Todo se paga en este mundo; que decía ya en su tiempo Napoleón.

Angel Palomino aprovecha estas circunstancias del viaje y estas «pequeñas aventuras» para recrearnos con un exquisito humor que ya vimos en *Torremolinos, Gran Hotel,* a la que tanto se parece, y que echábamos en falta en la desgraciada y desafortunada *Memorias de un intelectual antifranquista.*

Por lo demás, en esta novela conviven y «contubernian» matrimonios modosos con carotas y atrevidos chantajistas; traficantes de divisas y «pendones» que maldito el caso que hacen a sus esposas; jovencitas de nueva ola, desenfadadas y contestatarias, pero que en el fondo son rabiosas «hijas de papá» con la zorrilla casi decente y el político cesante.

Todo ello enmarcado en un viaje de recreo y en un mundo exhuberante y lleno de sorpresas. En un crucero de millonarios, con sus noches fantásticas del Mar de la China; con la dulzura de las japonesitas y la cortesía de los japoneses; con la sabiduría amorosa de las súbditas del rey de Siam.

Y otro nuevo acierto de Angel Palomino: el desmenuzamiento de un grupo característico de la sociedad de consumo española, en los años del consumismo y el desarrollo triunfalista, efectuado a través de las contrastaciones de un pelotón de turistas superficiales y ligeros, poco escrupulosos en su vida moral, que nos ofrecen la tipicidad hispánica entre perfiles resaltadores y hasta caricaturescos.

La agencia «Viajes Porto» ha conseguido reunir en un crucero de lujo a unos individuos —ellos o ellas— que, casi sin darse cuenta, van exhibiendo su dinámica esencialidad, el trasfondo de sus evasivas peripecias. Cada cual hace su particular pirueta, su juego denunciador. Con lo que el autor, sin recargar demasiado las tintas, pone al descubierto la herida clamante y vergonzosa con el escalpelo del más fino humor, que es lo suyo.

Malversación. Negocios sucios. Chantajes y desenfrenos... Toda una muestra de la proterva inclinación de la clase dirigente de hace unos años en España.

Decía antes, en un inciso, que Angel Palomino es, sobre todo, un reportero. Y lo demuestra de modo especial en este libro. Todo él se desenvuelve por los carriles del reportaje viajero. Las incidencias de los del «Grupo Byron» —título de la agencia para la tropilla catapultada al «Oriente misterioso»— es un pretexto, solamente un fecundo pretexto para síntesis y descripciones de valor innegable; así como también para hallazgos sorprendentes y paradójicos, en la visión contrastadora de las pupilas de un grupo de españoles, representantes de un sentir medio.

José María de Alfaro hará, sobre este último aspecto de la novela de Angel Palomino, unas reflexiones muy atinadas. Una España —nos dice— proyectada hacia goces inmediatos, perdida en los hedonismos del consumismo. El «Grupo Byron» caracteriza unos sectores del vivir español actual, a quienes ni el dispendio de unos puñados de dólares o el disfrute evasivo del ocio organizado por una compañía turística, logran arrancar de la aspiración chata, del mirar sin vuelo y de los retornos rutinarios y borrosos.

En *Todo incluído* el espejo de la pequeña pandilla española devuelve perfiles y símbolos cenicientos. Con esa ceniza, que amalgama —chantajista de una pareja clandestina, de patrón y secretaria— con el protagonista de un «affaire» de alta corrupción —envuelto en maleza oficial—, también se amasa la desolación hormigueante del desencanto, personificado en la pureza de intenciones de un periodista, asfixiado por las volutas bastardas de sus equívocos empresarios.

V. «DIVORCIO PARA UNA VIRGEN ROTA»

Finalista al «Planeta 1977», esta novela nos devuelve al Angel Palomino humorista incisivo y, a las veces, cáustico de sus primeros libros que le hicieron famoso todavía no hace una década. Pienso que se trata de una novela aceptable, tanto por su agudeza narrativa, como por la denuncia que hace de la sociedad española de nuestros días a nivel de clase media, adinerada y superficial, falta de cultura, egoísta y sin conectar con los graves problemas del momento, a no ser que le toque de cerca y se refieran a sus negocios o a sus propias vidas.

Divorcio para una virgen rota puede quedar resumida en dos personas: un hombre y una mujer —Clara y Miguel—, los cuales llevan quince años haciendo vida marital sin aclarar ideas, situaciones y conciencias.

Hasta que un día la mujer se entera, por una esquela del periódico, que ha muerto su verdadero marido. Por sus amigas se entera también del «triste suceso». Ellas son las primeras que acuden «presurosas» a felicitarla. Paradojas de la vida entre esta clase de personas.

Inicialmente, aquí tenemos un acierto del libro: la terrible paradoja de que las amigas de Clara —tan vanidosas y traumatizadas como ella— acudan a darla la enhorabuena por tener a su marido muerto, «porque al fin ha muerto» y es libre y puede salir libremente de su ratonera y pasear tranquila por la calle de Serrano del brazo de su amante Miguel.

Clara se había casado —mejor, la habían casado— a los 18 años con un hombre impotente, a quien un impedimento psicológico no permitía consumar el acto sexual. Así las cosas, el matrimonio no tarda en romperse, dejando en la joven esposa un fuerte sentimiento de culpabilidad que acaba por superar, decidiéndose, por fin, a rehacer su vida.

Clara, protagonista y eje vital de la novela, una mañana de luz velazqueña, que penetra en el saloncito tamizada y clorofilada a través de la terraza del jardín, está colgada del teléfono dando las gracias a «Miles», la amiga que no sabe por dónde empezar —¡qué apuro en la puritana!—, pero que, se mire como se mire, «es tu marido el que se ha muerto», termina diciéndola.

El marido verdadero de Clara se llamaba Sancho Fajardo Benítez.

Clara y su amante comienzan a vivir de nuevo. Son jóvenes todavía. Quizá porque quince años de unión provisional, resbaladiza y culpable, les han mantenido en un tiempo de espera, de transitoriedad, de no contar aniversarios, ni de tener hijos, ni proyectos, ni pasado, ni futuro, ni fechas clave que recordar o señalar como punto de partida de algo.

Evidentemente, Clara y Miguel habían estado haciendo contrabando de sus vidas y compartiendo un amor subversivo. Clara no puede por menos de «dar gracias a Dios» porque, al fin, se ha muerto su marido y ella «se ha liberado». Tenía que dar las gracias también a su marido porque se iba en paz y la dejaba en paz.

Había sido sentenciada, sin voz ni voto, a casarse con Sancho Fajardo, por consejo de aquel psiquiatra «fusilable» y sin conciencia. Al llegar a este punto, Angel Palomino ironiza jugando con la vida de Clara Gilmaestre, virgen, condenada a unirse en matrimonio con un impotente que la golpeará en la primera noche de sus bodas, y en la segunda, y en la tercera...

Cuando Miguel conoció a esta mujer, ella era una chica aparentemente segura de sí misma, hermosa, desenvuelta y discreta. Luchaba por enmascarar su verdadera personalidad hambrienta de afecto y temerosa del hombre, esa bestia agresiva y cobarde. Miguel llegó a ella como uno más. Clara los llamaba pescadores submarinos, buceando con el fusil preparado y el dedo en el gatillo, sumergidos y con los ojos bien abiertos, dispuestos a cobrar la pieza en la profundidad silenciosa y alcahueta, a la muchacha separada del marido, a la casada zorrona y beneficiable.

Clara tardó más de un mes en saber por qué su marido la maltrataba siempre que hacían el amor; y por qué se había visto arrojada de su lado. Porque por mucho tiempo estuvo hecha un lío y se reconocía culpable. Además de que en su casa, los Gilmaestre se pusieron en lo peor y aquello parecía una tragedia hispano-musulmana. Para doña Clotilde, la madre, aquello estaba clarísimo: algo había hecho su hija a aquel chico tan maravilloso, ya que nadie pega a nadie porque sí, y menos a su mujer, y menos en la noche de bodas. En cuanto al padre, Demetrio Gilmaestre, después de echar en cara a su esposa la mala educación que había dado a su hija, no podía soportar —era todo un padre a la vieja usanza española— que Clara no hubiera ido «virgen» al matrimonio, aunque el hipocritón de él estrenara a una moza de veinte años y la «desvirgara», sintiéndose aquel día muy realizado, rebosando hombría y vanidad. Pero para eso era «el señorito» y la moza la criada de la casa.

Cuando Clara salga de la consulta del doctor Picón —el psiquiatra— saldrá más segura de sí misma, con la conciencia en paz y más entonada. Ya sabía por qué su marido la pegaba y por qué había estado haciendo el idiota indagando la causa de su fracaso matrimonial.

Angel Palomino ironiza con la sociedad española de los años cincuenta, sin dejar en buen lugar a la misma Iglesia, muy adicta al régimen franquista, carismática y tridentina. Porque Clara va a consultar a un sacerdote, muy famoso entonces por las charlas de la noche: «En la onda de Dios», precursor del Concilio Vaticano II, el cual le dijo con toda claridad: «Su amor está muerto, hija mía, aunque ustedes creen estar viviéndolo, pero lo que viven es una aventura esencialmente honrada».

El autor, cuando llegue la nueva boda —«la rapsodia de los jerónimos»— entre Miguel y Clara, nos presentará a un cura joven y cetrino, consciente de hallarse «en tierra de misión», dentro de aquel barrio de gente rica, donde trata de encontrar hombres de fe y solamente encuentra «el cestillo lleno de billetes de cien pesetas y alguno de quinientas y de mil». Un cura que a la hora de la entrevista con los novios, dirá:

—Voy a casarlos a ustedes; no se lo puedo negar. Pero no será ese un día de gozo en la Casa de Dios. Preferiría no tener que hacerlo.

En cuanto a su amante, y ahora flamante esposo, Miguel Tejuelo, era director general de una gran empresa, a la vez que consejero y delegado, y propietario del 50 por 100 de las acciones de la sociedad.

Miguel es oficialmente soltero después de quince años de vida matrimonial con Clara, la cual es su mujer, pero no su esposa. Miguel procedía también de un matrimonio roto y deshecho que se separó, por fin, sin grandes problemas, cuando él tenía catorce años. Estudió en un colegio de jesuitas en Irlanda. A los dieciocho perdió, en accidente, a su padre, y poco después a su madre. Con ayuda de los amigos consiguió montar su negocio. Un gran negocio en el que pronto entrarán a formar parte hombres sin escrúpulos de la talla de César Amado Niño, hombre famoso, español importante, de doble vida y de dos casas, y de cuya segunda historia familiar tendrá a la bellísima y encantadora hija Isabel Clara Eugenia, nombre de princesa, con aromas del Escorial y Aranjuez, la cual terminará odiando al autor de sus días, teniendo un hijo con Miguel —más por rabia que por amor—, al que abortará en Londres.

Por descontado que César Amado Niño había entrado en Madrid con las primeras avanzadas de las tropas victoriosas en abril de 1939, sin ser combatiente, ni español siquiera, pero pronto a hacerse «arrivista» y «nuevo rico» aprovechando la circunstancia de la dura postguerra.

Con este hombre se asoció Miguel para la creación de «Guindasa», seguro de que nadie como él sabría ver lo que España iba a necesitar en el futuro. Miguel conoció a Clara sin buscarla en una cafetería situada en el mismo edificio donde tenía las oficinas de su fábrica.

Pero llegarán las horas de la desilusión y de la infidelidad —ahí queda el nombre de Isabel Clara Eugenia y el de Loy Yu en el viaje de negocios a Estados Unidos—; las horas, incluso, del desengaño; de la mirada sonriente pero distante, en que la verdadera ternura ha sido barrida por un ir viviendo e ir engañando a la sociedad muelle y relajada en que se mueven.

Y mientras Isabel Clara Eugenia aborta en Londres con el beneplácito de su madre y de la «buena sociedad» que la rodea, Clara y Miguel —cada uno por su lado— andan entre ginecólogos y especialistas en